Pense e enriqueça

Napoleon Hill

Organizado por Ross Cornwell

Pense e enriqueça

A versão original, restaurada e revisada

SEXTANTE

Título original: *Think and Grow Rich! The Original Version, Restored and Revised*™

Copyright © 2004, 2015 Ross Cornwell. Todos os direitos reservados.
Edição publicada mediante acordo com THE MINDPOWER PRESS.
Copyright da edição original © 1937 Napoleon Hill.
Copyright do prefácio © 2007 Bob Proctor.

Copyright da tradução © 2020 por GMT Editores Ltda.

Todos os direitos reservados. Nenhuma parte deste livro
pode ser utilizada ou reproduzida sob quaisquer meios existentes
sem autorização por escrito dos editores.

tradução: Fernanda Abreu
preparo de originais: Olga de Mello
revisão: Flávia Midori e Luis Américo Costa
projeto gráfico e diagramação: Ana Paula Daudt Brandão
capa: DuatDesign
imagem de capa: Jingjing Yan/ Shutterstock
impressão e acabamento: Lis Gráfica e Editora Ltda.

CIP-BRASIL. CATALOGAÇÃO NA PUBLICAÇÃO
SINDICATO NACIONAL DOS EDITORES DE LIVROS, RJ

H545p   Hill, Napoleon, 1883-1970
           Pense e enriqueça / Napoleon Hill; tradução de Fernanda Abreu. Rio de Janeiro: Sextante, 2019.
           368 p.; 16 x 23 cm.

           Tradução de: Think and grow rich
           ISBN 978-85-431-0803-2

           1. Carnegie, Andrew, 1835-1919. 2. Autorrealização. 3. Sucesso nos negócios. I. Abreu, Fernanda. II. Título.

19-59725   CDD: 650.1
                                                         CDU: 005.336

Todos os direitos reservados, no Brasil, por
GMT Editores Ltda.
Rua Voluntários da Pátria, 45 – 14º andar – Botafogo
22270-000 – Rio de Janeiro – RJ
Tel.: (21) 2538-4100
E-mail: atendimento@sextante.com.br
www.sextante.com.br

*Tudo que a mente
for capaz de conceber
e em que for capaz de acreditar,
ela pode conquistar.*
NAPOLEON HILL

Sumário

	Apresentação Especial de Bob Proctor	9
	Apresentação do Editor	13
	Prefácio do Autor	19
INTRODUÇÃO	Poder da Mente	27
CAPÍTULO 1	Desejo	43
CAPÍTULO 2	Fé	63
CAPÍTULO 3	Autossugestão	85
CAPÍTULO 4	Conhecimento Especializado	93
CAPÍTULO 5	Imaginação	107
CAPÍTULO 6	Planejamento Organizado	121
CAPÍTULO 7	Decisão	163
CAPÍTULO 8	Persistência	175
CAPÍTULO 9	O Poder da Mente Mestra	193
CAPÍTULO 10	O Mistério da Transmutação do Sexo	201
CAPÍTULO 11	A Mente Subconsciente	223
CAPÍTULO 12	O Cérebro	231
CAPÍTULO 13	O Sexto Sentido	239
EPÍLOGO	Como Derrotar os Seis Fantasmas do Medo	251

APÊNDICE A	Um espírito elevado	285
APÊNDICE B	Tributos ao autor	289
APÊNDICE C	Prefácio do editor original	295
APÊNDICE D	Este exército permanente está a seu serviço	297
APÊNDICE E	O que mais você quer?	301
APÊNDICE F	Primeiras fontes	305
APÊNDICE G	Principais obras de Napoleon Hill	311
APÊNDICE H	"Não dá para fazer"	313
	Agradecimentos	315
	Sobre o Autor	321
	Notas	323

Apresentação Especial de Bob Proctor

Você e eu temos algo em comum: ambos escolhemos um dos melhores livros já escritos. No entanto, lá se vão quase 50 anos desde que minha mente foi exposta pela primeira vez às informações que agora estão em suas mãos. O conteúdo de *Pense e enriqueça* tem potencial para aumentar sua qualidade de vida num nível muito além da sua imaginação. Veja bem, eu provavelmente conheço este livro e seu potencial melhor do que a maioria das pessoas vivas hoje. Cinquenta anos estudando a mesma técnica deixam marcas em você. Permita-me explicar.

Em 1963, quando eu tinha 29 anos, meu irmão Al me deu um presente que considero um verdadeiro tesouro: um exemplar de *Pense e enriqueça* que mandara encadernar em couro preto. Eu já estudava o livro havia algum tempo, porém, desde que ganhei aquele exemplar de Al, passei a carregá-lo comigo todos os dias. Muita coisa na minha vida mudou para melhor desde então.

Um dia, meu irmão me mandou um e-mail dizendo que estava satisfeito por eu ter começado a estudar *Pense e enriqueça* porque toda a nossa família se tornou mais próspera e feliz por causa deste maravilhoso livro de Napoleon Hill. A filosofia contida nas páginas que se seguem é uma das melhores visões do sucesso que você vai encontrar em qualquer lugar.

Estou escrevendo estas palavras sentado em minha biblioteca, cercado por alguns milhares de livros – grandes livros, mas nenhum tão impactante quanto este.

Henry Ford, John D. Rockefeller, Thomas Edison e Alexander Graham Bell foram amigos próximos de Hill. Mesmo sem pesquisar, você deve ter uma ideia bastante clara da importância desses homens – até porque, na maioria dos casos, seus nomes estão atrelados às suas realizações. A meu ver, contudo, é quase impossível descrever com exatidão o impacto positivo que Napoleon Hill e sua obra tiveram no mundo. Por meio de seus livros, ele transformou a vida de milhões de pessoas. Suas incríveis pesquisas e seus muitos anos de dedicação reverberam na mente de indivíduos que nunca ouviram falar no seu nome, mas que tiraram proveito da sabedoria que outros compartilharam ao ter contato com a grande obra desse autor.

Na primeira vez em que *Pense e enriqueça* foi colocado nas minhas mãos, eu estava num quartel do Corpo de Bombeiros num subúrbio de Toronto, no Canadá. Eu era um rapaz de 26 anos muito confuso, infeliz e sem um tostão no bolso. Praticamente não tinha educação formal e nenhuma experiência profissional. Estava sempre concentrado no que eu não possuía, no que me faltava e no motivo pelo qual eu não conseguia fazer tudo que sonhava. O trabalho de Hill me inspirou; ele me levou a focar naquilo que eu *podia* fazer. À medida que fui estudando a poderosa informação compartilhada neste livro, comecei a procurar formas de fazer as coisas em vez de razões para não poder fazê-las.

Pense e enriqueça me ensinou a desenvolver meus pontos fortes e a administrar meus pontos fracos. Com a repetição, lendo cada capítulo incontáveis vezes, passei a nutrir um saudável respeito por meu potencial e por minhas capacidades. Hoje sou dono de diversas empresas bem-sucedidas espalhadas pelo mundo inteiro. Atraí parceiros de negócios com os quais qualquer um teria orgulho de trabalhar. O grupo LifeSuccess se concentra em prestar serviços na mesma área à qual Hill se dedicou: ajudar as pessoas a compreender e a desenvolver seu potencial.

Adquiri o hábito de ler algumas linhas de *Pense e enriqueça* diariamente e cheguei à conclusão de que, seja qual for o obstáculo que tiver pela frente, a solução será encontrada nas páginas deste maravilhoso livro. Outro hábito que aconselharia você a seguir é ler o capítulo "Persistência" durante 30 dias pelo menos duas vezes ao ano.

Recentemente, viajei para Kuala Lumpur, na Malásia, para falar na conferência internacional da Fundação Napoleon Hill, ocasião em que o primeiro-ministro malaio foi agraciado com o Prêmio Napoleon Hill. Embora o autor tenha passado para o plano seguinte de sua jornada eterna, a instituição perpetua suas realizações. Lembro-me do instante em que entrei na biblioteca da fundação, que abriga boa parte das obras originais de Hill, e fui tomado por um sentimento de profunda gratidão; senti-me devedor a ele e à fundação pela vida confortável que tenho.

Decida agora mesmo. Tome a decisão de canalizar a filosofia deste livro de modo que ela faça por você o que já fez por milhões de pessoas. Recomendo fortemente que faça o que fiz há tantos anos: ler *Pense e enriqueça* inúmeras vezes até se tornar parte de seu modo de pensar, de seu modo de ser. Você será ricamente recompensado por isso.

BOB PROCTOR, 2007
autor de *Você nasceu rico*

NÃO ESPERE.
NUNCA SERÁ O MOMENTO PERFEITO.

Apresentação do Editor

No fim da primeira década do século XXI, os Estados Unidos e diversos outros países enfrentaram um abismo financeiro e econômico que por pouco não causou o colapso de todo o sistema mundial. De acordo com a maioria das estimativas, a crise teria sido bem pior – até cinco vezes maior – do que a da Grande Depressão. Bilhões de pessoas poderiam ter ficado arruinadas e milhares de empresas teriam sido destruídas.

Como patos num estande de tiro, gigantes das finanças e grandes empresas se equilibravam um após outro na beira do abismo: Goldman Sachs, Morgan Stanley, Lehman Brothers, AIG, Merrill Lynch, Bear Stearns, General Motors. Muitos faliram. Todos correram perigo. Estávamos diante de um buraco negro na economia. Hoje, ao menos por enquanto, parece que o navio retomou o prumo e que o "buraco negro" de 2008 foi evitado.

Durante a Grande Depressão dos anos 1930, nasceu um fenômeno cultural e editorial feito sob medida para ajudar pessoas abandonadas pela sorte e arruinadas financeiramente: *Pense e enriqueça*, escrito por Napoleon Hill. Nenhuma outra obra teve maior relevância na época ou tem no momento atual, quando diversos povos do mundo estão reconstruindo e fortalecendo suas economias enquanto tentam planejar um futuro que, apesar de diversos sinais favoráveis, ainda permanece incerto.

Pense e enriqueça é o ÚNICO "manual" sobre sucesso pessoal que você

PRECISA ter. Ele vai ajudá-lo a enriquecer – além de enriquecer sua vida – em todos os aspectos que importam, não só do ponto de vista financeiro e material. As ideias por trás deste livro são a origem de todos os movimentos de "Sucesso Pessoal" e "Atitude Mental Positiva". Todos os livros, CDs, DVDs, podcasts, discursos, seminários, materiais on-line ou outros produtos sobre realização pessoal criados depois da publicação de *Pense e enriqueça* fazem pouco mais do que redescobrir e reempacotar as ideias e os princípios do Dr. Hill.

Se você estiver lendo *Pense e enriqueça* pela primeira vez, não dê atenção às notas de rodapé, às notas de fim de texto ou aos apêndices por enquanto. Eles contêm informações que um dia vão aumentar seu apreço pelo livro, mas durante sua primeira leitura diminuirão seu ritmo e interferirão no seu processo de aprendizado. Quando tiver completado sua leitura (a primeira de muitas!), iniciando assim sua jornada no caminho rumo a sua grande realização pessoal, sua independência financeira e seu verdadeiro sucesso na vida, volte a esta apresentação. Leia então as reflexões suplementares sobre o livro e sua filosofia. Estude as notas de fim de texto, que ampliarão sua visão sobre conceitos como "Atitude Mental Positiva" e também sobre a época em que Napoleon Hill trabalhou e escreveu, sobre as pessoas de quem ele falou e sobre o autor em si.

Se este for seu primeiro contato com este livro, peço-lhe que pare de ler ao fim deste parágrafo e pule imediatamente para o "Prefácio do Autor" na página 19. Ali está o início de uma experiência mais profunda, capaz de mudar sua vida – uma experiência que proporcionou a milhares de homens e mulheres a chave do sucesso ano após ano desde que Napoleon Hill publicou sua obra seminal. O que eles aprenderam ajudou muita gente a sobreviver à Grande Depressão e outras pessoas a alcançarem sucesso e riqueza nos anos que sucederam essa época desesperadora. Então, leitor de primeira viagem, não hesite. Não perca tempo. Pule para o "Prefácio do Autor" para começar seu estudo – e FAÇA ISSO AGORA!

Se você não for um iniciante e já tiver lido outra versão de *Pense e enriqueça*, um tipo diferente de recompensa está à sua espera. O livro que você tem nas mãos é uma edição restaurada e revisada da versão original. Lembre-se de que o Dr. Hill publicou *Pense e enriqueça* pela primeira vez em 1937, em plena Grande Depressão. Em 1960, ele publicou uma edição revista na qual eliminou diversas partes que diziam respeito a questões específicas relacionadas a uma crise econômica profunda. Essas e outras mudanças foram feitas para não deixar o livro "datado".

Desde então, os exemplares disponíveis nas livrarias e na maioria das bibliotecas são os da edição de 1960 e de suas subsequentes reimpressões. Por ironia, muito do que se omitiu na edição de 1960 revela-se extremamente relevante para as circunstâncias e condições que prevalecem hoje, devido às imensas crises, mudanças e incertezas que varreram o mundo a partir do colapso econômico generalizado em 2008. O formato original do livro dialoga de modo tão claro e significativo com as pessoas do século XXI quanto com aquelas que as precederam – talvez até mais.

Assim, a edição que você está lendo neste instante restaura o formato original do livro, reintroduzindo boa parte do material removido mais de cinco décadas atrás. (Alguns trechos não foram mesmo reinseridos devido a sua obsolescência.) Além disso, o "visual" original de *Pense e enriqueça* foi recriado, reproduzindo o uso "criativo" dos destaques feito pelo Dr. Hill e imprimindo ao texto uma qualidade visual cheia de vigor e entusiasmo.

Embora esta nova edição recupere o texto e o visual da original, o livro também foi integralmente revisado. Dados financeiros e econômicos foram atualizados, por exemplo. Cada uma dessas alterações visou apenas remover qualquer obstáculo a uma compreensão plena das ideias do autor. O objetivo foi tornar *Pense e enriqueça* tão acessível quanto possível ao leitor de hoje.

Esta edição revisada também é a primeira e única inteiramente comentada, com notas de rodapé, notas de fim de texto e apêndices. A maior parte dessas notas será interessante principalmente para o entusiasta da obra de Napoleon Hill em busca de uma compreensão melhor do contexto histórico no qual ele criou este livro. Embora sua mensagem seja atemporal, muitas das pessoas, das circunstâncias e dos acontecimentos por ele mencionados em seus comentários e exemplos não são mais conhecidos pelos leitores. Assim, esta edição pretende tornar todos esses aspectos mais claros, sem, de modo algum, interferir nem perturbar a integridade e a mensagem da obra original.

Pense e enriqueça é um fenômeno editorial. Ano após ano, pessoas continuam a "descobri-lo" – seja em uma livraria ou em uma biblioteca, revelado por algum parente, amigo ou colega profissional – e leem, amam e usam o livro para revolucionar sua vida e libertar seus poderes de criatividade e imaginação.

O primeiro exemplar de *Pense e enriqueça* foi vendido em 1937. Onze anos depois, em fevereiro de 1948, a revista *Coronet* fez uma pesquisa com 300 rapazes e moças bem-sucedidos perguntando o seguinte: "Que livro ou livros mais influenciaram sua vida e contribuíram para seu sucesso?" *Pense e enriqueça* apareceu em quarto lugar na lista. Em setembro de 1986 – 38 anos e oito presidentes norte-americanos depois –, o *USA Today* publicou uma lista dos 10 livros de investimento mais vendidos no país naquele mês. Embora não se enquadre exatamente na categoria "investimento" (a não ser investimento em si mesmo e nos outros), ele ficou em primeiro lugar na lista. (Os livros que ele derrotou? *How to Buy Stocks* [Como comprar ações], *The Only Investment Guide You'll Ever Need* [O único guia de investimento de que você vai precisar] e *Getting Yours* [Como conseguir seu financiamento].)

Alguns anos atrás, a Biblioteca do Congresso americano fez uma pesquisa perguntando quais livros mais tinham influenciado a vida dos leitores. A Bíblia ganhou de longe. Em segundo e terceiro lugares apareceram, respectivamente, *A Revolta de Atlas*, de Ayn Rand, e *Pense e enriqueça*, de Napoleon Hill. Em 2002, na edição de 14 de outubro da revista *Business Week*, por mais inacreditável que pareça, *Pense e enriqueça* ficou em 10º lugar na lista dos 15 livros de negócios mais vendidos da atualidade – 65 anos depois de o primeiro exemplar ter sido vendido!

Entre em qualquer boa livraria ou em qualquer site que venda livros e você encontrará, na seção de negócios ou motivação pessoal, alguns exemplares de *Pense e enriqueça* (em geral, alguma edição da versão de 1960). O livro perdura porque funciona.

Por três anos, tive o privilégio de ser o primeiro editor-chefe da *Think and Grow Rich Newsletter*, publicada pela Imagine Inc. para a Fundação Napoleon Hill, a organização filantrópica criada pelo Dr. Hill. Minha experiência nessa função não apenas me proporcionou a compreensão e a segurança necessárias para empreender esta restauração/revisão de *Pense e enriqueça*, mas também me apresentou ao poder deste livro de transformar a vida das pessoas. Fui exposto diariamente a uma avalanche de correspondências e telefonemas do mundo inteiro, de gente que leu o livro, aplicou seus princípios e conquistou autoconfiança, autoconhecimento e níveis de sucesso com os quais a maioria ousa apenas sonhar. Um dia você pode se ver dando um depoimento desse tipo.

Mas *Pense e enriqueça* vai além do princípio que ele apresenta. Parte do poder de atração do livro está na percepção extraordinária e quase profética de Napoleon Hill sobre questões muito atuais. Ele falava sobre conceitos como rede, gerenciamento participativo, excelência na prestação de serviços ao cliente, técnicas de visualização, brainstorming e uso de metas e objetivos por escrito muito antes que qualquer uma dessas expressões se tornasse chavão no mundo corporativo ou da psicologia – antes mesmo, na maioria dos casos, de os termos em si terem sido criados. Hill passa quase um capítulo inteiro discorrendo sobre o conceito de mentoria, embora jamais se refira a isso por esse nome. Suas especulações quanto ao funcionamento do cérebro humano antecipam toda a área das pesquisas sobre os lados esquerdo e direito do cérebro. Qualquer um dos vários testes de autoanálise espalhados por estas páginas é totalmente aplicável hoje em dia e já vale o preço do livro. Cinquenta anos antes de a palavra *downsizing* entrar em voga, Napoleon Hill explicou em detalhes a estratégia e a tática perfeitas a serem usadas caso a pessoa fosse repentinamente forçada a procurar emprego ou estivesse tentando iniciar um negócio. Sua análise do que é e do que significa o capitalismo (no Capítulo 6) é a mais envolvente e persuasiva já feita e deveria constituir leitura obrigatória para todos.

Independentemente de onde você more, sua biblioteca de sucesso pessoal nunca estará completa sem esta versão revista e restaurada de *Pense e enriqueça*. Além de incluir todo o conteúdo original, o material restaurado torna o livro mais relevante e valioso para a economia dos tempos atuais do que na época em que foi escrito. Ensinar os passos práticos para alcançar a independência financeira é um dos principais objetivos desta obra. No entanto, seu maior valor não é tornar o leitor financeiramente bem-sucedido, mas poder levar VOCÊ ou QUALQUER UM a alcançar o sucesso – seja qual for sua definição dessa palavra – e ajudá-lo a conseguir tudo que desejar da vida.

Parafraseando a afirmação mais famosa de Napoleon Hill: **"Tudo que a mente for capaz de conceber e em que for capaz de acreditar, ela pode conquistar!"**
Pense e enriqueça mostra passo a passo como fazer isso.

Ross Cornwell

Prefácio do Autor

Em todos os capítulos deste livro é mencionado o segredo para ganhar dinheiro que fez a fortuna de mais de 500 pessoas extremamente ricas analisadas por mim durante muitos anos.

Quem chamou minha atenção para esse segredo foi Andrew Carnegie.[1] Aquele velho escocês o plantou em meu cérebro displicentemente quando eu mal passava de um menino. Então se recostou de volta na cadeira, com um brilho maroto nos olhos, e ficou observando para ver se eu era inteligente o bastante a ponto de compreender o pleno significado do que ele tinha dito.

Ao perceber que eu havia entendido a ideia, ele perguntou se eu estaria disposto a passar 20 anos ou mais me preparando para espalhá-la pelo mundo para homens e mulheres que poderiam passar a vida fracassados. Eu respondi que sim e, com a cooperação do Sr. Carnegie, mantive a promessa.

Este livro contém esse segredo, testado na prática por milhares de pessoas em quase todas as áreas da vida. Foi ideia do Sr. Carnegie levar a público a fórmula mágica que lhe valeu sua estupenda fortuna. Ele esperava que eu conseguisse testar e demonstrar a solidez da fórmula por meio da experiência de pessoas de todas as profissões. Acreditava que ela deveria ser ensinada em todas as escolas e faculdades e expressou a opinião de que, se ensinada de forma adequada, iria revolucionar de tal maneira o sistema educacional que o tempo passado nas instituições de ensino poderia ser reduzido a menos da metade.

A experiência com Charles M. Schwab e outros jovens colaboradores convenceu Carnegie de que boa parte do que se ensinava não tinha valor algum no que dizia respeito a ganhar a vida ou acumular riqueza. Ele havia chegado a essa conclusão depois de ter empregado em seu negócio vários jovens, muitos com pouquíssima instrução, que, com o treinamento no uso dessa fórmula, desenvolveram uma liderança rara. Além disso, sua orientação fez a fortuna de todos aqueles que seguiram suas instruções.

Neste livro você vai conhecer a espantosa história da criação da gigante da siderurgia americana United States Steel Corporation, concebida e executada por um dos jovens colaboradores – Charles M. Schwab – por meio dos quais Andrew Carnegie provou que sua fórmula funciona para todos que estiverem prontos para ela. Essa única aplicação do segredo valeu a esse rapaz uma imensa fortuna tanto em dinheiro quanto em OPORTUNIDADES. Essa aplicação específica da fórmula rendeu aproximadamente 600 milhões de dólares* para todos que a aplicaram.

Esses fatos – e são fatos que praticamente todos que conheceram o Sr. Carnegie sabem – dão uma boa ideia do que a leitura deste livro poderá lhe proporcionar, contanto que você SAIBA QUE É ISSO QUE VOCÊ QUER.

Antes mesmo de ter sido testado na prática por 20 anos, o segredo foi transmitido a muitos milhares de homens e mulheres que o usaram para seu proveito pessoal, conforme Carnegie imaginara. Muitos fizeram fortuna graças a ele. Outros o utilizaram com sucesso para criar um ambiente de harmonia em seu lar.

Arthur Nash, um alfaiate de Cincinnati, fez de seu negócio quase falido uma "cobaia" para testar a fórmula.[2] O empreendimento ressuscitou e rendeu uma fortuna a seus proprietários. O experimento foi tão extraordinário que jornais e revistas fizeram publicidade elogiosa para ele num valor de mais de 1 milhão de dólares.

O segredo também foi transmitido a Stuart Austin Wier, de Dallas, Texas. Ele estava pronto para recebê-lo – tão pronto que desistiu de sua carreira e foi estudar direito.[3] Ele foi bem-sucedido? Essa história também é contada aqui.

---

*Em valores atuais, cerca de 12,5 bilhões de dólares.

Contei a fórmula a Jennings Randolph no dia em que ele se formou na faculdade e ele a usou tão bem que o segredo o levou a uma cadeira no Senado dos Estados Unidos e a uma longa e respeitada carreira no serviço público em nível nacional.

Na época em que fui gerente de publicidade da Universidade de Extensão LaSalle, quando a instituição mal passava de um nome, tive o privilégio de ver J. G. Chapline, reitor da universidade, usar a fórmula com tanta eficiência que fez da LaSalle uma das maiores instituições de ensino do país.[4]

O segredo ao qual me refiro é mencionado pelo menos uma centena de vezes ao longo deste livro. Ele não foi diretamente nomeado, pois parece funcionar melhor quando é apenas revelado e deixado à vista, para que AQUELES QUE ESTÃO PRONTOS E QUE ESTÃO À SUA PROCURA possam utilizá-lo. Por isso Andrew Carnegie o lançou para mim de modo tão discreto, sem nomeá-lo. Se você estiver PRONTO para colocá-lo em prática, vai reconhecer esse segredo pelo menos uma vez em cada capítulo. Gostaria de ter o privilégio de lhe dizer como você vai saber quando estiver pronto, mas isso o privaria de boa parte dos benefícios que vai receber ao fazer a descoberta da sua própria maneira.

Enquanto este livro estava sendo escrito, meu filho, na época concluindo a faculdade, pegou o manuscrito do Capítulo 1, leu-o e descobriu sozinho o segredo. Ele usou a informação de modo tão eficiente que logo conseguiu um cargo de responsabilidade com um salário inicial maior do que o que o trabalhador padrão jamais vai ganhar na vida. Sua história é contada brevemente no primeiro capítulo. Quando lê-la, você talvez descarte qualquer sensação de que este livro promete algo além do que pode cumprir. Além disso, se você ficou desanimado, se teve dificuldades para superar algum obstáculo que exigiu seu suor e seu sangue, se tentou e fracassou, se alguma vez foi prejudicado por uma doença ou por uma limitação física, essa história da descoberta e da utilização da fórmula de Andrew Carnegie pelo meu filho pode se revelar o oásis no "Deserto da Desesperança" que você vem buscando.

Esse segredo foi muito usado pelo ex-presidente americano Woodrow Wilson durante a Primeira Guerra Mundial. Foi transmitido a todo soldado que lutou nesse conflito, cuidadosamente incorporado ou "embutido" no treinamento antes de partir para a frente de batalha. O presidente Wilson contou que a fórmula foi um fator decisivo na obtenção dos recursos necessários para a guerra.⁵

Nos primeiros dias do século XX, Manuel L. Quezon (então Comissário Residente das Filipinas) foi inspirado pelo segredo a obter liberdade para seu povo e acabou se tornando o primeiro presidente da nação quando a ilha ficou livre.⁶ Um aspecto singular desse segredo é que aqueles que o adquirem e colocam em prática pela primeira vez se veem literalmente arrebatados pelo sucesso com um esforço aparentemente pequeno, e nunca mais se submetem ao fracasso! Se você duvida, estude os nomes daqueles que o usaram, verifique você mesmo seu histórico e convença-se.

ALGO EM TROCA DE NADA não existe!

O segredo ao qual me refiro não pode ser obtido sem um preço, embora esse preço seja muito menor do que seu valor. Ele não pode ser obtido, seja a que preço for, por quem não estiver intencionalmente à sua procura. Ele não pode ser dado nem comprado, pois vem em duas partes. Aqueles que estão prontos para ele já têm uma dessas partes.

O segredo funciona igualmente bem para todos que estão prontos para ele. O grau de instrução não faz diferença. Muito antes de eu nascer, o segredo havia chegado às mãos de Thomas Alva Edison, e ele o usou de modo tão inteligente que se tornou o maior inventor do mundo, embora só tivesse ido à escola por três meses.

O segredo foi transmitido a um dos colaboradores profissionais de Edison. Ele o usou de modo tão eficaz que, embora na época ganhasse apenas 12 mil dólares por ano, acumulou uma grande fortuna e se aposentou do trabalho ativo quando ainda era um rapaz. A história dele se encontra no início do próximo capítulo. Deve convencê-lo de que a riqueza não está fora de alcance, de que você ainda pode ser o que deseja, de que dinheiro, fama, reconhecimento e felicidade podem ser alcançados por todos que estiverem prontos e decididos a obter essas bênçãos.

Como eu sei essas coisas? Você deve ter a resposta antes de terminar de ler este livro. Talvez a encontre logo no primeiro capítulo ou mesmo na última página.

Enquanto trabalhava na pesquisa de mais de 20 anos que tinha iniciado a pedido do Sr. Carnegie, analisei a trajetória de centenas de indivíduos conhecidos, muitos dos quais admitiram que haviam acumulado suas imensas fortunas com o auxílio do segredo de Carnegie.[7] Alguns deles foram:

Henry Ford	John D. Rockefeller
William Wrigley Jr.	Thomas A. Edison
John Wanamaker	Frank A. Vanderlip
James J. Hill	F. W. Woolworth
Fannie Hurst	Coronel Robert A. Dollar
George S. Parker	Edward A. Filene
E. M. Statler	Edwin C. Barnes
Henry L. Doherty	Arthur Brisbane
Cyrus H. K. Curtis	Woodrow Wilson
George Eastman	William Howard Taft
Theodore Roosevelt	Luther Burbank
John W. Davis	Edward W. Bok
Marie Dressler	Frank A. Munsey
Elbert Hubbard	Kate Smith
Wilbur Wright	Elbert H. Gary
William Jennings Bryan	Alexander Graham Bell
Dr. David Starr Jordan	John H. Patterson
J. Ogden Armour	Julius Rosenwald
Charles M. Schwab	Stuart Austin Wier
Ernestine Schumann-Heink	Dr. Frank Crane
Dr. Frank Gunsaulus	J. G. Chapline
Daniel Willard	Arthur Nash
King Gillette	Ella Wheeler Wilcox
Ralph A. Weeks	Clarence Darrow
Juiz Daniel T. Wright	Jennings Randolph

Esses nomes representam apenas uma pequena fração das centenas de norte-americanos famosos cujo sucesso, tanto financeiro quanto de outra natureza, prova que aqueles que compreendem e aplicam a fórmula de Carnegie alcançam altas posições na vida. Nunca conheci alguém que tenha sido inspirado a usar o segredo sem alcançar um sucesso notável.

Nunca conheci alguém que tivesse obtido verdadeiro destaque profissional ou acumulado qualquer riqueza significativa sem conhecer, de uma forma ou de outra, o segredo. A partir desses dois fatos, concluo que o segredo é mais importante – como parte do conhecimento essencial para a autodeterminação – do que qualquer coisa recebida pelo que é conhecido popularmente como "educação".

O que é EDUCAÇÃO, afinal? Isso será respondido em todos os detalhes.

Muitos desses indivíduos tiveram pouquíssima educação formal. John Wanamaker certa vez me disse que sua pouca instrução fora adquirida da mesma forma que uma locomotiva a vapor recebe água: recolhendo-a enquanto avança.[8]

Henry Ford nunca chegou ao ensino médio, quem dirá ao superior. Não estou tentando minimizar o valor da educação formal, mas sim tentando expressar minha vigorosa crença de que aqueles que dominarem e aplicarem o segredo alcançarão posições elevadas, acumularão riqueza e receberão da vida o que quiserem, mesmo que seu nível de instrução seja baixo.

Em algum lugar, conforme você for lendo, o segredo ao qual me refiro vai saltar aos seus olhos SE VOCÊ ESTIVER PRONTO PARA ELE! Quando aparecer, você vai reconhecê-lo. Quer receba o sinal no primeiro ou no último capítulo, pare um instante quando ele se apresentar e comemore – essa ocasião será o mais importante divisor de águas de sua vida.

Vamos passar agora à Introdução e à história do meu querido amigo, que generosamente reconheceu ter visto o místico sinal e cujas conquistas profissionais são prova suficiente de que ele descobriu o segredo. Conforme você for lendo sua história e as que se seguem, lembre-se de que elas lidam com os problemas importantes pelos quais todo mundo passa na vida – problemas que vêm do esforço para ganhar o próprio sustento, encontrar esperança, coragem, contentamento, paz de espírito, acumular riqueza e gozar a liberdade do corpo e do espírito.

Lembre-se também, enquanto lê este livro, de que ele lida com fatos, não com ficção, e tem como objetivo transmitir uma grande verdade universal pela qual todos que estiverem PRONTOS podem aprender não só O QUE FAZER, mas também COMO FAZER e receber O ESTÍMULO NECESSÁRIO PARA COMEÇAR.

Antes de você começar o próximo capítulo, posso fazer uma breve sugestão que talvez forneça uma pista para reconhecer o segredo de Carnegie? É a seguinte: TODA CONQUISTA, TODA RIQUEZA CONQUISTADA, COMEÇA COM UMA IDEIA! Se você estiver pronto para o segredo, já tem meio caminho andado e, portanto, vai reconhecer prontamente a outra metade assim que ela chegar à sua mente.

NAPOLEON HILL

O sucesso chega para quem se torna
SENSÍVEL AO SUCESSO.

*O fracasso chega para quem,
por indiferença, se permite se
tornar* SENSÍVEL AO FRACASSO.

INTRODUÇÃO

Poder da Mente

O homem que abriu caminho "pensando"

Pensamentos são, de fato, coisas – e coisas poderosas, quando misturadas a clareza de propósito, persistência e um DESEJO ARDENTE de que tudo isso se traduza em riquezas ou outros objetos materiais.

Edwin C. Barnes descobriu como é verdade que as pessoas podem realmente PENSAR E ENRIQUECER. Sua descoberta não veio de uma vez só, e sim aos poucos. Começou com um DESEJO ARDENTE de trabalhar com o grande Thomas Alva Edison.[1]

Uma das principais características do desejo de Barnes era ser *claro*. Ele queria trabalhar *com* Edison, não *para* Edison. Se observar com cuidado a descrição de como ele procedeu para transformar seu DESEJO em realidade, você compreenderá melhor os 13 passos que conduzem à riqueza.

Na primeira vez em que esse DESEJO ou impulso de pensamento surgiu na mente de Barnes, ele não tinha condições de torná-lo realidade. Duas dificuldades se interpunham no caminho. Ele não conhecia Edison e não tinha dinheiro suficiente para pagar a passagem de trem até Orange, Nova Jersey, onde ficavam os laboratórios do cientista. Essas dificuldades teriam bastado para desencorajar a maioria das pessoas de empreender qualquer tentativa para transformar o desejo em realidade. Mas aquele não era um desejo qualquer! Barnes estava tão decidido a arrumar um jeito de torná-lo realidade que, em vez de se render ao fracasso, acabou decidindo viajar como "bagagem". (Em outras palavras, ele foi até East Orange a bordo de um trem de carga.)

Barnes apresentou-se no laboratório de Edison e anunciou que fora até lá para trabalhar com o inventor. Anos mais tarde, ao falar sobre seu primeiro encontro com Barnes, Edison disse: "Ele estava ali na minha frente parecendo um vagabundo qualquer, *mas algo em seu rosto transmitia a impressão de que estava determinado a conseguir o que fora buscar*. Anos de experiência me levaram a aprender que, quando alguém realmente *deseja* algo de modo tão profundo que está disposto a arriscar todo seu futuro num único lance para consegui-lo, ele vai vencer. Eu lhe dei a oportunidade que me pediu *porque vi que ele estava decidido a aguardar até conseguir*. Os acontecimentos subsequentes mostraram que eu não estava errado."

O que exatamente o jovem Barnes disse a Edison naquela ocasião é bem menos importante do que *aquilo que ele pensou*. O próprio Edison afirmou isso! Também não foi a aparência do rapaz que lhe permitiu começar a trabalhar no escritório de Edison, pois ela definitivamente depunha contra ele. O importante era o que ele PENSAVA.

Se o significado dessa afirmação pudesse ser transmitido facilmente ao leitor, não haveria necessidade de ler este livro.

Barnes não conseguiu sua almejada sociedade com Edison nessa primeira conversa. Conseguiu uma oportunidade de trabalhar no escritório do cientista mediante um salário muito modesto. Fazia um trabalho sem tanta importância, mas que deu a Barnes a oportunidade de exibir sua "mercadoria" num lugar em que seu sócio pretendido pudesse vê-la.

Meses se passaram. Aparentemente, nada aconteceu para que fosse alcançada a cobiçada meta que Barnes havia fixado em sua mente como seu OBJETIVO PRINCIPAL PRECISO. Mas algo fundamental estava acontecendo na mente de Barnes. Ele estava intensificando seu DESEJO de se tornar sócio de Edison.

Psicólogos já sugeriram que, "quando alguém está verdadeiramente pronto para alguma coisa, essa coisa surge". Barnes estava pronto para uma sociedade com Edison. Além disso, ele estava DECIDIDO A CONTINUAR PRONTO ATÉ CONSEGUIR O QUE BUSCAVA.

Ele não pensou: "Ah, puxa, de que adianta? Acho que vou deixar para lá e tentar um emprego de vendedor." O que pensou foi: "Eu cheguei até aqui para conseguir uma sociedade com Edison e vou alcançar esse objetivo mesmo que isso leve o resto de minha vida." *Ele estava falando sério!* Que história diferente as pessoas teriam para contar se apenas adotassem um OBJETIVO CLARO e se ativessem a esse objetivo até ele se tornar uma obsessão que as consumisse por completo!

Talvez o jovem Barnes não soubesse disso na época, mas sua determinação e sua persistência em se ater a um único DESEJO estavam fadadas a destruir todas as dificuldades e a lhe trazer a oportunidade que ele estava buscando.

Quando a oportunidade apareceu, surgiu num formato e de uma direção diferente da que Barnes imaginara. Essa é uma das características da oportunidade: tem o hábito dissimulado de entrar pela porta dos fundos e muitas vezes surge disfarçada, na forma de um infortúnio ou de uma derrota temporária. Talvez seja por isso que tanta gente não a reconhece.

Thomas A. Edison havia acabado de aperfeiçoar uma nova ferramenta de escritório conhecida na época como a Máquina de Ditar de Edison (que mais tarde viria a se tornar o ditafone). Sua equipe de vendas não estava muito entusiasmada com a novidade. Ninguém acreditava que ela pudesse ser vendida facilmente. Barnes viu sua oportunidade surgir sem fazer alarde, escondida dentro de um aparelho de aspecto esquisito que não interessava a ninguém, exceto a Barnes e seu inventor.

Barnes sabia que poderia vender a Máquina de Ditar de Edison. Sugeriu isso ao patrão e na mesma hora conseguiu sua oportunidade. Ele *de fato* vendeu o aparelho. Na verdade, vendeu-o com tamanho êxito que Edison contratou Barnes para distribuir e comercializar o produto no país todo. Dessa sociedade nasceu o famoso slogan "Fabricado por Edison e instalado por Barnes".

Essa parceria profissional foi bem-sucedida por mais de três décadas. Com ela, Barnes enriqueceu financeiramente, mas também realizou algo infinitamente maior: provou que de fato é possível "pensar e enriquecer".

Não tenho como saber que quantia exata esse DESEJO original rendeu a Barnes.[2] Talvez 2 ou 3 milhões de dólares, uma quantia insignificante se comparada ao benefício muito maior de tê-la adquirido na forma da clara certeza de que *um impulso de pensamento intangível pode ser "transmutado" no seu correspondente físico* por meio da aplicação de princípios conhecidos.[3]

Barnes conseguiu uma sociedade com o grande Edison *pensando!* Ele fez fortuna *pensando*. Não tinha nada com que começar a não ser A CAPACI-

DADE de SABER O QUE QUERIA E A DETERMINAÇÃO DE NÃO DESISTIR DESSE DESEJO ATÉ REALIZÁ-LO.

No começo ele não possuía dinheiro algum. Tinha pouquíssima instrução. Nenhuma influência. Mas havia dentro dele iniciativa, fé e vontade de vencer. Com essas forças intangíveis, conseguiu se tornar o colaborador "número um" do maior inventor de todos os tempos.[4]

A poucos metros do ouro

Agora vamos analisar outra situação: alguém que tinha muitos indícios tangíveis de riqueza, mas que os perdeu – *porque parou* a poucos metros do objetivo que estava buscando.

Uma das causas mais comuns do fracasso é o hábito de desistir quando se é surpreendido por uma *derrota temporária*. Todo mundo comete esse erro em algum momento da vida.

Um tio de R. U. Darby foi contaminado pela "corrida do ouro" da década de 1930 e partiu rumo ao Oeste para GARIMPAR E ENRIQUECER. Ele nunca tinha ouvido dizer que *já se garimpou mais ouro no cérebro humano do que foi encontrado debaixo da terra*. Conseguiu uma licença e pôs mãos à obra com sua picareta e sua pá. Era um trabalho árduo, mas seu desejo pelo ouro era sério. Após semanas de esforço, foi recompensado pela descoberta do fulgurante minério. Precisava de máquinas para trazê-lo até a superfície. Discretamente, ele cobriu a mina, refez o caminho de volta até Williamsburg, sua cidade natal em Maryland, e contou para os parentes e alguns vizinhos que tinha tirado a sorte grande. Todos se juntaram e levantaram dinheiro para enviar as máquinas necessárias. O tio e Darby voltaram para trabalhar na mina.[5]

O primeiro vagão de minério foi garimpado e despachado para uma fundição. Seu rendimento demonstrou que eles tinham uma das minas mais ricas do Colorado! Mais alguns vagões daquele minério acabariam com as dívidas. Então viriam os lucros gigantescos.

As perfuradoras adentraram a terra! As esperanças de Darby e do tio subiram aos céus! Então algo aconteceu. O veio de ouro sumiu! Eles tinham chegado ao fim do arco-íris e o pote de ouro não estava mais lá! Seguiram perfurando, tentando desesperadamente encontrar o veio outra vez – mas de nada adiantou.

Por fim, eles resolveram DESISTIR.

Venderam as máquinas a um sucateiro por umas poucas centenas de dólares e pegaram o trem de volta para casa. Alguns sucateiros são ignorantes, mas não aquele. Ele chamou um engenheiro de mineração para inspecionar a mina e fazer alguns cálculos. O engenheiro afirmou que o projeto tinha fracassado porque os donos da mina não sabiam o que eram "linhas de falha". Seus cálculos mostravam que o veio poderia ser encontrado A APENAS 1 METRO DE ONDE OS DARBYS TINHAM PARADO DE PERFURAR! E foi isso que aconteceu!

O sucateiro faturou milhões de dólares com essa mina porque teve o tino de pedir conselho a um especialista antes de desistir. A maior parte do dinheiro usado no maquinário havia sido obtida graças aos esforços de R. U. Darby, na época um rapaz muito jovem. O dinheiro veio de seus parentes e vizinhos, que botaram fé nele. Ele reembolsou cada dólar, mesmo levando anos para fazê-lo.

Muito tempo depois, Darby recuperou essa perda *ao fazer a descoberta* de que o DESEJO pode ser transmutado em ouro. Isso ocorreu depois que ele entrou para o ramo de seguros de vida.

Lembrando que tinha perdido uma imensa fortuna por ter PARADO a 1 metro do ouro, Darby utilizou essa experiência no trabalho, empregando o simples método de dizer para si mesmo: "Eu parei a 1 metro do ouro, mas nunca vou parar *porque as pessoas dizem 'não'* quando lhes peço para comprar um seguro."

Darby fez parte de um seleto grupo de menos de 50 pessoas que vendiam mais de 1 milhão de dólares em seguros de vida por ano. Ele devia essa persistência à lição aprendida com sua desistência no ramo da mineração.

Antes de o sucesso acontecer, as pessoas com certeza experimentarão muitas derrotas temporárias, e talvez alguns fracassos. Quando a derrota domina alguém, a coisa mais fácil e mais lógica a fazer é DESISTIR. É exatamente isso que a maioria faz.

Mais de 500 dos indivíduos mais bem-sucedidos dos Estados Unidos me disseram que seu maior sucesso ocorreu apenas um passo *à frente* do ponto em que eles tinham sido surpreendidos pela derrota. O fracasso é um farsante dotado de um aguçado senso de ironia e astúcia que adora nos dar rasteiras quando o sucesso está quase ao nosso alcance.

Uma lição de persistência por 50 centavos

Pouco depois de se formar na "Universidade das Agruras da Vida" e decidir tirar proveito de sua experiência no ramo da mineração, Darby teve a sorte de estar presente numa ocasião que lhe provou que nem sempre "não" quer dizer necessariamente *não*.

Certo dia, à tarde, estava ajudando um tio a moer trigo numa moenda antiga. O tio era proprietário de uma grande fazenda na qual viviam muitos meeiros negros. Sem fazer barulho, a porta da moenda foi aberta e uma criança, filha de uma das famílias de arrendatários, entrou e ficou parada perto da porta.

O tio de Darby ergueu os olhos, viu a menina e bradou rispidamente: "O que você quer?"

Dócil, a criança respondeu: "Minha mãe disse para o senhor dar 50 centavos para ela."

"Eu não vou dar nada", respondeu o tio. "Agora volte para casa."

"Sim, senhor", retrucou a menina. *Mas não se mexeu.*

O tio continuou seu trabalho e, de tão entretido, não prestou atenção na criança, que continuava ali. Ao erguer os olhos e ver a menina ainda parada, gritou: "Falei para você voltar para casa! Vá embora ou lhe dou uma surra!"

"Sim, senhor", respondeu a menininha, *mas não se moveu.*

O tio de Darby largou um saco de cereal que estava prestes a despejar na calha da moenda, pegou uma vara de madeira e partiu para cima da criança com uma expressão que indicava problemas.

Darby prendeu a respiração. Teve certeza de que estava prestes a testemunhar uma surra horrível. Sabia que o tio tinha um temperamento violento. Naquela época, as crianças pobres, principalmente as filhas de meeiros, não tinham permissão para demonstrar uma teimosia tão ostensiva. Quando o tio alcançou a menina, ela rapidamente deu um passo à frente, olhou para cima bem dentro dos olhos dele e berrou a plenos pulmões com sua voz esganiçada: "MINHA MÃE PRECISA DESSES 50 CENTAVOS!"

O tio parou e encarou a menina por um minuto. Vagarosamente, pousou a vara no chão, enfiou a mão no bolso, pegou uma moeda e entregou a ela.

A menina pegou o dinheiro e recuou devagar em direção à porta sem tirar os olhos do homem *que acabara de dominar*. Depois que ela saiu, o tio de Darby se sentou numa caixa e passou mais de 10 minutos olhando para o nada. Estava refletindo, assombrado, sobre a "surra" que acabara de levar.

Darby também pensava. Era a primeira vez que ele via uma criança negra derrotar intencionalmente um adulto branco. Como ela conseguira fazer aquilo? O que ela fizera com seu tio para desmontar aquela agressividade e torná-lo dócil feito um cordeiro? Que estranho poder aquela criança havia usado para dominá-lo? Essa e outras perguntas semelhantes vieram à mente de Darby, que só encontrou as respostas anos depois, ao me contar essa história. Por mais estranho que possa parecer, essa incrível história me foi contada na antiga moenda, exatamente no lugar onde o tio fora desafiado. De modo igualmente estranho, eu havia dedicado quase um quarto de século ao estudo do mesmo poder que permitira à pequena e analfabeta filha de meeiro derrotar uma poderosa figura de autoridade.

Ali, naquela velha moenda bolorenta, Darby repetiu o relato dessa vitória incomum e concluiu com a pergunta: "O que o senhor acha? Que estranho poder aquela criança usou para derrubar meu tio?"

A resposta integral a essa pergunta pode ser encontrada nos princípios descritos neste livro. Ele contém detalhes e instruções suficientes para que qualquer um compreenda e aplique a mesma força na qual a menininha esbarrou por acidente.

Mantenha a mente alerta e você poderá observar exatamente qual foi o estranho poder que veio em socorro da menina. Terá um vislumbre desse poder no próximo capítulo. Em algum lugar deste livro, você encontrará uma ideia que despertará seus poderes de recepção e colocará sob suas ordens, em seu PRÓPRIO benefício, esse mesmo irresistível poder. A consciência desse poder pode lhe ocorrer na forma de uma única ideia ou como um plano ou um propósito. Ela também pode fazê-lo voltar a seus fracassos e trazer à superfície alguma lição através da qual você poderá recuperar tudo o que "perdeu" ao "fracassar".

Depois que descrevi para Darby o poder usado inconscientemente pela menininha, ele logo rememorou seus 30 anos de experiência como vendedor de seguros de vida e reconheceu, com toda a sinceridade, que seu sucesso nesse ramo se devia, em grande parte, à lição que ele havia aprendido com a criança.

Darby comentou: "Toda vez que um cliente em potencial tentava me dispensar sem comprar nada, eu via aquela menina ali em pé na velha moenda, com os grandes olhos desafiadores chispando, e pensava: 'Eu *preciso* fazer essa venda.' A maioria das vendas que fechei aconteceu depois de as pessoas terem dito 'NÃO'." Ele recordou também o próprio erro ao largar a mineração a 1 metro do ouro, "mas essa experiência", falou, "foi uma bênção disfarçada. Aprendi *a continuar insistindo* por mais dificuldades que encontrasse, uma lição que eu precisava aprender antes de obter qualquer tipo de sucesso".

A história de Darby, seu tio, a menina e a mina de ouro será, sem dúvida, lida por centenas de homens e mulheres que trabalham com vendas. A todos eles, desejo lembrar que Darby deveu a essas duas experiências sua capacidade de vender mais de 1 milhão de dólares por ano em seguros de vida – um feito incrível na sua época.

A vida é estranha, e muitas vezes imponderável! Tanto seus sucessos quanto seus fracassos estão baseados nas mesmas experiências. O que Darby vivenciou foi bastante simples e banal, mas constituiu a solução para seu destino, portanto foi tão importante para ele quanto a vida em si. Ele tirou proveito dessas duas experiências dramáticas porque *as analisou* e encontrou a lição que elas ensinavam.

Mas e a pessoa que não tem nem tempo nem inclinação para estudar o fracasso em busca de um conhecimento que possa conduzir ao sucesso? Onde e como esse indivíduo poderá aprender a arte de transformar a derrota em alavanca para a oportunidade?

Este livro foi escrito para responder a essas perguntas. A resposta pede a descrição de 13 passos ou princípios, mas, quando estiver lendo, lembre-se: a resposta que você busca para as perguntas que o fizeram refletir sobre a estranheza da vida talvez possa ser encontrada *dentro de sua mente* – por meio de alguma ideia, algum plano ou objetivo que possa lhe ocorrer ao longo da leitura.

Uma ideia sólida é tudo que alguém precisa para alcançar o sucesso. Os princípios descritos neste livro contêm os melhores e mais práticos meios conhecidos de se criar ideias úteis.

Antes de avançarmos na descrição desses princípios, creio que você tem o direito de receber uma importante recomendação: QUANDO A RIQUEZA COMEÇA A CHEGAR, ELA VEM TÃO DEPRESSA, COM TAMANHA ABUNDÂNCIA, QUE FICAMOS NOS PERGUNTANDO ONDE ESTAVA ESCONDIDA DURANTE TODOS ESSES ANOS.

Essa é uma afirmação espantosa, ainda mais se levarmos em conta a crença popular de que a riqueza só vem para quem trabalha com afinco e por muito tempo.

Quando você passar a PENSAR E ENRIQUECER, vai observar que a riqueza começa com um estado de espírito – com um objetivo preciso e pouco ou nenhum trabalho árduo. Todo mundo deveria se interessar em saber como alcançar esse estado de espírito que atrairá a riqueza. Eu passei 25 anos estudando e analisando milhares de pessoas porque também queria saber "como os ricos se tornam ricos".

Sem essa pesquisa, este livro não poderia ter sido escrito.

Neste ponto, atentem para um acontecimento real bastante significativo: iniciada em 1929, a Grande Depressão se aprofundou, chegando a um nível de destruição econômica jamais visto. Isso durou até um pouco depois da posse do presidente Franklin Delano Roosevelt, em 1933. A partir daí, a Depressão começou a se dissipar até desaparecer. Da mesma forma que as luzes do cinema vão sendo acesas aos poucos para que a escuridão seja gradualmente "transmutada" em luz antes, o domínio do *medo* na mente das pessoas foi aos poucos se dissipando e se transformou em *fé*.

Observe: assim que você dominar os fundamentos dessa filosofia e começar a seguir as instruções para aplicar seus princípios, seu status financeiro vai melhorar e tudo em que tocar se transformará numa vantagem em seu benefício. Parece impossível, mas não é.

Uma das principais fraquezas da espécie humana é sua familiaridade com a palavra "impossível". As pessoas conhecem todas as regras que NÃO funcionam. Conhecem todas as coisas que NÃO podem ser feitas. *Pense e enriqueça* foi escrito para aqueles que procuram as regras que tornaram outras pessoas bem-sucedidas e que estão dispostos a *apostar tudo* nessas regras.

Muitos anos atrás, comprei um dicionário. A primeira coisa que fiz com ele foi abrir no verbete "impossível" e recortá-lo meticulosamente do livro. Seria bastante sensato que você fizesse o mesmo.

O sucesso vem para quem se torna SENSÍVEL AO SUCESSO.

O fracasso vem para quem, por indiferença, se permite se tornar SENSÍVEL AO FRACASSO.

O objetivo deste livro é ajudar todos aqueles que desejam aprender a arte de modificar suas mentes, substituindo a SENSIBILIDADE AO FRACASSO pela SENSIBILIDADE AO SUCESSO.

Outra fraqueza encontrada em várias pessoas é o hábito de medir tudo e todos com base nas *próprias* impressões e crenças. Alguns leitores vão acreditar que ninguém pode PENSAR E ENRIQUECER. Não são capazes de pensar em termos de riqueza, pois seus hábitos mentais estão imersos em pobreza, necessidade, miséria, fracasso e derrota.

Essas pessoas pouco afortunadas me lembram um célebre asiático que veio aos Estados Unidos para receber uma educação típica norte-americana. Estudante, ele frequentou a Universidade de Chicago. Certo dia, o reitor William Rainey Harper, ao encontrar esse rapaz no campus, parou para conversar com ele por alguns minutos e perguntou qual lhe parecia ser a característica mais perceptível do povo americano.[6]

"Ora", exclamou o estudante, "os olhos!"

O que o caucasiano típico diz sobre as pessoas de origem asiática?

Nós nos recusamos a acreditar, ou então consideramos esquisito, aquilo que não é conhecido ou que não compreendemos. Acreditamos tolamente que *nossas* limitações são a medida correta das limitações. É claro que os olhos dos outros podem parecer "diferentes", PORQUE ELES NÃO SÃO IGUAIS AOS SEUS.

Milhões de pessoas olham para as conquistas de empreendedores altamente bem-sucedidos, como Henry Ford, *depois* de eles terem chegado lá e os invejam devido à sua boa fortuna, à sua sorte, à sua genialidade ou ao que quer que seja aquilo a que creditam a riqueza desse empreendedor. Talvez uma pessoa em cada 100 mil conheça o segredo do sucesso empresarial, e aqueles que o conhecem são humildes demais ou relutam em falar nele *por causa de sua simplicidade*. Um único evento vai ilustrar de modo perfeito esse "segredo".

Um dia, Ford decidiu produzir seu hoje famoso motor V-8, uma das inovações mais bem-sucedidas na história da indústria automobilística. Ele decidiu fabricar um motor com todos os oito cilindros fundidos num mesmo bloco e instruiu seus engenheiros a fazerem um projeto para esse motor. O projeto foi desenhado, mas os engenheiros foram unânimes em dizer que era *simplesmente impossível* fundir um bloco de motor a gasolina com oito cilindros numa peça só.

"Produzam mesmo assim", disse Ford.

"Mas é impossível!", responderam os engenheiros.

"Vão em frente", ordenou Ford, "e insistam até conseguirem, não importa quanto tempo levar."

Os engenheiros continuaram tentando. Era a única coisa que podiam fazer se quisessem continuar trabalhando para a Ford. Seis meses se passaram; nada aconteceu. Outros seis meses se passaram e ainda nada aconteceu. Os engenheiros tentaram todos os planos possíveis para cumprir a ordem, mas aquilo parecia fora de cogitação – *impossível!*

No fim do ano, Ford consultou seus engenheiros e eles mais uma vez lhe informaram que não haviam encontrado um jeito de cumprir suas ordens.

"Continuem", disse Ford. "Eu quero e vou conseguir isso."

Os engenheiros continuaram tentando e então, como num passe de mágica, o segredo foi descoberto. A DETERMINAÇÃO de Ford tinha vencido outra vez![7] Podem faltar alguns detalhes nessa história, mas sua essência está correta. Dela você poderá deduzir, se quiser PENSAR E ENRIQUECER, qual é o segredo dos milhões de Henry Ford. Não precisará procurar muito.

Henry Ford teve sucesso porque compreendeu e *aplicou* os princípios do sucesso. Um desses princípios é o DESEJO – saber o que se quer. Lembre-se dessa história conforme for lendo este livro e selecione as linhas em que o segredo dessa espetacular conquista for descrito. Se conseguir fazer isso, se conseguir identificar o conjunto específico de princípios que tornaram Henry Ford rico, você poderá se equiparar às conquistas dele em quase qualquer atividade que escolher.

Você é "o Senhor do seu Destino, o Capitão da sua Alma!"

Quando o poeta William Ernest Henley escreveu as proféticas linhas "Sou o Senhor do meu Destino, o Capitão da minha Alma", deveria ter nos informado que somos os Senhores do nosso Destino, os Capitães de nossas Almas *porque* temos o poder de controlar nossos pensamentos.

Ele deveria ter dito que o universo no qual este pequeno planeta flutua, no qual nos movemos e existimos, é, em si, uma forma de energia e está cheio de uma forma de poder universal que SE ADAPTA à natureza dos pensamentos que guardamos na mente – e nos INFLUENCIA, de modos naturais, a transmutar nossos pensamentos em seu equivalente físico.

Se o poeta tivesse nos contado essa grande verdade, saberíamos POR QUE somos os Senhores do nosso Destino, os Capitães de nossas Almas. Ele deveria ter dito, com muita ênfase, que esse poder não faz qualquer tentativa de distinguir pensamentos destrutivos de construtivos, que ele nos leva a transformar pensamentos de pobreza em realidade com a mesma rapidez com que nos influencia a transformar em ação pensamentos de riqueza.

Ele deveria ter dito também que nossos cérebros se tornam "magnetizados" pelos pensamentos predominantes que guardamos em nossas mentes. E que, por um processo que ninguém compreende totalmente, esses pensamentos predominantes nos atraem como ímãs para as forças, pessoas e situações da vida que estejam em harmonia com a natureza dos nossos pensamentos *predominantes*.

Ele deveria ter dito que, antes de conseguirmos acumular riqueza, devemos magnetizar nossas mentes com o intenso DESEJO de riqueza, que precisamos nos tornar "sensíveis ao dinheiro" até que o DESEJO de ter dinheiro nos leve a bolar planos precisos para adquiri-lo.

Por ser poeta, contudo, e não filósofo, Henley se contentou em afirmar uma verdade em forma de poesia, deixando a cargo daqueles que vieram em seguida interpretar o significado filosófico de seus versos.

Pouco a pouco, a verdade foi se revelando até mostrar, hoje, a certeza de que os princípios descritos neste livro guardam o segredo do controle de nosso destino econômico.

Estamos agora quase prontos para examinar o primeiro dos 13 passos para a riqueza que sustentam a filosofia Pense e Enriqueça. Mantenha sua mente aberta e lembre-se, conforme for lendo, de que esses princípios não foram inventados por nenhum indivíduo. Eles foram coletados nas experiências de vida de mais de 500 pessoas que realmente acumularam riqueza – pessoas que começaram pobres, com pouquíssima instrução, sem influência social. Os princípios funcionaram para elas. Você pode fazê-los funcionar para seu próprio proveito.

Será fácil.

Antes de ler o próximo capítulo, quero que você saiba que ele transmite informações concretas que podem facilmente modificar todo o seu destino financeiro, da mesma forma que trouxeram mudanças de proporções gigantescas para duas pessoas cujas histórias serão contadas.

Quero que saiba também que minha relação com essas duas pessoas é de tal ordem que eu não poderia ter tomado nenhuma liberdade com os fatos, ainda que quisesse. Um deles foi meu amigo mais íntimo durante mais de um quarto de século. O outro é meu filho. O sucesso incomum desses dois homens, sucesso que eles generosamente creditam ao princípio descrito no capítulo a seguir, mais do que justifica essa referência pessoal como um modo de enfatizar o poder de alcance desse princípio.

Muitos anos atrás, fui paraninfo de uma turma de formandos na Salem College, na Virgínia Ocidental.[8] Em meu discurso, ressaltei com tanta intensidade os princípios descritos no próximo capítulo que um dos formandos se apropriou dele e o tornou parte da própria filosofia. Esse rapaz mais tarde se tornou um respeitado membro do Congresso e uma figura importante no governo dos Estados Unidos. Um pouco antes da entrega deste livro à editora, esse senador me escreveu uma carta na qual afirmava tão claramente sua opinião sobre o princípio destacado no capítulo a seguir que decidi publicá-la aqui como um "prefácio". Ela dá uma ideia das recompensas que estão por vir.

Meu caro Napoleon,

Meu trabalho como membro do Congresso me proporcionou alguma compreensão dos problemas que afligem homens e mulheres, portanto escrevo para sugerir algo que talvez venha a ser útil para milhares de pessoas de valor.

Peço desculpas, e devo dizer que essa sugestão, caso levada a cabo, significará vários anos de trabalho e responsabilidade para o senhor, mas fico animado ao fazê-la, pois sei de seu grande amor pela prestação de serviços úteis.

O senhor fez o discurso de paraninfo na Salem College no dia em que me formei. Nesse discurso, plantou na minha mente uma ideia que foi responsável pela oportunidade que hoje tenho de servir ao povo do meu estado e que será responsável, em grande medida, por qualquer sucesso que eu venha a ter no futuro.

A sugestão que tenho em mente é que o senhor ponha num livro a essência do discurso que fez na Salem College e dê ao povo dos Estados Unidos uma oportunidade de tirar proveito de seus muitos anos de experiência e vínculo com [aqueles] que, pela sua grandeza, fizeram dos Estados Unidos a nação mais rica do mundo.

Lembro-me como se fosse ontem da maravilhosa descrição que o senhor fez do método pelo qual Henry Ford, com pouca instrução, sem 1 dólar no bolso e sem amigos influentes, chegou aonde chegou. Naquele momento eu decidi, antes mesmo de o senhor concluir seu discurso, que abriria um espaço para mim, por maiores que fossem as dificuldades que precisasse superar.

Milhares de jovens vão terminar os estudos neste e nos próximos anos. Todos eles estarão buscando exatamente uma mensagem de incentivo prático igual à que eu recebi do senhor. Vão querer saber para onde se virar, o que fazer para começar. O senhor poderá lhes dizer, pois já ajudou a resolver os problemas de muita, muita gente.

Se houver alguma maneira possível de o senhor prestar um serviço tão grande, permita-me sugerir que inclua junto a cada exemplar uma daquelas suas planilhas de análise pessoal, permitindo ao leitor ter o benefício de um levantamento pessoal completo que indique, como o senhor me indicou anos atrás, exatamente o que está atrapalhando seu sucesso.

Um serviço como esse, que proporcionará aos leitores do seu livro um retrato completo e imparcial de suas falhas e virtudes, significaria para eles a diferença entre sucesso e fracasso. O valor desse serviço seria incalculável.

Milhões de pessoas estão enfrentando o desafio de ter que dar a volta por cima... e falo por experiência própria quando digo: tenho certeza de que essas pessoas ficariam gratas pela oportunidade de receber suas sugestões.

O senhor conhece os problemas enfrentados por quem precisa encarar a necessidade de recomeçar. Existem hoje nos Estados Unidos milhares de pessoas que gostariam de saber como converter ideias em dinheiro, pessoas que precisam começar do zero, sem dinheiro, e recuperar suas perdas. Se alguém pode ajudá-las, esse alguém é o senhor.

Caso publique o livro, eu gostaria de ficar com o primeiro exemplar que sair da gráfica, autografado pessoalmente.

Com meus melhores votos,
Cordialmente,

JENNINGS RANDOLPH[9]

O que aquele discurso de paraninfo despertou no senador Jennings Randolph quando ele estava prestes a embarcar na vida adulta foi sua primeira real compreensão do imenso poder do DESEJO – *o primeiro passo para a riqueza.*

UM DESEJO ARDENTE DE SER E DE FAZER é o ponto de partida do qual o sonhador deve decolar. Sonhos não nascem da indiferença, da preguiça ou da falta de ambição.

CAPÍTULO 1

Desejo

O ponto de partida de todas as conquistas
O primeiro passo para a riqueza

Quando Edwin C. Barnes desceu daquele trem de carga em Orange, Nova Jersey, podia parecer um mendigo, mas seus *pensamentos* eram os de um rei!

Enquanto caminhava dos trilhos da via férrea até o escritório de Thomas Edison, sua mente não parou de trabalhar. Ele se via *em pé diante de Edison*. Ouvia-se pedindo a Edison uma oportunidade para realizar a única OBSESSÃO INTENSA DA SUA VIDA, um DESEJO ARDENTE de se tornar sócio do grande inventor.

O desejo de Barnes não era uma *esperança!* Não era uma *vontade!* Era um DESEJO intenso e pulsante que transcendia todo o resto. Era *preciso*.

O desejo não era algo novo quando ele abordou Edison. Fazia muito tempo que esse era seu *desejo predominante*. No início, na primeira vez em que o desejo surgiu em sua mente, talvez tenha sido, e provavelmente era, apenas um desejo, mas quando ele se apresentou diante de Edison já não era uma simples vontade.

Alguns anos mais tarde, Edwin C. Barnes se apresentou novamente a Edison no mesmo escritório em que havia encontrado o inventor pela primeira vez. Dessa vez seu DESEJO tinha se traduzido em realidade. *Ele estava trabalhando com Edison*. O principal SONHO DE SUA VIDA tinha se tornado realidade. As pessoas que conheceram Barnes posteriormente o invejaram por causa da "sorte" que a vida lhe apresentara. Elas o viam em seus dias de triunfo, sem se dar ao trabalho de investigar a *causa* de seu sucesso.

Barnes teve sucesso porque escolheu um objetivo preciso e investiu toda a sua energia, toda a sua força de vontade, todo o seu esforço nisso. Ele não virou sócio de Edison no dia em que chegou. Contentou-se em começar com o trabalho mais subalterno, contanto que este lhe proporcionasse uma oportunidade de dar nem que fosse um passo na direção de seu almejado objetivo.

Cinco anos se passaram antes de aparecer a oportunidade que ele buscava. Durante todo esse tempo, nenhum raio de esperança, nenhuma promessa de alcançar seu DESEJO lhe havia sido oferecida. Para todos, exceto ele mesmo, Barnes parecia ser apenas mais uma roda na engrenagem do negócio de Edison, mas, na própria mente, ELE FOI SÓCIO DE EDISON EM CADA MINUTO desde o primeiro dia em que trabalhou lá.

Trata-se de uma ilustração notável do poder de um DESEJO PRECISO. Barnes conquistou seu objetivo porque, mais do que qualquer outra coisa, queria ser sócio de Edison. Ele criou um plano para alcançar esse propósito e TOMOU UM CAMINHO SEM VOLTA. Agarrou-se ao DESEJO até este se tornar a principal obsessão de sua vida – e, por fim, um fato.

Quando foi para Orange, não disse a si mesmo: "Vou tentar induzir Edison a me dar algum tipo de emprego." O que pensou foi: "Vou encontrar Edison e avisar a ele que vim ser seu sócio." Não disse: "Vou trabalhar aqui durante alguns meses e, se não tiver incentivo, vou desistir e conseguir um emprego em outro lugar." O que falou foi: "Começarei por qualquer lugar. Farei qualquer coisa que Edison ordenar, mas *antes de terminar* serei seu sócio."

Ele não pensou: "Vou ficar atento a outra oportunidade caso não consiga o que pretendo na empresa de Edison." Mas sim: "Se existe UMA coisa neste mundo que estou decidido a ter, é uma sociedade profissional com Thomas Alva Edison. Vou tomar um caminho sem volta e apostar meu FUTURO INTEIRO em minha capacidade de conseguir o que quero."

Barnes não deixou traçada qualquer possibilidade de recuar. Era vencer ou morrer!

A história de sucesso de Barnes consistiu unicamente nisso.

Muito tempo atrás, um grande guerreiro se viu diante de uma situação que o obrigou a tomar uma decisão para garantir seu sucesso no campo de batalha. Estava prestes a enviar seus exércitos a combater um inimigo poderoso, cujo contingente superava o seu. Embarcou seus soldados em navios, navegou até o país inimigo, desembarcou tropas e equipamentos. Então ordenou que queimassem as embarcações. Dirigindo-se às tropas antes da primeira batalha, falou: "Vocês estão vendo os barcos virarem fumaça. Isso quer dizer que só poderemos sair daqui vivos se vencermos! Agora não temos escolha. *É vencer ou morrer!*"

Eles venceram.

Quem está desejoso de vencer em qualquer empreitada precisa estar disposto a queimar seus navios e bloquear qualquer caminho de volta. Apenas assim se pode ter a certeza de manter o estado de espírito conhecido como um DESEJO ARDENTE DE VENCER, essencial para o sucesso.

Na manhã seguinte ao incêndio de Chicago, um grupo de comerciantes ficou parado na State Street olhando para os resquícios fumegantes do que antes eram suas lojas. Começaram a debater se tentariam reconstruir tudo ou deixariam a cidade para recomeçar numa região mais promissora do país. Acabaram decidindo – todos, exceto um – ir embora de Chicago.[1]

O comerciante que decidiu ficar e reconstruir tudo apontou o dedo para as ruínas de sua loja e disse: "Cavalheiros, neste local eu vou levantar a maior loja do mundo, não importa quantas vezes ela pegue fogo."

Isso foi em 1871. A loja foi construída e se tornou um monumento colossal ao poder desse estado de espírito conhecido como DESEJO ARDENTE. Teria sido mais fácil para Marshall Field fazer exatamente como seus colegas comerciantes. Quando a situação se complicou e o futuro se mostrava sombrio, eles abandonaram o barco e foram para onde as coisas pareciam mais fáceis.[2]

Notem bem essa diferença entre Marshall Field e os outros comerciantes, pois é a mesma diferença que distinguia Edwin C. Barnes de milhares de outros jovens que trabalhavam na empresa de Edison. É a mesma diferença que distingue praticamente todos que têm sucesso daqueles que fracassam.

Todo indivíduo que chega à idade de compreender o propósito do dinheiro quer tê-lo. *Querer* não trará riqueza. Mas *desejar* riqueza, com um estado de espírito quase obsessivo, e, em seguida, planejar modos precisos de adquirir riqueza, apoiando esses planos numa persistência *que não reconhece o fracasso*, isso sim trará riqueza.

O método pelo qual o DESEJO de riqueza pode ser transmutado em seu equivalente financeiro consiste em seis ações claras e práticas:

- **Um.** Fixe na mente a quantia *exata* de dinheiro que você deseja. Não basta apenas dizer: "Eu quero muito dinheiro." Seja preciso em relação ao valor. (Existe uma razão psicológica para essa exatidão, que será descrita num capítulo subsequente.)
- **Dois.** Determine exatamente do que você pretende abrir mão em troca do dinheiro que deseja. ("Algo em troca de nada" é uma realidade que não existe.)
- **Três.** Estabeleça uma data precisa na qual você pretende ter o dinheiro que deseja.
- **Quatro.** Crie um plano preciso para realizar seu desejo e coloque-o em prática *imediatamente*, quer esteja pronto ou não.
- **Cinco.** Escreva uma declaração clara e concisa da quantia de dinheiro que você pretende ter, especifique o limite de tempo para sua obtenção, declare o que pretende dar em troca e descreva de modo preciso o plano por meio do qual pretende acumulá-lo.
- **Seis.** Leia sua declaração escrita em voz alta duas vezes ao dia, uma logo antes de se recolher à noite, outra após se levantar pela manhã. QUANDO ESTIVER LENDO, VEJA, SINTA E ACREDITE QUE VOCÊ JÁ TEM O DINHEIRO.

É importante que você siga as instruções descritas nessas seis ações. É especialmente importante observar e seguir as instruções da última. Você pode reclamar que é impossível "se ver possuindo o dinheiro" antes de tê-lo de fato. É aí que um DESEJO ARDENTE virá em seu socorro. Se você de fato DESEJAR tanto o dinheiro a ponto de seu desejo ser uma obsessão, não terá dificuldade alguma para se convencer de que vai adquiri-lo. O objetivo é querer dinheiro e se tornar tão determinado a tê-lo que você se CONVENCE de que *vai* tê-lo.

Apenas aqueles que se tornam "sensíveis ao dinheiro" conseguem acumular riqueza. Sensibilidade ao dinheiro significa que a mente tornou-se tão completamente saturada com o DESEJO de dinheiro que é possível já se ver de posse dele.

Para os não iniciados, aqueles que não foram versados nos princípios que regem o funcionamento da mente humana, essas instruções podem parecer pouco práticas. Talvez seja útil para todos que não conseguem reconhecer a sabedoria dessas seis ações saber que essa informação foi recebida de Andrew Carnegie, que começou como um operário comum na indústria siderúrgica, mas conseguiu, apesar do início humilde, fazer esses princípios lhe renderem uma fortuna consideravelmente superior a 100 milhões de dólares. Talvez seja útil também saber que essas ações foram cuidadosamente examinadas por Thomas A. Edison, que após nelas o seu selo de aprovação como sendo não somente os passos essenciais para a acumulação de riqueza, mas os necessários para a obtenção de *qualquer objetivo preciso*.[3]

Os passos não exigem nenhum "trabalho árduo". Não exigem nenhum "sacrifício". Não exigem que a pessoa se torne ridícula ou irracional. Aplicá-los não exige muita instrução. Mas a realização bem-sucedida dessas seis ações exige, isso sim, *imaginação* suficiente para permitir que se veja, e que se compreenda, que a acumulação de dinheiro não pode ser deixada a cargo do acaso, do destino e da sorte. É preciso entender que todos aqueles que acumularam grandes fortunas precisaram primeiro, em alguma medida, sonhar, torcer, querer, DESEJAR e PLANEJAR *antes* de obterem dinheiro.

É melhor você saber, desde já, que nunca poderá ser rico A MENOS QUE consiga produzir dentro de si um DESEJO ARDENTE por dinheiro e de fato ACREDITE que vai adquiri-lo.

É melhor você saber também que todo grande líder, desde a aurora dos tempos até o presente, foi um sonhador. A cristandade se tornou uma das grandes potências do mundo porque seu fundador foi um intenso sonhador que teve visão e imaginação suficientes para ver realidades em seu formato mental e espiritual antes que elas fossem transmutadas num formato físico.

Se você não se imagina acumulando uma grande riqueza, nunca a verá no seu saldo bancário.

Nunca houve, em toda a história dos Estados Unidos, uma oportunidade tão boa quanto hoje para os sonhadores práticos.[4] As agruras dos últimos períodos econômicos, difíceis e desorganizados, levaram muita gente de volta à estaca zero. Uma nova corrida está prestes a acontecer. Como prêmio, haverá imensas fortunas a serem acumuladas em poucos anos. As regras da corrida mudaram porque hoje vivemos num MUNDO TRANSFORMADO, que favorece definitivamente aqueles que tiveram pouca ou nenhuma oportunidade de vencer nas condições que prevaleceram nos últimos tempos, em que o medo muitas vezes paralisou o crescimento e o desenvolvimento pessoal e econômico.

Nós, que estamos nessa corrida pela riqueza, deveríamos ser incentivados a saber que este mundo transformado exige agora novas ideias, novas maneiras de fazer as coisas, novos líderes, novas invenções, novos métodos de ensino, novos métodos de marketing, novos livros, nova literatura, novos aspectos para os veículos de comunicação de massa, novas ideias para o entretenimento. Por trás de toda essa demanda por coisas novas e melhores está uma qualidade indispensável para ser um vencedor: a CLAREZA DE PROPÓSITO — saber o que se quer e ter um DESEJO ARDENTE de possuí-lo.

Testemunhamos a morte de uma era e o nascimento de outra. Este mundo transformado exige sonhadores práticos capazes *e dispostos* a transformar seus sonhos em realidade. Os sonhadores práticos sempre foram e sempre serão aqueles que estabelecem os padrões da civilização.

Nós, que desejamos acumular riquezas, devemos nos lembrar de que os verdadeiros líderes do mundo sempre foram indivíduos que mobilizaram e deram um uso prático às forças intangíveis e invisíveis da oportunidade ainda por nascer, e converteram essas forças (ou impulsos de pensamento) em arranha-céus, cidades, fábricas, aviões, carros e em todas as formas de conforto que tornam a vida mais agradável.

A tolerância e uma mente aberta são necessidades práticas do sonhador de hoje em dia. Aqueles que têm medo de ideias novas estão fadados ao fracasso antes mesmo de começar. Nunca houve um momento mais favorável para pioneiros do que o atual. É verdade que não existe nenhum "Oeste denso e selvagem" a ser conquistado, como na época das diligências. Mas existe um vasto mundo profissional, financeiro e industrial a ser remoldado e redirecionado para um curso novo e melhor.

Ao planejar adquirir seu quinhão de riqueza, não deixe ninguém influenciá-lo a desdenhar o sonhador. Para conquistar a sorte grande neste mundo transformado, é preciso incorporar o espírito dos pioneiros do passado, cujos sonhos deram à civilização tudo que ela tem de valor. É esse espírito que constitui a seiva vital dos Estados Unidos: o desejo ardente de tirar proveito integral da maravilhosa oportunidade de desenvolver e comercializar nossos talentos num país livre.

Não esqueçamos que Colombo sonhou com um Mundo Desconhecido, apostou a vida na existência dessas terras e as descobriu!

O astrônomo Copérnico sonhou com múltiplos mundos e os revelou! Ninguém o denunciou como "pouco prático" depois de ele ter triunfado. Pelo contrário: o mundo o venerou, provando, mais uma vez, que O SUCESSO NÃO EXIGE DESCULPAS, O FRACASSO NÃO PERMITE ÁLIBIS.

Se a coisa que você deseja fazer é certa e *você acredita nela*, vá em frente e faça! Comunique seus sonhos e não se importe com o que "eles" disserem se encontrar uma derrota temporária, pois "eles" talvez não saibam que TODO FRACASSO TRAZ CONSIGO A SEMENTE DE UM SUCESSO EQUIVALENTE.

Henry Ford, pobre e sem instrução, sonhou com uma "carruagem sem cavalos", pôs-se a trabalhar com as ferramentas que possuía, sem esperar que a oportunidade o favorecesse, e hoje as provas do seu sonho se espalham por todo o planeta. Ele fez mais rodas funcionarem do que qualquer outra pessoa que já tenha vivido porque não teve medo de acreditar em seus sonhos.

Thomas Edison sonhou com um lampião que pudesse ser aceso por eletricidade, pôs seu sonho em ação e, apesar de mais de 10 mil fracassos, acreditou nesse sonho até transformá-lo numa realidade física. Os sonhadores práticos NÃO DESISTEM!

Lincoln sonhou com a libertação dos escravos, colocou seu sonho em ação e por um triz não viveu para ver o Norte e o Sul do país unidos transformarem seu sonho em realidade.

Os irmãos Wright sonharam com uma máquina capaz de voar. Hoje se pode ver pelo mundo afora provas de que o sonho tinha fundamento.

Marconi sonhou com um sistema para canalizar as forças imperceptíveis do espectro eletromagnético.[5] Evidências de que ele não sonhou em vão podem ser encontradas em todos os aparelhos de rádio e televisão do mundo. Além disso, o sonho de Marconi equiparou a mais humilde cabana à mais grandiosa mansão. Ele tornou vizinhas de porta pessoas de qualquer nação na Terra. Proporcionou ao presidente dos Estados Unidos uma forma de se dirigir ao povo do país inteiro e com pouca antecedência. Talvez lhe interesse saber que os "amigos" de Marconi o internaram para ser examinado num hospital psiquiátrico quando ele anunciou haver descoberto um princípio que permitia enviar mensagens pelo ar, sem o auxílio de fios ou outros meios físicos diretos de comunicação. Os sonhadores de hoje têm uma vida mais fácil.

O mundo se acostumou com novas descobertas; mostrou-se disposto a recompensar o sonhador que apresenta uma ideia nova.

"A maior realização de todas, no início e por algum tempo, foi um sonho. O carvalho vive adormecido dentro da bolota; o pássaro aguarda dentro do ovo; e, na mais grandiosa visão da alma, um anjo está prestes a despertar. SONHOS SÃO SEMENTES DE REALIDADES."[6]

Despertem, levantem-se e imponham-se, sonhadores do mundo. Sua estrela está em ascensão. A crise econômica e financeira mundial trouxe a oportunidade que vocês estavam esperando. Ensinou muita gente a ser humilde, tolerante e a ter a mente aberta.

O mundo está repleto de abundantes OPORTUNIDADES que os sonhadores do passado jamais conheceram.

UM DESEJO ARDENTE DE SER E DE FAZER é o ponto de partida do qual o sonhador precisa se lançar. Sonhos não nascem de indiferença, preguiça ou falta de ambição.

O mundo não zomba mais dos sonhadores, nem os tacha de pouco práticos. Se você achar que sim, vá até o Tennessee e visite as poderosas barragens e usinas elétricas da Tennessee Valley Authority para testemunhar o que um presidente "sonhador" fez para canalizar e usar o grande potencial hídrico dos Estados Unidos. Houve um tempo em que um sonho desses teria parecido loucura.[7]

Você pode ter se decepcionado, pode ter sofrido revezes e derrotas em tempos difíceis, pode ter sentido o coração ser esmagado até sangrar. Coragem, pois essas experiências serviram para temperar o metal espiritual do qual você é feito – são trunfos de valor incomparável.

Lembre-se também de que todos aqueles que têm sucesso na vida começaram mal e atravessaram lutas e sofrimentos antes de "chegarem lá". O divisor de águas de quem alcança o sucesso geralmente ocorre em algum momento de crise graças ao qual eles são apresentados ao seu "outro eu".

John Bunyan escreveu *O peregrino*, uma das maiores obras de toda a literatura inglesa, depois de ter sido preso e cruelmente punido por suas opiniões religiosas.

O. Henry descobriu o gênio adormecido dentro de seu cérebro após ser preso em Columbus, Ohio. Quando FORÇADO, pelo infortúnio, a se familiarizar com seu "outro eu" e a usar a IMAGINAÇÃO, ele descobriu ser um ótimo escritor em vez de um lamentável criminoso e pária.[8]

Os modos de vida são estranhos e variados, e mais estranho ainda é o funcionamento da Inteligência Infinita, pela qual os seres humanos são às vezes forçados a passar por todo tipo de problema e atribulação antes de descobrir o próprio cérebro e a própria capacidade de criar ideias úteis usando a imaginação.[9]

Edison, o maior inventor e cientista do mundo, começou como um "vagabundo" que operava um telégrafo.[10] Amargou incontáveis fracassos antes de ser finalmente conduzido à descoberta do gênio adormecido dentro de seu cérebro.

Charles Dickens começou colando rótulos em potes de graxa. A tragédia de seu primeiro amor penetrou as profundezas de sua alma e o transformou num dos maiores escritores da literatura. Essa tragédia gerou primeiro *David Copperfield*, depois uma sucessão de obras que tornaram este mundo mais rico e melhor para todos aqueles que leram seus livros.[11] (As decepções amorosas podem ter o efeito de levar muitos à bebida e outros à ruína – isso porque a maioria das pessoas nunca aprende a arte de transmutar suas emoções mais fortes em sonhos de natureza construtiva. Esse poder de "transmutação" será examinado em detalhes mais adiante.)

Helen Keller ficou surda e cega pouco depois de nascer e passou anos sem conseguir falar. Apesar desse infortúnio, inscreveu seu nome de modo indelével nas páginas da história. Sua vida inteira serviu como prova de que *ninguém nunca é derrotado até que a derrota seja aceita como realidade*.

Robert Burns, um rapaz analfabeto da zona rural amaldiçoado pela pobreza, virou alcoólatra quando adulto. Sua vida tornou o mundo melhor quando ele vestiu lindos pensamentos com poesia, arrancando um espinho e plantando uma rosa no lugar.

Booker T. Washington nasceu escravo, prejudicado pela cor da pele na sociedade em que vivia. Por sua tolerância ao manter a mente aberta em todos os momentos e em relação a todos os temas, e por ter sido um SO-NHADOR, ele deixou sua marca definitiva em toda uma nação.

Beethoven ficou surdo, Milton ficou cego, mas seus nomes irão perdurar enquanto houver civilização, pois eles sonharam e traduziram seus sonhos em pensamentos organizados.

Antes de passar ao próximo capítulo, tome a decisão de despertar na sua mente o fogo da esperança, da fé, da coragem e da tolerância. Uma vez que tiver esse estado de espírito e um conhecimento operacional dos princípios descritos neste livro, tudo de que precisar chegará às suas mãos – quando você estiver PRONTO para isso.[12]

Existe uma diferença entre QUERER uma coisa e ESTAR PRONTO para recebê-la. Você nunca está *pronto* para alguma coisa até *acreditar* que pode adquiri-la. O estado de espírito deve ser de CRENÇA, não de simples esperança ou vontade. Ter uma mente aberta é fundamental para a crença. Mentes fechadas não inspiram fé, coragem ou crença.

Lembre-se: ter grandes objetivos na vida, exigir abundância e prosperidade, nada disso demanda mais esforço do que aceitar a miséria e a pobreza. Jessie B. Rittenhouse ratificou essa verdade universal nas estrofes de seu poema "Meu salário":

Pedi um centavo para a Vida
E a Vida não quis pagar nada além,
Por mais que eu implorasse à Vida
Ao contar meus parcos vinténs.

Pois a Vida é um patrão justo,
Aquilo que você pede ela escuta,
Mas, quando você dita o salário,
Ora, precisa suportar a labuta!

Eu trabalhei por um salário reles,
Mas depois aprendi, consternado,
Que o salário que eu pedisse à Vida,
Ela me teria pagado.

O desejo vence a Mãe Natureza

Numa conclusão condizente para este capítulo, desejo apresentar uma das pessoas mais fora do comum que já conheci. A primeira vez que o vi faz muitos anos, alguns minutos depois de ele nascer. Ele entrou neste mundo sem orelhas, e o médico, pressionado para emitir uma opinião, admitiu que a criança provavelmente seria surda e muda pelo resto da vida.*

Contestei a opinião do médico. Tinha o direito de fazê-lo; eu era o pai da criança. Tomei também uma decisão e emiti uma opinião, mas a expressei de modo silencioso, no interior secreto do meu coração. Decidi que meu filho iria ouvir e falar. A Natureza podia me mandar um filho sem os órgãos da audição, mas não podia me induzir a aceitar a realidade dessa limitação.

Em minha mente, eu sabia que meu filho iria ouvir e falar. Como? Tinha certeza de que devia haver um jeito, e sabia que iria encontrá-lo. Pensei nas palavras do imortal Emerson: "Todo o curso das coisas existe para nos ensinar a fé. Tudo que precisamos fazer é obedecer. Existe uma orientação para cada um de nós, e, escutando com atenção, ouviremos *a palavra certa*."

Qual é a palavra certa? DESEJO! Mais do que tudo, eu DESEJAVA que meu filho não fosse surdo e mudo. Nunca abri mão desse desejo, nem por um segundo sequer.

Muitos anos antes, eu havia escrito: "Nossas únicas limitações são aquelas que criamos em nossas mentes." Pela primeira vez, perguntei-me se essa afirmação era verdadeira. Deitado na cama à minha frente estava um recém-nascido sem o aparelho auditivo natural. Mesmo que ele viesse a ouvir e falar, obviamente continuaria desfigurado por toda a vida. Isso com certeza era uma limitação que aquela criança não havia criado na própria mente.

O que eu podia fazer? Daria um jeito, não sabia como, de transplantar para a mente daquela criança o meu DESEJO ARDENTE de que houvesse maneiras de transmitir som para o seu cérebro sem a ajuda das orelhas.

---

* Isso foi muito antes do advento do tipo de cirurgia reparadora tão comum hoje em dia.

Assim que o menino tivesse idade suficiente para cooperar, eu encheria sua mente com um DESEJO ARDENTE de ouvir que a Natureza, por meios próprios, traduziria esse desejo em realidade física. Todo esse pensamento ocorreu dentro de mim, mas não comentei com ninguém a respeito. Diariamente renovava a promessa feita a mim mesmo de não aceitar aquela limitação em meu filho.

Conforme ele foi crescendo e começando a reparar nas coisas à sua volta, observamos que tinha um leve grau de audição. Quando chegou à idade em que as crianças em geral começam a falar, não tentou fazê-lo, mas podíamos ver, por suas ações, que o menino era capaz de escutar parcialmente alguns sons. Isso era tudo que eu precisava saber! Estava convencido de que, se ele podia escutar, nem que fosse ligeiramente, talvez futuramente desenvolvesse uma capacidade auditiva ainda maior. Então aconteceu algo que me deu esperança. E que teve uma origem totalmente inesperada.

Compramos um fonógrafo de tipo antiquado. Quando meu filho escutou a música pela primeira vez, ficou extasiado e na mesma hora tomou posse do aparelho. Em pouco tempo começou a demonstrar preferência por alguns discos, entre eles o da canção "It's a Long Way to Tipperary". Em certa ocasião, passou duas horas tocando essa música repetidamente, parado em pé diante do fonógrafo, *mordendo com força a borda da caixa*. O significado desse hábito espontâneo só ficou claro para nós anos depois. Na época ainda não havíamos ouvido falar no princípio de "condução óssea" do som.

Pouco depois de meu filho se apropriar do aparelho, descobri que ele podia me ouvir claramente quando eu falava com os lábios tocando seu mastoide, o osso localizado na mandíbula, onde o canal auditivo deveria estar. Essas descobertas me proporcionaram os meios necessários para que eu começasse a traduzir em realidade o meu DESEJO ARDENTE de ajudar meu filho a desenvolver sua audição e sua fala. A essa altura, ele já estava tentando pronunciar determinadas palavras. O prognóstico não era nem um pouco encorajador, mas, para o DESEJO SUSTENTADO PELA FÉ, "impossível" é uma palavra que não existe.

Uma vez estabelecido que meu filho conseguia ouvir claramente o som da minha voz, comecei na mesma hora a transferir para sua mente o desejo de ouvir e falar. Logo descobri que o menino apreciava ouvir histórias na hora de dormir, então me esforcei para criar histórias destinadas a desenvolver nele a autossuficiência, a imaginação e um *forte desejo de ouvir*.

Havia uma história em especial que eu enfatizava, dando algum colorido novo e dramático cada vez que a contava. A história se destinava a plantar na mente do menino a ideia de que sua limitação não era um defeito, e sim uma vantagem muito valiosa. Apesar de toda a filosofia que eu havia estudado indicar que TODA ADVERSIDADE TRAZ CONSIGO A SEMENTE DE UMA VANTAGEM EQUIVALENTE, devo confessar que eu não fazia a menor ideia de *como* aquela limitação podia algum dia se tornar uma vantagem. Mesmo assim, continuei a prática de embutir essa filosofia nas histórias da hora de dormir, torcendo para que um dia meu filho encontrasse algum plano pelo qual sua limitação pudesse ser levada a cumprir algum objetivo útil.

A razão me dizia de modo claro que não existia nenhuma compensação adequada para a falta de orelhas e do aparelho auditivo natural. O DESEJO, sustentado pela FÉ, deixava a razão de lado e me inspirava a seguir adiante.

Analisando em retrospecto essa experiência, vejo agora que a *fé* que meu filho depositava *em mim* teve muita relação com os espantosos resultados. Ele não questionava nada do que eu lhe dizia. Eu lhe vendi a ideia de que ele tinha uma *vantagem* distinta em relação ao irmão mais velho e de que essa vantagem iria se refletir de muitas formas.[13]

Podíamos ver que a audição dele melhorava aos poucos. Além disso, ele não se sentia constrangido por causa de sua limitação. Quando tinha mais ou menos 7 anos, exibiu a primeira prova de que nosso método de condicionar sua mente estava dando frutos. Durante vários meses, implorou pelo privilégio de vender jornais, mas a mãe não consentiu. Por causa da surdez, ela temia que talvez fosse perigoso que ele saísse sozinho pela rua.

Por fim, ele resolveu agir por conta própria. Certo dia, à tarde, sozinho em casa com os empregados, escalou a janela da cozinha, desceu pelo lado de fora e saiu. Pegou 6 centavos emprestados com o sapateiro do bairro, investiu o dinheiro em jornais, vendeu tudo, reinvestiu e repetiu esse processo até a noite. Após fechar sua contabilidade e devolver os 6 centavos emprestados por seu "banqueiro", obteve um lucro líquido de 42 centavos. Quando chegamos em casa nessa noite, encontramos nosso filho dormindo em sua cama segurando o dinheiro bem apertado dentro de sua mãozinha.

A mãe abriu a mão do garoto, pegou as moedas e chorou. Imagine só! Chorar diante da primeira vitória do filho parecia inadequado. Minha reação foi o contrário. Eu gargalhei, pois compreendi que minha missão de plantar na mente da criança uma atitude de fé em si mesma tinha tido sucesso.

A mãe viu nessa primeira empreitada profissional um menininho surdo que saíra pela rua e arriscara a vida para ganhar dinheiro. Eu vi um homem de negócios corajoso, ambicioso e autossuficiente, cuja autoconfiança fora multiplicada pelo fato de ele ter empreendido algo por conta própria e vencido. Aquela transação me agradou porque eu sabia que ele tinha dado mostras de uma autossuficiência que o acompanharia pela vida toda. Acontecimentos posteriores provaram isso. Quando o irmão mais velho queria alguma coisa, ele se jogava no chão, esperneava, chorava – e conseguia. Quando o "menininho surdo" queria alguma coisa, ele planejava um jeito de ganhar o dinheiro, depois saía e comprava. E seguiria agindo assim ao longo da vida adulta.

Meu filho me ensinou que as deficiências podem ser transformadas em plataformas que podem ser escaladas para alcançar algum objetivo virtuoso – *a menos que* elas sejam aceitas como obstáculos e usadas como álibis.

O menininho surdo passou pelo ensino fundamental, pelo ensino médio e pelo ensino superior sem conseguir escutar os professores, a não ser quando eles gritavam alto e bem perto. Não frequentou nenhuma escola especial.[14] Fizemos questão que ele levasse uma vida normal e se relacionasse com crianças que ouviam, e não arredamos pé dessa decisão mesmo que ela tenha nos custado muitas discussões acaloradas com as autoridades escolares.

Quando meu filho estava no ensino médio, tentou usar um aparelho auditivo, mas de nada adiantou. Em sua última semana na faculdade, aconteceu o mais importante divisor de águas de sua vida. Aparentemente por um mero acaso, ele recebeu outro aparelho auditivo para testar. Por causa da decepção com o anterior, meu filho demorou a fazer o teste. Por fim, pegou-o, pôs na cabeça de modo um tanto descuidado, conectou a bateria e *tcharam*! Como num passe de mágica, seu DESEJO DE AUDIÇÃO NORMAL SE TORNOU REALIDADE! Pela primeira vez na vida, meu filho pôde ouvir praticamente tão bem quanto qualquer ouvinte natural.[15]

Felicíssimo com o MUNDO TRANSFORMADO que lhe fora proporcionado, ele correu para o telefone, ligou para a mãe e ouviu perfeitamente a voz dela. No dia seguinte, pela primeira vez na vida, ouviu perfeitamente a voz dos professores durante a aula! Meu filho escutou rádio. Escutou o som de um filme no cinema. Pela primeira vez na vida, podia conversar sem que os interlocutores tivessem que falar alto. Ele tinha diante de si um Mundo Transformado. Tínhamos nos recusado a aceitar o erro da Natureza e, por um DESEJO PERSISTENTE, induzimos a Natureza a corrigir esse erro da única maneira prática disponível.

O DESEJO começara a render dividendos, mas a vitória ainda não estava completa. O menino precisava encontrar um modo claro e prático de converter sua deficiência numa *vantagem equivalente*.

Sem atinar por completo o significado do que já tinha conquistado, mas inebriado com a alegria daquele mundo de sons recém-descoberto, meu filho escreveu uma carta para o fabricante do aparelho descrevendo com entusiasmo sua experiência. Alguma coisa na carta dele – algo que talvez não estivesse escrito *nas* linhas, mas nas *entrelinhas* – fez a empresa convidá-lo para ir a Nova York. Ao chegar, ele foi levado a conhecer a fábrica e, quando estava contando sobre seu Mundo Transformado para o engenheiro-chefe, um insight atravessou sua mente. Foi esse impulso de pensamento que converteu sua limitação numa vantagem destinada a render dividendos não só em dinheiro, mas também em felicidade para milhares de outras pessoas.

Essencialmente, ocorreu-lhe que ele poderia ajudar os milhões de surdos que vivem sem o benefício de aparelhos auditivos se conseguisse encontrar um jeito de lhes contar a história de seu Mundo Transformado. Ali mesmo, ele tomou a decisão de dedicar o resto da vida a prestar um serviço útil àqueles que tinham a mesma dificuldade.

Durante um mês inteiro, meu filho se dedicou a extensas pesquisas, analisando todo o sistema de comercialização do fabricante do aparelho. Imaginou caminhos e modos possíveis de se comunicar com portadores de deficiências auditivas do mundo inteiro, a fim de compartilhar com eles seu "Mundo Transformado" recém-descoberto. Feito isso, ele pôs no papel um plano de dois anos baseado em suas descobertas. Quando apresentou esse plano à empresa, na mesma hora ganhou um emprego para cumprir o objetivo de realizar sua ambição.

Mal sonhava ele que, ao começar esse trabalho, estava destinado a levar esperança e alívio prático a milhares de pessoas que, sem sua ajuda, jamais teriam superado sua deficiência.

Pouco depois de se tornar sócio do fabricante do aparelho auditivo, meu filho me convidou para assistir a uma aula ministrada pela empresa para ensinar os surdos a ouvir e falar. Eu nunca soube desse tipo de instrução; assim, compareci à aula, cético, mas esperançoso de que meu tempo não fosse ser totalmente desperdiçado. Lá, vi uma demonstração que me proporcionou uma visão muito ampliada do que eu tinha feito para despertar e manter vivo na mente do meu filho o DESEJO de uma audição normal. Vi pessoas surdas sendo ensinadas a ouvir e a falar pela aplicação do mesmo princípio que eu usara mais de 20 anos antes com meu filho Blair.

Não tenho a menor dúvida de que Blair passaria a vida inteira incapaz de ouvir ou falar se sua mãe e eu não tivéssemos conseguido moldar sua mente como fizemos. O médico que acompanhou o parto dele disse que o menino talvez nunca viesse a ouvir som nenhum nem a dizer nenhuma palavra. Mais tarde, o Dr. Irving Voorhees, renomado especialista nesse tipo de caso, fez um exame completo em Blair. Ficou assombrado ao constatar como meu filho ouvia e falava bem e disse que o exame indicava que "teoricamente o menino não deveria ser capaz de ouvir nada".

Quando plantei na mente de Blair o DESEJO de ouvir, falar e levar uma vida normal, esse impulso foi acompanhado por uma estranha influência que fez a Natureza se tornar uma "construtora de pontes" e superar o abismo de silêncio entre seu cérebro e o mundo exterior – por algum meio que nem mesmo os mais dedicados especialistas da medicina conseguiam interpretar. Seria um sacrilégio eu ter a pretensão de compreender por completo como a Natureza executou esse milagre. Seria imperdoável deixar de contar para o mundo quanto sei sobre o humilde papel desempenhado por mim nessa estranha experiência. É meu dever e meu privilégio dizer que eu acredito, e não sem razão, que *nada é impossível para a pessoa que sustenta o desejo com uma fé duradoura.*

Um DESEJO ARDENTE tem modos sinuosos de se transmutar no seu equivalente físico. Blair DESEJAVA uma audição normal. E recebeu isso! Ele nasceu com uma limitação que poderia facilmente ter dificultado muito a vida de alguém com um DESEJO menos definido. Essa limitação foi o meio pelo qual ele pôde posteriormente prestar um serviço útil para milhares de deficientes auditivos e que lhe proporcionou um emprego e uma compensação financeira adequada durante muitos anos.

A pequena "mentira branca" que plantei na sua mente quando ele era criança – levando-o a ACREDITAR que sua doença se tornaria uma enorme vantagem que ele poderia capitalizar – se justificou. De fato, não existe nada, seja certo ou errado, que a CRENÇA, somada ao DESEJO ARDENTE, não possa tornar realidade. Essas qualidades são gratuitas para todo mundo.

Em toda minha experiência ao lidar com homens e mulheres afetados por problemas pessoais, nunca tive um caso que tenha demonstrado de modo mais definitivo o poder do DESEJO. Os escritores às vezes cometem o erro de escrever a respeito de temas sobre os quais só têm um conhecimento superficial ou muito elementar. Por sorte, tive o privilégio de testar a solidez do PODER DO DESEJO com a limitação de meu filho. Talvez tenha sido providencial a experiência haver ocorrido como ocorreu, pois certamente ninguém estava mais bem preparado do que ele para servir de exemplo do que acontece quando o DESEJO é posto à prova. *Se a Mãe Natureza se curva à vontade de um desejo ardente, é lógico pensar que ele pode ser derrotado por meros seres humanos?*

O poder da mente humana é estranho e imponderável! Não compreendemos o método pelo qual ela utiliza todas as circunstâncias, todos os indivíduos, todos os objetos físicos ao seu alcance como meios de transmutar o DESEJO em seu correspondente físico. Talvez a ciência um dia desvende esse segredo.

Eu plantei na mente de meu filho o DESEJO de ouvir e falar. Esse DESEJO virou uma realidade. Plantei na mente dele o DESEJO de converter sua maior deficiência em sua maior vantagem. Esse DESEJO se realizou. Não é difícil descrever o método pelo qual esse resultado espantoso foi alcançado. Consistiu em três ações muito claras: primeiro, eu MISTUREI A FÉ com o DESEJO de uma audição normal, que transmiti a meu filho. Segundo, comuniquei a ele meu desejo de todas as formas disponíveis, graças a um esforço persistente e contínuo ao longo de muitos anos. Terceiro, ELE ACREDITOU EM MIM!

Quando este capítulo estava sendo concluído, chegou a notícia da morte de Madame Schumann-Heink.[16] Um curto parágrafo na reportagem fornece uma pista do estrondoso sucesso como cantora dessa mulher incomum. Cito trechos desse parágrafo porque a pista que contém não é outra senão DESEJO.

No início de sua carreira, Madame Schumann-Heink foi visitar o diretor da Ópera da Corte de Viena para fazer um teste. Mas ele não lhe concedeu o teste. Bastou ver aquela moça desengonçada e malvestida para exclamar, sem muita gentileza: "Com esse rosto e sem nenhuma personalidade, como a senhorita pode almejar algum dia ter sucesso na ópera? Desista dessa ideia, minha cara jovem. Compre uma máquina de costura e comece a trabalhar. A SENHORITA NUNCA VAI SER CANTORA."

Nunca é muito tempo! O diretor da Ópera da Corte de Viena sabia muito sobre a técnica do canto, mas pouco sobre o poder do desejo quando este assume as proporções de uma obsessão. Se soubesse mais sobre esse poder, não teria cometido o erro de condenar uma pessoa genial sem antes lhe conceder uma oportunidade.

Muitos anos atrás, um de meus subordinados adoeceu gravemente. Foi piorando com o passar do tempo e, finalmente, levado ao hospital para ser operado. Pouco antes de ser conduzido à sala de cirurgia, eu olhei para ele e me perguntei como uma pessoa tão magra e emaciada poderia passar com sucesso por essa experiência. O cirurgião me alertou de que havia poucas chances, se é que alguma, de eu tornar a vê-lo com vida. Mas essa era a OPINIÃO DO MÉDICO. Não a do paciente. Logo antes de ser levado, ele sussurrou debilmente: "Não se preocupe, chefe, vou sair daqui em poucos dias." A enfermeira que cuidava dele me encarou com pena. E o paciente de fato sobreviveu. Quando tudo terminou, seu médico disse: "A única coisa que o salvou foi seu desejo de viver. Ele nunca teria saído dessa se não tivesse se recusado a aceitar a possibilidade da morte."

Eu acredito no poder do DESEJO sustentado pela FÉ porque já vi esse poder alçar pessoas de inícios modestos até píncaros de poder e riqueza. Já o vi tirar gente da beira da morte. Já o vi servir de meio pelo qual pessoas conseguiram dar a volta por cima depois de terem sido derrotadas de um monte de modos diferentes. Já o vi proporcionar a meu filho uma vida normal, feliz e bem-sucedida, apesar de a Natureza o ter feito nascer com uma deficiência grave.

Como canalizar e utilizar o poder do DESEJO? Essa pergunta é respondida neste e nos próximos capítulos. Esse recado vem sendo espalhado depois de uma das crises mais devastadoras que os Estados Unidos conheceram. É sensato supor que a mensagem talvez chegue àqueles que foram feridos por alguma calamidade pessoal, pessoas que perderam fortunas, empregos, além das que precisam reorganizar seus planos e dar a volta por cima. A todas elas, desejo comunicar a seguinte ideia: toda realização, seja de que natureza for e seja que objetivo tiver, deve começar com um DESEJO ARDENTE, intenso e preciso.

Por um estranho e poderoso princípio de "química mental" nunca divulgado, a Natureza inclui no impulso do DESEJO ARDENTE aquele "algo mais" que não reconhece a palavra "impossível" e não aceita a realidade do fracasso.

Felizmente, a Natureza também nos deu o modo de canalizar o DESEJO com firmeza em direção aos objetivos que nomeamos e buscamos. Esse modo consiste na FÉ – *o segundo passo para a riqueza.*

> A FÉ É UM ESTADO DE ESPÍRITO
> QUE PODE SER INDUZIDO
> PELA AUTOSSUGESTÃO.

CAPÍTULO 2

Fé

Visualização e crença na obtenção do desejo
O segundo passo para a riqueza

A FÉ é a química-chefe da mente. Quando a FÉ se mistura à "vibração do pensamento", a mente subconsciente capta na mesma hora a vibração, traduzindo-a no seu equivalente espiritual, e a transmite para a Inteligência Infinita, como acontece no caso da oração.[1]

As emoções da FÉ, do AMOR e do SEXO são as mais potentes de todas as principais emoções positivas. Quando as três se misturam, têm o efeito de "colorir" a vibração do pensamento de tal forma que ele, no mesmo instante, alcança a mente subconsciente, onde é transformado no seu equivalente espiritual – a única forma que induz uma resposta da Inteligência Infinita.

O amor e a fé são psíquicos; estão relacionados ao lado espiritual da humanidade. O sexo é puramente biológico e está relacionado apenas ao físico. A mistura ou combinação dessas três emoções tem o efeito de abrir uma linha direta de comunicação entre a mente humana finita e pensante e a Inteligência Infinita.

Como desenvolver a fé

Uma afirmação permitirá compreender melhor a importância que o *princípio da autossugestão* assume na transmutação do desejo em seu equivalente físico ou monetário: *a fé é um estado de espírito passível de ser induzido ou criado por afirmações ou instruções repetidas à mente consciente pelo princípio da autossugestão.*

Como ilustração, pense no principal objetivo que provavelmente leva você a ler este livro. A ideia, naturalmente, é adquirir habilidade para transmutar o impulso de pensamento intangível do DESEJO em seu correspondente físico – dinheiro. Ao seguir as instruções dos capítulos sobre autossugestão (Capítulo 3) e mente subconsciente (Capítulo 11), você pode CONVENCER sua mente subconsciente de que *acredita* que vai receber o que está pedindo. Sua mente subconsciente agirá de acordo com essa crença e, então, a transmitirá de volta para você na forma de FÉ, seguida por planos precisos para obter aquilo que você deseja.

É extremamente difícil descrever o método pelo qual se desenvolve a FÉ quando esta ainda não existe – quase tanto quanto seria descrever a cor vermelha para um cego sem ter nada com que ele compare o que você está descrevendo. Fé é um estado de espírito que você pode desenvolver *sempre que quiser* após ter dominado os 13 princípios deste livro – é um estado de espírito que se desenvolve pela aplicação e o uso voluntários desses princípios.

A repetição ou afirmação de ordens para sua mente subconsciente é o único método de desenvolvimento voluntário da emoção da fé.

Talvez o significado disso se torne mais claro pela explicação sobre como os indivíduos às vezes se tornam criminosos. Nas palavras de um criminologista famoso: "Na primeira vez em que as pessoas entram em contato com o crime, elas o abominam. Se permanecem em contato com o crime por algum tempo, acostumam-se a ele e o suportam. Se permanecem em contato com ele por tempo suficiente, acabam por abraçá-lo e passam a ser influenciadas por ele."

Isso equivale a dizer que qualquer impulso de pensamento repetidamente transmitido ao subconsciente acaba sendo aceito e convertido em ação pela mente, que o traduz em seu equivalente físico pelo procedimento mais prático disponível.

Com relação a isso, considere novamente a afirmação: TODOS OS PENSAMENTOS QUE TIVEREM SIDO EMOCIONALIZADOS (aos quais se imprimiu emoção) E MISTURADOS COM A FÉ começam imediatamente a se traduzir no seu equivalente ou correspondente físico.

As emoções, ou a porção de "sentimento" dos pensamentos, são os fatores que lhes dão energia, vida e ação. As emoções da fé, do amor e do sexo, quando misturadas com qualquer impulso de pensamento, lhe imprimem mais ação do que qualquer uma dessas emoções é capaz isoladamente.

Não são apenas os impulsos de pensamento que foram misturados à FÉ, mas todos aqueles que foram misturados com qualquer uma das emoções positivas ou com qualquer das emoções negativas que conseguem alcançar e influenciar a mente subconsciente.

A partir dessa afirmação, você entenderá que o subconsciente traduzirá no seu *equivalente físico* um impulso de pensamento de natureza negativa ou destrutiva tão prontamente quanto agirá sobre os impulsos de pensamento de natureza positiva ou construtiva. Isso explica o estranho fenômeno experimentado por milhões de pessoas que a ele se referem como "infortúnio" ou "azar".

Milhões de pessoas ACREDITAM estar "amaldiçoadas" pela pobreza e pelo fracasso devido a alguma força estranha sobre a qual ACREDITAM não ter nenhum controle. São elas que criam os próprios infortúnios por causa dessa CRENÇA negativa, que é captada por sua mente subconsciente e traduzida em seu equivalente físico.

Você pode se beneficiar transmitindo para seu subconsciente qualquer desejo que quiser ver traduzido no seu equivalente físico ou monetário, num estado de expectativa ou CRENÇA *de que a transmutação vai de fato ocorrer.* Sua CRENÇA, ou sua FÉ, é o elemento que determina a ação de sua mente subconsciente. Nada o impede de "enganar" sua mente subconsciente ao lhe dar instruções por meio da autossugestão, do mesmo jeito que eu enganei o subconsciente do meu filho.

Para tornar esse "engodo" mais realista, comporte-se ao invocar sua mente subconsciente exatamente como se comportaria caso JÁ TIVESSE OBTIDO O QUE ESTÁ PEDINDO.

A mente subconsciente transmutará no seu equivalente físico, pelo meio mais direto e mais prático que estiver disponível, *qualquer* ordem que lhe for dada num estado de CRENÇA, ou de FÉ, de que a ordem será cumprida.

Muito já foi dito até aqui para lhe proporcionar um ponto de partida do qual você poderá, por experimentação e treino, adquirir a capacidade de misturar FÉ a qualquer ordem dada a seu subconsciente. A perfeição virá com o treino. Não pode vir apenas lendo instruções.

Se é verdade que alguém pode se tornar criminoso por uma associação com o crime (e trata-se de um fato conhecido), também é verdade que se pode desenvolver a fé sugerindo intencionalmente ao subconsciente que tenha fé. A mente acaba assumindo a natureza das influências que a dominam. Compreenda essa verdade e você saberá por que é essencial incentivar as *emoções positivas* como as forças predominantes de sua mente e desencorajar – e *eliminar* – as emoções negativas.[2]

Uma mente dominada por emoções positivas, ou por uma "atitude mental positiva", torna-se um porto favorável ao estado de espírito conhecido como fé. Uma mente assim dominada poderá, quando quiser, dar ao subconsciente instruções que este aceitará e converterá imediatamente em ação.

A fé é um estado de espírito que pode ser induzido pela autossugestão

Desde o início dos tempos, os religiosos vêm alertando a humanidade para "ter fé" neste ou naquele dogma ou credo, mas se esqueceram de explicar COMO ter fé. Eles não afirmaram que "a fé é um estado de espírito e pode ser induzida pela autossugestão".[3]

Numa linguagem que qualquer ser humano é capaz de entender, este livro descreverá tudo que se conhece sobre o princípio pelo qual a FÉ pode ser desenvolvida onde ela não existe.

Tenha fé em si mesmo; fé no Infinito.

Antes de começarmos, lembre-se outra vez de que a FÉ é o "elixir eterno" que confere vida, poder e ação ao impulso do pensamento!

Vale a pena ler a última frase uma segunda vez, depois uma terceira e uma quarta. Vale a pena lê-la em voz alta!

A FÉ é o ponto de partida de toda acumulação de riqueza!

A FÉ é a base de todos os "milagres" e de todos os mistérios que não podem ser analisados de acordo com as regras da ciência!

A FÉ é o único antídoto conhecido para o FRACASSO!

A FÉ é o elemento, a "química" que, quando misturada à oração, proporciona uma comunicação direta com a Inteligência Infinita.

A FÉ é o elemento que transforma a "vibração do pensamento" comum, criada pela mente humana finita, em seu equivalente espiritual.

A FÉ é o único agente através do qual a força cósmica da Inteligência Infinita pode ser canalizada e usada pela humanidade.

TODAS AS AFIRMAÇÕES ANTERIORES PODEM SER PROVADAS!

A prova é simples e de fácil demonstração. Ela está contida no princípio da autossugestão. Concentremos nossa atenção, portanto, no tema da autossugestão e descubramos no que ela consiste e o que é capaz de alcançar.

É fato conhecido que uma pessoa acaba passando a ACREDITAR naquilo que repete para si mesma, *seja essa afirmação verdadeira ou falsa*. Se repetirmos uma mentira várias vezes, acabaremos por aceitar essa mentira como verdade. E mais: vamos ACREDITAR que ela é a verdade. Todos nós somos o que somos por causa dos PENSAMENTOS PREDOMINANTES que permitimos ocupar nossa mente. Os pensamentos que trazemos deliberadamente para dentro da mente, que incentivamos com empatia e aos quais misturamos uma ou mais emoções, constituem as forças motivadoras que dirigem e controlam cada um de nossos movimentos, atos e ações!

Agora vem a afirmação de uma verdade muito importante:

PENSAMENTOS QUE SÃO MISTURADOS A QUALQUER SENTIMENTO DE EMOÇÃO CONSTITUEM UMA FORÇA "MAGNÉTICA" QUE ATRAI OUTROS PENSAMENTOS SEMELHANTES OU CORRELATOS.

Um pensamento assim "magnetizado" com emoção pode ser comparado a uma semente que, quando plantada em solo fértil, germina, cresce e se multiplica muitas e muitas vezes, até se transformar em incontáveis milhões de sementes do MESMO TIPO!

Toda experiência humana e todo pensamento humano ocorrem num ambiente – num *universo* – saturado de energia e "sinais" irradiados. Da gravidade ao magnetismo, dos raios cósmicos aos raios X, aos infravermelhos, à luz visível, às ondas sonoras, ao radar, às ondas curtas, aos sinais de rádio e televisão, vivemos num mundo constantemente bombardeado por "vibrações" de energia, das quais, no entanto, só conseguimos perceber diretamente uma parcela ínfima.

Da mesma forma, impulsos do pensamento são "vibrações" de energia transmitidas de um modo profundamente misterioso e ainda não percebidos como correntes elétricas e químicas entre as células cerebrais. Embora ainda não compreendamos e nem sejamos capazes de descrever cientificamente como esse processo ocorre, está claro que os impulsos do pensamento, ao lado da radiação eletromagnética, também se encontram, de algum modo, "por aí". É o que parecem indicar alguns experimentos com a percepção extrassensorial (PES).

Assim como o próprio cosmos, a experiência humana está repleta de vibrações ou "influências" do pensamento – tanto destrutivas quanto construtivas. A cada momento, ela é caracterizada por vibrações de medo, pobreza, doença, fracasso, infelicidade, além de prosperidade, saúde, sucesso e felicidade – tanto quanto a atmosfera carrega, nas ondas de televisão e de rádio, o som de centenas de orquestrações musicais e centenas de vozes humanas, todas as quais conservam a própria individualidade e os meios de serem identificadas.

Desse "estoque" de experiências, a mente humana está constantemente atraindo vibrações que se harmonizam com aquilo que DOMINA essa mente. Qualquer pensamento, ideia, plano ou objetivo que a pessoa mantiver em sua mente atrai das "vibrações do pensamento da existência" uma profusão de semelhantes, acrescenta esses semelhantes à própria força e cresce até se transformar no MESTRE MOTIVADOR principal do indivíduo em cuja mente se abrigou.

Voltemos agora ao ponto de partida para aprender como a semente original de uma ideia, um plano ou objetivo pode ser plantada na mente. A informação é fácil de transmitir: qualquer ideia, plano ou objetivo pode ser posto na mente *por meio da repetição do pensamento*. Por isso, nas próximas páginas, peço que você escreva uma declaração de seu principal propósito ou de seu Objetivo Principal Definido, que o decore e que o repita *em voz alta* diariamente até essas vibrações de som alcançarem sua mente subconsciente.

Somos o que somos devido às vibrações do pensamento que captamos e registramos por meio dos estímulos de nosso ambiente cotidiano.

Tome a decisão de impor ORDEM à sua vida e de se livrar das influências de qualquer ambiente triste onde você talvez tenha sido criado/crescido ou no qual esteja atualmente inserido. Ao fazer uma lista dos pontos positivos e das capacidades mentais, você descobrirá que sua maior fraqueza é a falta de autoconfiança. Essa deficiência pode ser superada e a timidez, transformada em coragem, com a ajuda do princípio da autossugestão. Esse princípio pode ser aplicado com uma simples disposição dos impulsos positivos do pensamento registrados por escrito, decorados e repetidos até se tornarem parte do material de trabalho de seu subconsciente.

Fórmula da autoconfiança

- **Um.** Sei que tenho a capacidade de alcançar o objeto de meu Propósito Preciso na vida; assim, EXIJO de mim mesmo uma ação persistente e contínua na direção da sua obtenção e aqui e agora prometo realizar essa ação.
- **Dois.** Entendo que os pensamentos predominantes de minha mente acabarão por se reproduzir em ações externas e físicas e gradualmente se transformarão em realidade física; assim, concentrarei meus pensamentos por 30 minutos diários na tarefa de pensar na *pessoa em quem pretendo me tornar*, criando em minha mente um retrato mental preciso.
- **Três.** Sei que, pelo princípio da autossugestão, qualquer desejo que eu mantiver de forma persistente em minha mente acabará buscando expressão por algum meio prático de alcançar o objetivo que o fundamenta; assim, dedicarei 10 minutos diários a exigir de mim mesmo o desenvolvimento da AUTOCONFIANÇA.
- **Quatro.** Registrei de forma clara e por escrito a descrição de meu OBJETIVO PRINCIPAL DEFINIDO na vida e nunca pararei de tentar até ter desenvolvido autoconfiança suficiente para sua obtenção.[4]
- **Cinco.** Compreendo inteiramente que nenhuma riqueza ou status pode durar a menos que estejam fundamentados na verdade e na justiça; assim, não me envolverei em nenhuma transação que não beneficie todos aqueles que afeta. Obterei êxito atraindo para mim mesmo as forças que desejo usar e a cooperação de outras pessoas. Induzirei os outros a me servirem graças à minha disposição para servir aos

outros. Eliminarei o ódio, a inveja, o ciúme, o egoísmo e o cinismo desenvolvendo amor por toda a humanidade – uma atitude negativa em relação aos outros jamais poderá me trazer sucesso. Farei os outros acreditarem em mim porque acreditarei neles e em mim mesmo.
- **Seis.** Assinarei meu nome nesta fórmula, vou aprendê-la de cor e a repetirei em voz alta uma vez ao dia, com plena FÉ de que ela gradualmente influenciará meus PENSAMENTOS e AÇÕES de modo que eu me torne uma pessoa autossuficiente e bem-sucedida.

Essa fórmula está fundamentada numa lei da Natureza que ninguém ainda foi capaz de explicar, deixando perplexos cientistas de todas as épocas. Os psicólogos a batizaram de "Lei da Autossugestão" e não a investigaram mais.

O nome pouco importa. Importante é que a lei FUNCIONA para a glória e o sucesso da humanidade SE usada de forma construtiva. Se usada de forma destrutiva, por outro lado, destrói com a mesma facilidade. Nessa declaração é possível encontrar uma verdade muito significativa: aqueles que se veem derrotados e acabam na pobreza, na infelicidade e na dor devem isso à aplicação negativa do princípio da autossugestão. A causa pode ser encontrada no fato de que TODOS OS IMPULSOS DO PENSAMENTO TÊM UMA TENDÊNCIA A SE REVESTIR DE SEU EQUIVALENTE FÍSICO.

A mente subconsciente (o "laboratório químico" no qual todos os impulsos do pensamento são combinados e preparados para serem traduzidos em realidade física) não distingue impulsos do pensamento construtivos dos destrutivos. Funciona com o material que lhe fornecemos por nossos impulsos do pensamento. A mente subconsciente vai traduzir em realidade um pensamento movido pelo MEDO com a mesma prontidão com que traduzirá em realidade um pensamento movido pela CORAGEM ou pela FÉ.

Os anais da história da medicina estão cheios de ilustrações de casos de "suicídio sugestivo". Uma pessoa pode cometer suicídio por sugestão negativa de modo tão eficaz quanto por qualquer outro meio. Numa cidade do Meio-Oeste, Joseph Grant, funcionário de um banco, "pegou emprestada" uma alta quantia sem autorização dos diretores. Perdeu o dinheiro no jogo. Certo dia, um auditor chegou e começou a verificar as contas. Grant saiu do banco, alugou um quarto num hotel da cidade e, quando foi encontrado, três dias mais tarde, estava deitado na cama chorando e gemendo, e repetindo sem parar as seguintes palavras: "Meu Deus, isto vai me matar! Não consigo suportar a desgraça." Em pouco tempo, estava morto. Os médicos diagnosticaram o caso como "suicídio mental".

Da mesma forma que a eletricidade gira as rodas da indústria e presta um serviço útil se usada construtivamente ou pode extinguir a vida caso seja utilizada de modo indevido, a Lei da Autossugestão o conduzirá à paz e à prosperidade ou ao vale da infelicidade, do fracasso e da morte conforme seu grau de compreensão e aplicação de seus princípios.

Se você enche sua mente de MEDO, DÚVIDA E DESCRENÇA em sua capacidade de se conectar às forças da Inteligência Infinita e usá-las, a Lei da Autossugestão pegará esse espírito de descrença e o tomará como um padrão pelo qual seu subconsciente o traduzirá no seu equivalente físico.

ESSA AFIRMAÇÃO É TÃO VERDADEIRA QUANTO A DE QUE DOIS MAIS DOIS SÃO QUATRO!

Como o vento que carrega um navio para leste e outro para oeste, a Lei da Autossugestão vai erguê-lo ou puxá-lo para baixo, de acordo com o modo que você dispuser as velas de seu PENSAMENTO.

A Lei da Autossugestão, pela qual qualquer um pode ser alçado aos píncaros do sucesso que desafiam a imaginação, é bem descrita no seguinte poema:

Se você PENSA que está vencido, já está.
Se PENSA que não se atreve, não se atreverá mesmo.
Se você gosta de vencer mas PENSA que não consegue,
É quase certo que não conseguirá.

Se você PENSA que vai perder, já perdeu,
Pois no mundo nós vemos
Que o sucesso começa com força de vontade –
O mais importante é o ESTADO MENTAL.

Se você PENSA que não está à altura, não está.
É preciso PENSAR alto para subir,

> *É preciso estar* SEGURO DE SI ANTES
> *De algum dia ganhar um prêmio.*
>
> *As batalhas da vida nem sempre são vencidas*
> *Pelo mais forte ou pelo mais veloz.*
> *Mais dia, menos dia aquele que vence*
> *É aquele* QUE ACHA QUE PODE!

Observe as palavras em destaque no poema e você vai compreender o significado profundo que o poeta tinha em mente.⁵

Em algum lugar de seu organismo (talvez nas células de seu cérebro) dorme a semente do sucesso que, se for despertada e posta em ação, o levará a alturas que talvez você jamais tenha sonhado alcançar.

Assim como um músico virtuoso pode conseguir produzir nas cordas de um violino as mais lindas melodias, você também pode despertar o gênio que jaz adormecido em seu cérebro e fazer com que ele o jogue para cima, em direção a qualquer objetivo que você deseje alcançar.

Abraham Lincoln foi um fracasso em tudo até chegar aos 40 anos. Ele era um Senhor Ninguém de Lugar Nenhum até uma grande experiência ocorrer em sua vida, despertar o gênio adormecido dentro de seu coração e de seu cérebro e dar ao mundo um de seus verdadeiros grandes homens. Essa experiência surgiu misturada às emoções de tristeza e de AMOR, por intermédio de Anne Rutledge, a única mulher que de fato amou.

É um fato conhecido que a emoção do AMOR assemelha-se muito ao estado mental conhecido como FÉ, porque o amor chega bem perto de traduzir os impulsos do pensamento de alguém no seu equivalente espiritual. Durante meus longos anos de pesquisa, descobri, ao analisar a vida e a obra de centenas de pessoas bem-sucedidas, que por trás de QUASE TODAS ELAS havia a influência do amor de um companheiro.

Se você deseja provas do poder da FÉ, examine as realizações de homens e mulheres que o empregaram. No alto da lista aparece Jesus Cristo. A cristandade é uma das maiores forças a influenciar a mente das pessoas. A base da cristandade é a FÉ, pouco importando quanta gente possa ter deturpado ou interpretado mal o significado dessa grande força, e pouco importando quantos dogmas e credos criados em seu nome não refletem seus preceitos.

A essência dos ensinamentos e as realizações de Jesus, interpretadas como milagres, não eram nada mais, nada menos do que FÉ. Se fenômenos como os milagres existem, eles só são produzidos por meio do estado de espírito conhecido como FÉ! Alguns professores de religião e muitos dos que se dizem cristãos não compreendem nem praticam a FÉ.

A FÉ é a base de toda grande religião. Nos salmos do Antigo Testamento está escrito: "Amem o Senhor, todos vocês, os seus santos! O Senhor preserva os FIÉIS, mas aos arrogantes dá o que merecem." O apóstolo Lucas diz "Estevão, homem cheio da graça e do poder de Deus, realizava grandes maravilhas e sinais entre o povo", e Marcos relata as palavras de Jesus: "Filha, a sua FÉ a curou! Vá em paz e fique livre de seu sofrimento."

No Alcorão, o profeta diz: "Certamente aqueles que acreditam e fazem o bem, seu Senhor os guiará pela sua FÉ; rios em jardins de felicidade fluirão de baixo deles." Nos *Analectos*, de Confúcio, o mestre diz: "Observem a FIDELIDADE e a sinceridade como primeiros princípios e avancem continuamente em direção ao que é certo. Essa é a forma de exaltar sua virtude."

Na Bhagavad-Gita encontramos: "A FÉ de cada um está de acordo com sua natureza... Uma pessoa é conhecida pela fé. É possível se tornar aquilo que se quer ser (caso se contemple constantemente o objeto de desejo com FÉ)." E ainda: "Aquele que tem FÉ, e é sincero, e tem o domínio dos sentidos, conquista sabedoria. Ao conquistá-la, alcança na mesma hora a paz suprema. Mas os ignorantes, que não têm fé e são cheios de dúvidas, perecem. Não existe este mundo, nem o mundo mais além, nem felicidade para quem duvida."

Consideremos o poder da FÉ conforme demonstrado por Mahatma Gandhi, da Índia, que exortou seus fiéis a "serem a mudança que vocês querem ver no mundo". Nesse homem, o mundo teve um dos mais espantosos exemplos das possibilidades da FÉ que a civilização já conheceu. Gandhi exerceu mais poder do que qualquer outra pessoa que tenha vivido em sua época e, no entanto, não dispunha das ferramentas ortodoxas do poder, como dinheiro, navios de guerra, soldados e equipamentos bélicos. Gandhi não tinha dinheiro, casa ou roupas, mas ELE TINHA PODER. Como conseguiu esse poder?[6]

ELE O CRIOU A PARTIR DE SUA COMPREENSÃO DO PRINCÍPIO DA FÉ E POR SUA CAPACIDADE DE TRANSPLANTAR ESSA FÉ PARA A MENTE DE 200 MILHÕES DE PESSOAS.

Gandhi realizou pela influência da FÉ aquilo que o mais forte poderio militar da Terra não conseguiu – nem jamais conseguirá – com soldados e equipamentos bélicos. Ele realizou o espantoso feito de INFLUENCIAR 200 milhões de mentes a SE UNIREM E SE MOVEREM EM UNÍSSONO, COMO UMA SÓ MENTE.

Que outra força na Terra exceto a FÉ poderia conseguir isso?

Um dia os empregados, assim como os patrões, descobrirão as possibilidades da FÉ. Esse dia está nascendo. Durante a recessão econômica mundial recente, o mundo inteiro teve ampla oportunidade de testemunhar o que a FALTA DE FÉ faz com os negócios.

A civilização sem dúvida produziu seres humanos inteligentes para utilizarem essa grande lição. Durante este período de dificuldade, o mundo teve provas abundantes de que o MEDO generalizado pode paralisar as engrenagens da indústria e dos negócios. Dessa experiência surgirão líderes que saberão tirar proveito do exemplo de Gandhi e aplicar aos negócios as mesmas táticas que ele usou para construir o maior grupo de seguidores conhecido na história mundial. Esses líderes vão surgir entre os "desconhecidos" que hoje trabalham em siderúrgicas, minas de carvão, fábricas e pequenas e grandes cidades dos Estados Unidos.

Os negócios estão prestes a sofrer uma reforma, não se enganem! Os métodos do passado, baseados em combinações de FORÇA e MEDO, serão suplantados pelos melhores princípios da FÉ e da cooperação. Pessoas que trabalham receberão mais do que salários: participarão cada vez mais dos lucros do negócio, assim como aquelas que fornecem o capital. Mas primeiro precisam DAR MAIS AOS SEUS PATRÕES e parar de reclamar e de tentar obter vantagens por meio da força, às custas do público. *Elas precisam conquistar o direito de participar dos lucros!*

Além disso – o mais importante de tudo –, ELAS SERÃO COMANDADAS POR LÍDERES QUE COMPREENDEM E APLICAM OS PRINCÍPIOS EMPREGADOS POR GANDHI. Somente assim os líderes conseguirão de seus seguidores o espírito de colaboração INTEGRAL que constitui o poder em sua forma mais elevada e mais duradoura.[7]

Esse período espetacular em que vivemos e do qual começamos a sair exauriu as pessoas até a alma. Seus líderes utilizaram os trabalhadores como se eles fossem peças de máquinas frias; foram forçados a isso pelos empregados, que tentaram, às custas de todos os envolvidos, *obter sem dar*. O lema do futuro será FELICIDADE E CONTENTAMENTO HUMANO, e, quando esse estado de espírito for alcançado, a produção correrá por conta própria com mais eficiência do que qualquer coisa que já foi realizada quando os trabalhadores não queriam e não conseguiam misturar sua mão de obra à FÉ e ao interesse individual.

Devido à necessidade de fé e cooperação na condução dos negócios e da indústria, é ao mesmo tempo interessante e útil analisar um acontecimento que proporciona uma excelente compreensão do método pelo qual grandes chefes da indústria e dos negócios acumulam imensas fortunas – *dando* antes de tentarem *obter*.

O acontecimento escolhido para essa ilustração remonta a 1900, quando a United States Steel Corporation estava sendo formada. Quando estiver lendo a história, lembre-se desses fatos fundamentais e você vai entender como IDEIAS foram convertidas em imensas fortunas:

Primeiro, a imensa United States Steel Corporation nasceu na mente de Charles M. Schwab na forma de uma IDEIA que ele criou graças à sua IMAGINAÇÃO!

Segundo, ele misturou FÉ à sua IDEIA.

Terceiro, ele formulou um PLANO para transformar sua IDEIA em realidade física e financeira.

Quarto, ele pôs seu plano em ação com seu famoso discurso no University Club.

Quinto, ele aplicou e se ateve a seu PLANO com PERSISTÊNCIA e o sustentou com uma DECISÃO firme até ele ter sido integralmente executado.

Sexto, ele preparou o caminho até o sucesso com um DESEJO ARDENTE de sucesso.

Se você for uma daquelas pessoas que muitas vezes se pergunta como as grandes fortunas são acumuladas, esta história sobre a criação da United States Steel Corporation será esclarecedora. Se tiver alguma dúvida de que os indivíduos podem PENSAR E ENRIQUECER, esta história será esclarecedora, pois é possível ver na formação da U. S. Steel a aplicação de uma parcela importante dos 13 passos para a riqueza descritos neste livro.[8]

Esta espantosa descrição do poder de uma IDEIA foi feita com dramaticidade por John Lowell no *The New York World-Telegram*, por cuja cortesia está aqui reproduzida.

UM BELO DISCURSO DE 1 BILHÃO DE DÓLARES APÓS O JANTAR

Na noite de 12 de dezembro de 1900, quando cerca de 80 membros da nobreza financeira do país se reuniram no salão de banquetes do University Club, na Quinta Avenida, para homenagear um jovem da Região Oeste, nem meia dúzia de convidados se dava conta de que estavam prestes a testemunhar o acontecimento mais importante da história industrial dos Estados Unidos.

J. Edward Simmons e Charles Stewart Smith, com o coração repleto de gratidão pela generosa hospitalidade demonstrada por Charles M. Schwab durante uma visita recente a Pittsburgh, tinham organizado o jantar para apresentar o dono de siderúrgica de 38 anos de idade à comunidade de banqueiros da Costa Leste. Eles não imaginavam que Schwab fosse atropelar o encontro. Na verdade, eles o alertaram de que os peitos cobertos pelas camisas engomadas de Nova York não eram suscetíveis à oratória e que, se ele não quisesse entediar os Stillmans, Harrimans e Vanderbilts, seria melhor se ater a 15 ou 20 minutos de banalidades polidas e parar por aí.

Até mesmo John Pierpont Morgan, sentado à direita de Schwab como convinha à sua dignidade imperial, pretendia prestigiar a mesa do banquete apenas por um curto tempo. No que dizia respeito à imprensa e ao público, por sua vez, o evento todo tinha tão pouca importância que os jornais do dia seguinte sequer o mencionaram.[9]

Assim, os dois anfitriões e seus distintos convidados começaram a saborear seu jantar de sete ou oito pratos. As poucas conversas que houve foram comedidas. Raros daqueles banqueiros e corretores já haviam encontrado Schwab, cuja carreira florescera às margens do Monongahela, e nenhum o conhecia bem. Entretanto, antes que a noite acabasse, eles

– e junto com eles Morgan, o Mestre do Dinheiro – seriam arrebatados, e um rebento de 1 bilhão de dólares, a United States Steel Corporation, seria concebido.

Talvez seja uma lástima, do ponto de vista da história, não haver nenhum registro do discurso de Charlie Schwab nesse jantar. Posteriormente, ele chegou a repetir alguns trechos do discurso durante um encontro semelhante com banqueiros de Chicago. E mais tarde ainda, quando o governo abriu um processo para destruir o Truste do Aço, deu do banco das testemunhas sua versão dos comentários que estimularam em Morgan um frenesi de atividade financeira.[10]

É provável, contudo, que tenha sido um discurso "singelo", um tanto incorreto do ponto de vista gramatical (pois Schwab nunca se preocupou com floreios de linguagem), recheado de perspicácia e repleto de tiradas divertidas. Apesar disso, o discurso teve uma força e um efeito avassaladores nos estimados 5 bilhões em capital representados pelos convivas. Uma vez encerrado o discurso, com os presentes ainda sob o seu feitiço, Morgan levou o orador até um banco próximo à janela, onde, com as pernas desequilibrando-se no assento alto e desconfortável, os dois ainda passaram mais uma hora conversando.

A magia da personalidade de Schwab fora ligada em força total, mas o mais importante e duradouro era o programa coerente e preciso por ele apresentado para o engrandecimento do Aço. Muitos outros homens já tinham tentado despertar o interesse de Morgan para criar um truste do aço seguindo o padrão dos conglomerados de fabricantes de pão, de estruturas metálicas, da indústria açucareira, de borracha, uísque, petróleo ou chiclete. O apostador John W. Gates insistira, mas Morgan não confiava nele. Os irmãos Moore, Bill e Jim, investidores de Chicago que haviam criado um truste de fósforos e uma corporação de biscoitos, tinham insistido e fracassado. Elbert H. Gary, o carola advogado do interior, quisera patrociná-lo, mas não era importante o suficiente para impressionar. Antes que a eloquência de Schwab conduzisse J. P. Morgan a níveis de onde ele pudesse visualizar os sólidos resultados da mais audaciosa empreitada financeira já concebida, o projeto era considerado um sonho delirante de excêntricos acostumados a ganhar dinheiro fácil.

O magnetismo financeiro iniciado uma geração antes para atrair milhares de empresas pequenas e às vezes mal administradas para integrarem grandes conglomerados capazes de esmagar a concorrência conseguira funcionar no mundo da siderurgia graças aos recursos do jovial pirata dos negócios John W. Gates. Gates já havia formado a American Steel and Wire Company com uma série de empresas de pequeno porte e, junto com Morgan, criara a Federal Steel Company. A National Tube e a American Bridge eram duas outras empresas de Morgan, e os irmãos Moore tinham abandonado o ramo dos fósforos e biscoitos para formar o "American Group" – de fabricantes de folha de flandres, aros e chapas de aço – e a National Steel Company.

No entanto, esses outros conglomerados eram insignificantes se comparados ao gigantesco truste de Andrew Carnegie, controlado e operado por 53 membros societários. Eles podiam unir forças quanto quisessem, mas nem todos juntos conseguiriam arranhar a organização de Carnegie, e Morgan sabia disso.

O velho e excêntrico escocês também sabia. Do alto do magnífico castelo de Skibo,* ele vinha observando, primeiro achando graça e depois ressentido, as tentativas das pequenas empresas de Morgan de competir com seus negócios. Quando essas tentativas se tornaram excessivamente ousadas, o temperamento forte de Carnegie se transformou em raiva e retaliação. Ele decidiu duplicar cada usina siderúrgica dos rivais. Até então, não tinha se interessado por arames, canos, aros ou chapas de aço. Contentava-se em vender o aço cru para essas empresas e deixar que elas o moldassem no formato que quisessem. Agora, com Schwab como seu chefe e hábil braço direito, planejava aniquilar seus inimigos. E foi assim que Morgan viu, no discurso de Charles M. Schwab, a solução para seu problema de conglomerado. Um truste sem Carnegie – o gigante entre eles todos – não seria um truste de verdade, e sim um doce de ameixa sem ameixas, como disse um escritor.

O discurso de Schwab na noite de 12 de dezembro de 1900 sem dúvida sugeria, ainda que não prometesse, que o imenso negócio de Carne-

---

* Skibo era um esplêndido castelo construído por Carnegie para sua família em Donoch Firth, na Escócia.

gie poderia ser trazido para debaixo do guarda-chuva de Morgan. Ele falou sobre o futuro do aço para o mundo, sobre reorganização para melhorar a eficiência, especialização, eliminação das usinas malsucedidas e concentração de esforços nas unidades bem-sucedidas; falou ainda sobre economias no tráfego do minério, economias nas despesas gerais e administrativas e conquista dos mercados estrangeiros.

Mais do que isso, ele relatou aos bucaneiros entre os presentes quais eram os erros em sua pirataria habitual. Seus objetivos, deduziu ele, eram de criar monopólios, aumentar os preços e embolsar gordos dividendos por privilégios. Schwab condenou esse sistema de modo taxativo. A miopia dessa política, disse ele à plateia, residia no fato de que ela restringia o mercado numa época em que tudo clamava por expansão. Ao baratear o custo do aço, argumentou ele, seria possível criar um mercado de expansão infinita; novos usos para o aço seriam inventados e uma boa parcela do comércio mundial poderia ser abocanhada. Na verdade, embora ele não soubesse disso, Schwab era um defensor da produção em massa moderna.

Assim, o jantar no University Club chegou ao fim. Morgan foi para casa pensar nas previsões cor-de-rosa de Schwab. Schwab voltou para Pittsburgh para administrar os negócios do "pequeno Andrew Carnegie" no ramo do aço, enquanto Gary e os outros retornaram a seus índices de ações para esperar o momento certo de fazer a jogada seguinte.

Não demorou muito. Morgan precisou de cerca de uma semana para digerir o banquete de racionalidade que Schwab tinha lhe servido. Após se assegurar de que não iria sofrer nenhuma indigestão financeira, mandou chamar o rapaz – e constatou que Schwab se mostrava um tanto reticente. Carnegie talvez não gostasse de saber que o presidente de confiança da sua empresa estivera flertando com o imperador de Wall Street, a rua em que Carnegie jamais pisaria. O intermediário John W. Gates sugeriu então que, se Schwab "por acaso" estivesse no Hotel Bellevue, em Filadélfia, J. P. Morgan talvez também aparecesse por lá. Quando Schwab chegou, porém, Morgan estava inconvenientemente adoentado em Nova York, e assim, diante do insistente convite do homem mais velho, Schwab foi até aquela cidade e se apresentou na porta da biblioteca do investidor.

Alguns historiadores econômicos defenderam a versão de que, do início ao fim do drama, quem preparou o terreno foi Andrew Carnegie, de modo que o jantar em homenagem a Schwab, o discurso famoso, o encontro noturno entre Schwab e o Mestre do Dinheiro, todos foram acontecimentos orquestrados pelo astuto escocês. A verdade é exatamente o contrário. Quando Schwab foi chamado para fechar o acordo, ele não sabia nem se o "patrãozinho", como Andrew era conhecido, iria escutar uma oferta de compra, sobretudo uma oferta feita por um grupo de indivíduos que Andrew considerava imbuídos de uma aura nada santa. Schwab, porém, levou para o encontro, escritas de próprio punho, seis folhas de números bem desenhados que representavam, na sua opinião, o valor físico e a capacidade potencial de lucro de cada usina siderúrgica que ele considerava uma estrela fundamental do novo firmamento do aço.

Quatro homens passaram a noite inteira analisando esses números. O principal deles, naturalmente, foi Morgan, firme em sua crença no Direito Divino do Dinheiro. Ao seu lado estava seu sócio aristocrata Robert Bacon, estudioso e distinto cavalheiro. O terceiro era John W. Gates, que Morgan desprezava como apostador e usava como ferramenta. O quarto era Schwab, que sabia mais sobre os processos de produção e venda do aço do que qualquer outro na época. Ao longo desse encontro, os números de Schwab nunca foram questionados. Se ele dizia que uma empresa valia tanto, ela valia esse tanto e nada mais. Ele também insistiu para que fossem incluídas no conglomerado apenas as empresas por ele apontadas. Havia concebido uma corporação na qual não poderia haver duplicidade, nem mesmo para satisfazer a ganância de amigos que quisessem despejar suas empresas sobre os largos ombros de Morgan. Assim, ele deixou de fora propositalmente diversas das empresas maiores sobre as quais os Walrus e Carpenters de Wall Street haviam lançado olhares de cobiça.

Quando o dia raiou, Morgan se levantou e se espreguiçou. Restava apenas uma pergunta.

"O senhor acha que consegue convencer Andrew Carnegie a vender?", indagou ele.

"Eu posso tentar", respondeu Schwab.

"Se conseguir fazê-lo vender, eu abraço o projeto", disse Morgan.

Até ali, tudo bem. Mas será que Carnegie iria vender? Quanto ele iria pedir? (Schwab imaginava algo em torno de 320 milhões de dólares.) Que tipo de pagamento iria aceitar? Ações ordinárias ou preferenciais? Títulos? Dinheiro vivo? Ninguém seria capaz de levantar um terço de bilhão de dólares em espécie.

Em janeiro, houve uma partida de golfe no gramado coberto de geada no campo de St. Andrews, em Westchester, com Andrew envolto em suéteres para se proteger do frio e Charlie, como de hábito, falando animadamente para sustentar o moral do chefe. No entanto, nenhuma palavra sobre negócios foi dita até a dupla se acomodar no calor aconchegante do chalé de Carnegie ali perto. Então, com o mesmo poder de persuasão que havia hipnotizado 80 milionários no University Club, Schwab despejou as reluzentes promessas de uma aposentadoria confortável, de incontáveis milhões para satisfazer os caprichos sociais do velho. Carnegie capitulou, escreveu num pedaço de papel, entregou-o para Schwab e disse: "Está bem, vamos vender por esse valor."

A quantia era de aproximadamente 400 milhões de dólares, obtida pegando os 320 milhões mencionados por Schwab como valor-base e acrescentando 80 milhões representando a valorização ao longo dos dois anos anteriores. Mais tarde, no convés de um transatlântico, o escocês disse a Morgan, com pesar: "Gostaria de ter pedido a vocês 100 milhões de dólares a mais."

"Se tivesse pedido, teria levado", respondeu Morgan, animado.[11]

* * *

Houve muitos protestos, claro. Um correspondente britânico enviou um cabo dizendo que o mundo do aço internacional estava "consternado" com aquele gigantesco conglomerado. Hadley, reitor de Yale, declarou que, a menos que os trustes fossem regulamentados, o país podia se preparar para "um imperador em Washington nos próximos 25 anos". Mas Keene, um hábil manipulador de ações, iniciou seu trabalho de empurrar os novos papéis para o público com tanto vigor que toda a gordura – estimada por alguns em quase 600 milhões de dólares – foi absorvida num piscar de olhos. Assim, Carnegie conseguiu seu dinheiro, o grupo de Morgan conseguiu 62 milhões por todo o seu "trabalho" e todos os "rapazes", de Gates a Gary, também faturaram com isso.

* * *

Aos 38 anos, Schwab obteve sua recompensa. Ele foi nomeado presidente da nova companhia e permaneceu no controle até 1930.

A emocionante história de "Grandes Negócios" que você acaba de ler foi incluída neste livro por ser uma ilustração perfeita do método pelo qual *o desejo pode ser transmutado no seu equivalente físico!*

Imagino que alguns leitores questionarão a afirmação de que um mero DESEJO intangível possa ser convertido em seu equivalente físico. Alguns sem dúvida dirão: "Não se pode converter NADA em ALGUMA COISA!" A resposta está na história da United States Steel.

Essa gigantesca organização foi criada na mente de um homem. O plano que proporcionou à organização as usinas siderúrgicas que lhe deram estabilidade financeira foi criado na mente do mesmo homem. Sua FÉ, seu DESEJO, sua IMAGINAÇÃO, sua PERSISTÊNCIA foram os verdadeiros ingredientes que produziram a United States Steel. As usinas e os equipamentos adquiridos pela empresa DEPOIS DE ELA CONSEGUIR SUA EXISTÊNCIA JURÍDICA foram incidentais, mas uma análise cuidadosa revelará que o valor avaliado dos bens adquiridos teve um aumento estimado de 600 MILHÕES DE DÓLARES com a simples transação que os consolidou sob uma mesma administração.[12]

Em outras palavras, a IDEIA de Charles M. Schwab, somada à FÉ com a qual ele a transmitiu para as mentes de J. P. Morgan e dos outros, foi colocada no mercado com um lucro de aproximadamente 600 milhões de dólares. Uma quantia nada insignificante para uma única IDEIA!

O que aconteceu com alguns daqueles que levaram seu quinhão do lucro que essa transação rendeu é uma questão com a qual não vamos nos preocupar agora. O aspecto importante dessa espantosa realização é que ela funciona como uma prova inquestionável da solidez da filosofia descrita neste livro – porque essa filosofia foi a trama e a urdidura de toda a transação. Além disso, o caráter prático da filosofia foi demonstrado pelo fato de que a United States Steel Corporation prosperou e veio a se tornar uma das companhias mais ricas e mais poderosas dos Estados Unidos, empregando milhares de pessoas, desenvolvendo novos usos para o aço e abrindo novos mercados – provando que os 600 milhões de lucro que a IDEIA de Schwab rendeu foram merecidos.

A RIQUEZA começa em forma de PENSAMENTO!

A quantia é limitada apenas pela pessoa em cuja mente o PENSAMENTO é posto em ação. A FÉ remove limitações! Lembre-se disso quando estiver pronto para negociar com a Vida seja lá qual for o preço que estiver pedindo por ter passado por aqui.

Lembre-se também de que o homem que criou a United States Steel Corporation era praticamente desconhecido na época. Até dar à luz sua famosa IDEIA, ele era apenas o "Sexta-Feira" de Andrew Carnegie. Depois disso, alçou-se rapidamente a uma posição de poder, fama e riqueza.

E, assim como todos os grandes conquistadores, ele se alçou nas asas da FÉ, que pode ser criada por uma poderosa força conhecida como AUTOSSUGESTÃO.

CAPÍTULO 3

Autossugestão

Como influenciar a mente subconsciente
O terceiro passo para a riqueza

Autossugestão é um termo que se aplica a todas as sugestões e a todos os estímulos autoadministrados que chegam à mente por meio dos cinco sentidos. Ou seja, autossugestão é uma *sugestão feita a si mesmo*. É o agente de comunicação entre a parte da mente em que o pensamento consciente ocorre e aquela onde fica armazenada a ação para o subconsciente.

Os pensamentos predominantes que uma pessoa *permite* permanecerem na sua mente consciente (negativos ou positivos) *alcançarão e influenciarão* a mente subconsciente por meio da Lei da Autossugestão.

NENHUM PENSAMENTO PODE ENTRAR NA MENTE SUBCONSCIENTE SEM O AUXÍLIO DO PRINCÍPIO DA AUTOSSUGESTÃO, com exceção dos pensamentos adquiridos como "clarões de entendimento ou inspiração". Ou seja, todas as impressões sensoriais percebidas por meio dos cinco sentidos são capturadas e processadas pela mente pensante *consciente* e podem ser ou passadas adiante para a mente *subconsciente*, ou rejeitadas. A faculdade consciente funciona, portanto, como guardiã externa antes do subconsciente.

A natureza "condicionou" os seres humanos de tal forma que eles têm CONTROLE ABSOLUTO sobre o material que chega às suas mentes subconscientes pelos cinco sentidos, embora não se pretenda afirmar aqui que os indivíduos sempre EXERCEM esse controle. Na maioria dos casos, eles NÃO o exercem, por isso tanta gente passa a vida na pobreza.

Lembre-se do que foi dito sobre a mente subconsciente se assemelhar a um jardim fértil, no qual ervas daninhas crescerão em abundância caso as sementes de plantas mais desejáveis não forem ali semeadas. A autossugestão é a agência de controle por meio da qual um indivíduo pode alimentar intencionalmente sua mente subconsciente com pensamentos de caráter criativo ou então, por negligência, permitir que pensamentos de natureza destrutiva penetrem nesse rico jardim da mente.

Na última das seis ações descritas no Capítulo 1, você foi instruído a ler EM VOZ ALTA duas vezes por dia a declaração POR ESCRITO do seu DESEJO DE DINHEIRO e a VER E SENTIR que JÁ é possuidor desse dinheiro! Ao seguir esse passo a passo, você comunica o objeto do seu DESEJO diretamente à sua mente SUBCONSCIENTE num espírito de FÉ absoluta. Pela repetição desse procedimento, você cria deliberadamente hábitos de pensamento favoráveis aos seus esforços de transmutar desejos no seu equivalente monetário. (Esse procedimento NÃO se restringe somente aos ganhos monetários. Ele pode ser usado para ajudar você a alcançar O QUE QUER QUE SEJA que você DESEJE COM FORÇA, contanto que não viole as leis de Deus nem os direitos dos outros.)

Volte às seis ações descritas no Capítulo 1 e leia-as outra vez com cuidado antes de avançar. Em seguida avance um pouco e leia com todo o cuidado as instruções para a organização do seu Grupo de Mentes Mestras descritas no Capítulo 6, sobre Planejamento Organizado. Ao comparar esses dois conjuntos de instruções com as que serão dadas neste capítulo, você verá que todas elas envolvem a aplicação da Lei da Autossugestão.

Lembre-se, portanto, quando estiver lendo em voz alta a declaração do seu desejo (por meio da qual você está buscando desenvolver uma "sensibilidade ao dinheiro" ou qualquer outra "sensibilidade ao sucesso"), de que a simples leitura NÃO ADIANTA NADA – a não ser que você misture emoção ou sentimento com as suas palavras. Se você repetir várias vezes a célebre fórmula de Émile Coué – "Dia após dia, de todas as maneiras, estou ficando cada vez melhor" – sem misturar com as suas palavras EMOÇÃO e FÉ, não vai obter nenhum resultado desejável. Sua mente subconsciente reconhece e age APENAS sobre os pensamentos que foram bem misturados com emoção ou sentimento.[1]

Esse é um fato de tal importância que vale a pena ser repetido em praticamente todos os capítulos deste livro, pois a falta de compreensão dessa verdade é o principal motivo pelo qual a maioria das pessoas não obtém nenhum resultado desejável quando tenta aplicar a Lei da Autossugestão.

Palavras sem emoção não influenciam a mente subconsciente. Você apenas conseguirá obter resultados tangíveis quando aprender a alcançar seu subconsciente com pensamentos ou falando palavras carregadas de emoção e CRENÇA.

Não desanime caso não consiga controlar e direcionar suas emoções na primeira vez em que tentar fazê-lo. Lembre-se: ALGO EM TROCA DE NADA não é uma possibilidade. A capacidade de alcançar e influenciar sua mente subconsciente tem seu preço, e você PRECISA PAGAR ESSE PREÇO. Não pode trapacear, nem se desejar fazê-lo. O preço da capacidade de influenciar sua mente subconsciente é uma PERSISTÊNCIA eterna na aplicação dos princípios aqui descritos. Você não pode desenvolver a habilidade desejada por um preço menor. Você, e SÓ VOCÊ, deve decidir se a recompensa pela qual está ansiando (sensibilidade ao dinheiro) vale o preço do esforço para obtê-la.

A sabedoria e a astúcia por si sós não atrairão e manterão o dinheiro, a não ser em raras ocasiões nas quais a lei das médias favorece a atração de dinheiro dessa forma. No entanto, o método para atrair dinheiro descrito aqui *não* depende da lei das médias. Além do mais, o método não tem favoritos. Funciona para uma pessoa de modo tão eficaz quanto para outra. Quando ocorre um fracasso, quem fracassou foi o indivíduo, *não o método*. Se você tentar e fracassar, tente outra vez, depois outra, até obter sucesso.

Sua capacidade de usar a Lei da Autossugestão depende muito de sua capacidade de SE CONCENTRAR num determinado DESEJO até que este se torne um DESEJO ARDENTE.

Quando você começar a colocar em prática as seis ações descritas no Capítulo 1, será necessário usar o princípio da CONCENTRAÇÃO.

Ao executar a primeira ação (que instrui a "fixar na mente a quantia EXATA de dinheiro que você deseja"), mantenha seus pensamentos nessa quantia por meio da CONCENTRAÇÃO ou da fixação da atenção, de olhos fechados, até conseguir VER REALMENTE a aparência física do dinheiro.

Faça isso no mínimo uma vez por dia. Conforme for se exercitando, siga as instruções do Capítulo 2 sobre FÉ e veja-se JÁ POSSUINDO O DINHEIRO!

Eis um fato da maior importância: a mente subconsciente obedece a qualquer ordem dada num espírito de FÉ absoluta e age de acordo com essa ordem, embora esta precise ser apresentada *várias e várias vezes,* por meio da repetição, antes de ser interpretada pela mente subconsciente. Considere a possibilidade de aplicar na sua mente consciente um truque perfeitamente legítimo fazendo-a acreditar, *porque você acredita,* que você precisa da quantia de dinheiro que está visualizando, que esse dinheiro já está esperando você ir pegá-lo, que a mente subconsciente PRECISA lhe entregar planos práticos para pôr as mãos no dinheiro que já é seu.

Entregue o pensamento sugerido no parágrafo anterior à sua IMAGINAÇÃO e veja o que sua imaginação consegue ou está disposta a fazer no sentido de criar planos práticos para a acumulação de riqueza por meio da transmutação do seu desejo.

NÃO ESPERE um plano preciso que lhe permita trocar serviços ou mercadorias pelo dinheiro que está visualizando, mas comece imediatamente a se ver de posse do dinheiro, ao mesmo tempo que EXIGE E ESPERA que sua mente subconsciente lhe entregue o plano ou planos de que necessita. Esteja atento a esses planos e, quando eles surgirem, coloque-os em AÇÃO IMEDIATAMENTE. Quando esses planos surgirem, é provável que o façam como clarões em sua mente na forma de um sexto sentido, de uma inspiração. Essa inspiração pode ser considerada um "telegrama" ou uma "mensagem" direta da Inteligência Infinita. Trate-a com respeito e transforme-a em ação assim que a receber. Não fazer isso será FATAL para seu sucesso.

Na quarta ação, você foi instruído a "criar um plano preciso para realizar seu desejo e colocá-lo em prática *imediatamente*". Deve seguir essa instrução da maneira descrita no parágrafo anterior. Quando for criar seu plano para acumular dinheiro por meio da transmutação do desejo, não confie em sua razão. Sua razão é defeituosa e pode ser preguiçosa, e, se você depender inteiramente dela para servi-lo, talvez se decepcione.

Quando for visualizar (de olhos fechados) o dinheiro que pretende acumular, *veja-se prestando o serviço ou entregando a mercadoria que pretende dar em troca desse dinheiro.*[2] *Isso é importante.*

Resumo das instruções

O fato de você estar lendo este livro é uma indicação de que está buscando conhecimento ativamente. É também uma indicação de que você estuda esse tema. Se apenas estuda, existe uma possibilidade de vir a aprender muita coisa que não sabe, mas você só vai aprender se adotar uma atitude humilde. Se decidir seguir algumas das instruções, mas deixar ou se recusar a seguir outras, *você fracassará!* Para obter resultados satisfatórios, você precisa seguir TODOS os passos num espírito de FÉ.

As instruções dadas com relação às seis ações do Capítulo 1 serão agora resumidas e misturadas aos princípios tratados neste capítulo. Se seu OBJETIVO PRINCIPAL PRECISO envolver dinheiro e obtenção de riqueza:

- **Um.** Vá para um lugar tranquilo (de preferência na cama, à noite) onde não será incomodado nem interrompido, feche os olhos e repita em voz alta (de modo a poder ouvir as próprias palavras) a declaração por escrito da quantia de dinheiro que pretende acumular, o limite temporal para sua acumulação e uma descrição do serviço ou mercadoria que pretende dar em troca desse dinheiro.

  Quando estiver executando esse passo, VEJA-SE JÁ DE POSSE DO DINHEIRO.

  Por exemplo, suponhamos que você pretenda acumular 500 mil dólares antes do dia 1º de janeiro daqui a cinco anos e que pretenda prestar serviços pessoais em troca do dinheiro na condição de representante de vendas. Sua declaração por escrito do seu propósito deve se parecer com a que se segue:

  "Até o dia 1º de janeiro de [coloque aqui o ano], estarei de posse de 500 mil dólares, que chegarão até mim em quantias variadas de tempos em tempos durante esse período.

  Em troca desse dinheiro, executarei o serviço mais eficiente de que for capaz, prestando a maior quantidade e a melhor qualidade possíveis de serviço na condição de vendedor de [descreva o serviço ou mercadoria que pretende vender].

  Acredito que terei esse dinheiro. Minha fé é tão forte que posso ver esse dinheiro diante de mim. Posso tocá-lo com minhas mãos. Neste

momento, ele está aguardando ser transferido no tempo e na proporção em que eu executar o serviço que pretendo prestar em troca dele. Estou aguardando um plano pelo qual acumularei esse dinheiro e seguirei esse plano quando ele for recebido."
- **Dois.** Repita esse programa à noite e de manhã até conseguir visualizar com clareza (na sua imaginação) o dinheiro que pretende acumular.
- **Três.** Ponha uma cópia de sua declaração onde você puder ver à noite e pela manhã; leia logo antes de se recolher para dormir e assim que acordar até ter decorado o texto.[3]

Ao executar essas instruções, lembre-se: você está aplicando a Lei da Autossugestão com o propósito de dar ordens a seu subconsciente. Lembre-se de que essas instruções se aplicam em especial ao desejo por dinheiro, mas podem ser dirigidas a qualquer outro objeto que você queira ou meta que esteja buscando. Lembre-se também de que sua mente subconsciente agirá APENAS mediante instruções imbuídas de emoção e que lhe forem transmitidas com sentimento. A FÉ é a mais forte e a mais produtiva das emoções. Siga as instruções dadas no Capítulo 2.

No início, essas instruções podem parecer abstratas. Não deixe que isso o perturbe. Siga as instruções, por mais abstratas ou pouco práticas que pareçam. Se agir como instruído, *tanto em espírito quanto de forma concreta*, em breve chegará o momento em que um novo universo de poder se revelará a você.

O ceticismo em relação a QUALQUER ideia nova é uma característica de todos os seres humanos. Se você seguir as instruções descritas, porém, seu ceticismo logo será substituído por sua crença, e esta, por sua vez, logo se cristalizará numa FÉ ABSOLUTA. Nesse momento você terá chegado ao ponto em que poderá realmente dizer: "Eu sou o Senhor do meu Destino, sou o Capitão da minha Alma!"

Muitos filósofos afirmaram que toda pessoa é mestre do próprio destino terreno, mas a maioria não disse por que isso acontece. O motivo pelo qual podemos ser os mestres da nossa condição terrena, e principalmente da nossa condição financeira, é integralmente explicado neste capítulo. Podemos nos tornar senhores de nós mesmos e do ambiente que nos cerca porque temos O PODER DE INFLUENCIAR NOSSA MENTE

SUBCONSCIENTE e, por meio dela, conseguir a cooperação da Inteligência Infinita.

Este capítulo representa a pedra fundamental no arco da filosofia Pense e Enriqueça. As instruções contidas aqui devem ser compreendidas e APLICADAS COM PERSISTÊNCIA se você quiser ter sucesso na transmutação do desejo em dinheiro ou em qualquer outro resultado que estiver buscando.

A execução propriamente dita da transmutação do DESEJO em dinheiro envolve o uso da autossugestão como um mecanismo pelo qual você consegue alcançar e influenciar a mente subconsciente. Os outros princípios são simplesmente ferramentas com as quais aplicar a autossugestão. Tenha esse pensamento em mente e em todos os momentos você terá consciência do papel importante que a Lei da Autossugestão desempenhará em seus esforços para acumular dinheiro por meio dos métodos descritos neste livro.

Execute essas instruções como se fosse uma criança. Injete em seus esforços parte da FÉ de uma criança. Tomei o maior cuidado possível para não incluir nenhuma instrução pouco prática devido ao meu sincero desejo de ajudar.

Depois de ler o livro, volte a este capítulo e siga, em espírito e em ação, a seguinte instrução:

LEIA ESTE CAPÍTULO INTEIRO UMA VEZ POR NOITE ATÉ SE CONVENCER POR COMPLETO DE QUE O PRINCÍPIO DA AUTOSSUGESTÃO É SÓLIDO, QUE CONQUISTARÁ PARA VOCÊ TUDO QUE FOI PEDIDO. QUANDO ESTIVER LENDO, <u>SUBLINHE COM UM LÁPIS</u> TODA FRASE QUE LHE CAUSAR UMA IMPRESSÃO FAVORÁVEL.

Siga as seguintes instruções à risca e isso abrirá caminho para uma compreensão e um domínio total de todos os princípios do sucesso, inclusive aquele que agora vamos abordar: O CONHECIMENTO ESPECIALIZADO – *o quarto passo para a riqueza.*

*ACREDITO QUE MANTER UM VÍNCULO ESTREITO
COM ALGUÉM QUE SE RECUSA A ACEITAR
CIRCUNSTÂNCIAS QUE NÃO LHE AGRADAM
É UMA VANTAGEM QUE NUNCA
PODE SER MEDIDA EM TERMOS MONETÁRIOS.*

CAPÍTULO 4

Conhecimento Especializado

Experiências ou observações pessoais
O quarto passo para a riqueza

Existem dois tipos de conhecimento. O primeiro é geral; o segundo, especializado. O conhecimento geral, por maior que seja sua quantidade ou variedade, tem pouca utilidade na acumulação de riqueza. O corpo docente das grandes universidades detém, em seu conjunto, praticamente todas as formas de conhecimento geral conhecidas pela civilização. *E a maioria dos professores universitários não acumulou riqueza!* Eles se especializaram em *ensinar* conhecimento, mas não na organização nem no *uso* do conhecimento para obter dinheiro.

O CONHECIMENTO não atrairá dinheiro (nem qualquer tipo de sucesso) a menos que seja organizado e direcionado de modo inteligente por PLANOS DE AÇÃO práticos, com a FINALIDADE CLARA de acumular riqueza. A falta de compreensão desse fato tem sido fonte de confusão para milhões de pessoas que acreditam erroneamente que "conhecimento é poder". Conhecimento não é nada disso! O conhecimento é apenas *potencial* de poder. Só se torna poder quando e se for organizado em planos de ação claros e direcionados para um objetivo claro.

Esse "elo perdido" em todos os sistemas de ensino conhecidos pode ser encontrado no fracasso das instituições em ensinar a seus alunos COMO ORGANIZAR E USAR O CONHECIMENTO DEPOIS DE ADQUIRI-LO.

Muitas pessoas cometem o erro de supor que Henry Ford não tinha educação por haver estudado pouco. Quem comete esse erro não conheceu Henry Ford e tampouco entende o verdadeiro significado da palavra "edu-

car". A palavra vem do latim *educo*, que significa trazer à tona, extrair, DE-
SENVOLVER A PARTIR DE DENTRO.

Uma pessoa educada não é necessariamente alguém que tenha um farto conhecimento geral ou especializado. Ser verdadeiramente educado significa ter desenvolvido de tal forma as faculdades mentais que é possível adquirir tudo que se deseja, ou seu equivalente, sem infringir os direitos dos outros. Henry Ford se encaixa perfeitamente nessa definição.

Durante a Primeira Guerra Mundial, um jornal de Chicago publicou determinados editoriais nos quais, entre outras declarações, Henry Ford era chamado de "pacifista ignorante". Ford se opôs a essas acusações e processou o jornal por difamação. Quando o caso foi a julgamento, os advogados da defesa alegaram que a declaração era justificada e puseram o próprio Ford no banco das testemunhas com o objetivo de provar ao júri que ele era ignorante. Os advogados fizeram a Henry Ford várias perguntas, todas destinadas a provar pelas próprias evidências que, embora pudesse ter um conhecimento especializado considerável a respeito da fabricação de automóveis, ele era, de modo geral, ignorante.

Ford foi bombardeado com perguntas como "Quem foi Benedict Arnold?" e "Quantos soldados os britânicos mandaram para a América para debelar a Rebelião de 1776?". Em resposta a essa última, respondeu: "Não sei o número exato de soldados que os britânicos mandaram, mas ouvi dizer que foi um número consideravelmente maior do que o que nunca retornou."

Por fim, Henry Ford se cansou dessa linha de interrogatório e, ao responder a um questionamento particularmente ofensivo, inclinou-se para a frente, apontou o dedo para o advogado que tinha feito a pergunta e disse: "Se eu QUISESSE mesmo responder à pergunta boba que o senhor acaba de fazer, ou a qualquer das perguntas que os senhores vêm me fazendo, gostaria de lhe recordar que eu tenho uma fileira de botões elétricos na minha mesa e que, apertando o botão certo, posso chamar para me ajudar homens capazes de responder a QUALQUER pergunta sobre o negócio ao qual venho dedicando a maior parte dos meus esforços. Agora, será que o senhor faria a gentileza de me dizer POR QUE eu deveria atravancar minha mente com conhecimentos gerais com o objetivo de ser capaz de responder a perguntas quando tenho à minha volta homens capazes de fornecer qualquer informação de que eu precise?"

Havia, com certeza, uma boa lógica nessa resposta. Ela deixou o advogado pasmo. Todos os presentes no tribunal perceberam que era a resposta não de um homem ignorante, mas de um homem EDUCADO. Qualquer pessoa que sabe onde obter conhecimento quando necessário e como organizar esse conhecimento em planos de ação precisos é educada. Graças à ajuda do seu Grupo de Mentes Mestras, Henry Ford teve à sua disposição todo o conhecimento especializado de que necessitava para se tornar um dos indivíduos mais ricos dos Estados Unidos. *Não era essencial que ele tivesse esse conhecimento na própria mente.* Seguramente, ninguém com inclinação e inteligência suficientes para ler um livro desta natureza tem como deixar passar o significado desse exemplo.

Antes de ter certeza da sua capacidade de transmutar DESEJO no seu equivalente monetário, você precisará de CONHECIMENTO ESPECIALIZADO sobre o serviço, a mercadoria ou a profissão que pretende oferecer em troca de fortuna. Talvez precise de muito mais conhecimento especializado do que tem capacidade ou inclinação para adquirir, e, se for esse o caso, poderá compensar essa fraqueza com seu Grupo de Mentes Mestras.

Andrew Carnegie afirmou que ele, pessoalmente, não sabia nada sobre a parte técnica da produção do aço. Além do mais, não tinha especial interesse nisso. O conhecimento especializado de que ele precisava para fabricar e comercializar o aço estava disponível nas unidades individuais de seu GRUPO DE MENTES MESTRAS.

A acumulação de riqueza exige PODER, e o poder é adquirido por um conhecimento especializado altamente organizado e direcionado de forma inteligente, que não precisa necessariamente ser posse de quem acumula a fortuna.

O parágrafo anterior deveria proporcionar esperança e incentivo a quem ambiciona acumular fortuna, mas não tem a educação necessária para suprir o conhecimento especializado que talvez seja requerido. As pessoas, algumas vezes, passam a vida sofrendo de complexo de inferioridade por não serem "bem-educadas". No entanto, o indivíduo capaz de organizar e direcionar um Grupo de Mentes Mestras formado por pessoas que possuem conhecimentos úteis para a acumulação de dinheiro é tão educado quanto qualquer outro membro do grupo. LEMBRE-SE DISSO se padecer de um sentimento de inferioridade porque seu grau de instrução é limitado.

Thomas A. Edison teve apenas três meses de instrução formal durante toda a vida. Apesar disso, não lhe faltou educação, e ele tampouco morreu pobre.

Henry Ford não estudou nem até o sexto ano, mas conseguiu se sair bastante bem financeiramente.

O CONHECIMENTO ESPECIALIZADO está entre as mais abundantes e mais baratas formas de serviço que se pode obter! Se estiver em dúvida, consulte a folha salarial de qualquer instituição de ensino superior.

Saber comprar conhecimento compensa

Em primeiro lugar, decida o tipo de conhecimento especializado de que você precisa e para qual propósito ele é necessário. Em grande medida, seu propósito principal na vida, a meta em direção à qual você está trabalhando, ajudará a determinar qual conhecimento você necessita. Uma vez que essa questão seja resolvida, seu próximo passo exige que você tenha informações exatas em relação a fontes confiáveis de conhecimento. As mais importantes delas são:

a. suas próprias experiência e educação
b. experiência e educação disponíveis graças à cooperação alheia (Grupo de Mentes Mestras)
c. instituições de ensino superior
d. bibliotecas públicas (em livros e periódicos pode ser encontrado todo o saber organizado pela civilização)
e. cursos de formação especializada (cursos noturnos e material para estudar em casa).

Conforme for sendo adquirido, o conhecimento deve ser organizado e posto em prática para um propósito claro, através de planos práticos. O conhecimento não tem valor algum, exceto aquele que pode ser conseguido a partir de sua aplicação com a finalidade de alcançar algo valioso. Esse é um dos motivos pelos quais um diploma de ensino superior por si só não é mais valorizado. Ele com frequência não representa nada a não ser um conhecimento variado.

Se você estiver cogitando aumentar sua instrução formal, determine primeiro o propósito para o qual deseja o conhecimento que está buscando; em seguida, descubra onde esse tipo específico de conhecimento pode ser obtido de fontes confiáveis.

Pessoas bem sucedidas, em qualquer ramo, nunca param de adquirir conhecimento especializado relacionado ao seu propósito, negócio ou profissão principal. Aqueles que não obtêm sucesso em geral cometem o erro de acreditar que o período de "aquisição de conhecimento" termina quando se concluem os estudos. A verdade é que o ensino formal faz pouco mais do que ensinar à pessoa como adquirir conhecimento prático.

Vivemos num Mundo Transformado, e vimos também algumas transformações espantosas no quesito educacional. A ordem do dia é ESPECIALIZAÇÃO. Essa verdade foi enfatizada por Robert P. Moore e citada num texto que ele escreveu quando era vice-reitor administrativo da Universidade de Columbia:

Os especialistas mais requisitados

Particularmente procurados pelas empresas são os candidatos que se especializaram em algum campo – formandos de administração com conhecimento em contabilidade e estatística, engenheiros de todos os matizes, jornalistas, arquitetos, químicos e também líderes de destaque... do último ano.

O [formando] com muita atividade no campus, cuja personalidade o leva a se relacionar bem com todo tipo de pessoa e que se saiu razoavelmente bem nos estudos tem uma vantagem clara em relação ao estudante meramente acadêmico. Por causa de tais qualificações pessoais, alguns desses formandos receberam várias ofertas de emprego – chegando até, em certos casos, a seis ofertas.

Afastando-se da ideia de que o aluno "Nota 10" era invariavelmente aquele que poderia escolher os melhores empregos, a maioria das empresas considera não apenas os históricos acadêmicos, mas também os históricos de atividades e a personalidade dos alunos.

Uma das maiores empresas do setor industrial disse-me em relação aos estudantes do último ano:

"Estamos interessados em encontrar pessoas capazes de ter um progresso excepcional nos cargos de gerência. Por esse motivo, priorizamos qualidades relacionadas ao caráter, à inteligência e à personalidade, muito mais do que o histórico acadêmico em si."

Oferta de estágios

Ao propor um sistema de "estágio" para os estudantes em escritórios, lojas e cargos industriais durante as férias de verão, defendi que, após os primeiros dois ou três anos de ensino superior, todo aluno deveria ser obrigado a escolher um percurso futuro claro e interromper os estudos caso tenha apenas avançado tranquilamente sem propósito por um currículo acadêmico não especializado.

As faculdades e universidades precisam encarar a consideração prática de que todas as profissões e ocupações de hoje exigem especialistas, encorajando as instituições de ensino a aceitarem responsabilidades mais diretas pela condução vocacional.[1]

Uma das fontes mais confiáveis e práticas de conhecimento disponíveis para quem precisa de formação especializada são os cursos noturnos existentes na maioria das grandes cidades. Além disso, o ensino por correspondência dispensa formação especializada – aonde quer que o serviço postal dos Estados Unidos chegue – sobre todos os temas que podem ser ensinados por esse método. Os Estados Unidos são abençoados também com uma profusão de livros, cursos e outros materiais de estudo pessoal que qualquer um pode usar para adquirir formação e conhecimento especializados. Uma das vantagens específicas do estudo individual é a flexibilidade do programa, que permite estudar nas horas vagas, durante intervalos do trabalho ou em viagens.[2]

Tudo que é adquirido sem esforço e sem custo em geral é pouco valorizado e, muitas vezes, desacreditado. Talvez por isso tiremos tão pouco proveito de nossa maravilhosa oportunidade nas escolas públicas. A AUTODISCIPLINA que se obtém de um programa claro de estudo especializado compensa, em alguma medida, a oportunidade jogada fora quando o conhecimento estava disponível sem custo.[3]

Aprendi isso por experiência própria no início de minha carreira. Matriculei-me num curso de publicidade por correspondência. Depois de oito ou dez aulas, parei de estudar, mas a escola não parou de me mandar faturas. Além disso, insistia para eu continuar pagando, quer prosseguisse os estudos ou não. Decidi que, se eu precisava pagar pelo curso (algo que havia me obrigado contratualmente a fazer), precisava acompanhar as aulas e usufruir disso. Na época, considerei o sistema de cobrança um pouco bem organizado demais, mas, tempos depois, ele me fez perceber como uma parte valiosa de minha formação não me custara nada financeiramente. Forçado a pagar, segui em frente e concluí o curso. Mais tarde, descobri que a eficiência do sistema de cobrança tinha me valido muito na forma do dinheiro que eu viria a ganhar no futuro por causa do curso de publicidade que tanto relutara em fazer.

Os Estados Unidos têm o melhor sistema de escolas públicas do mundo. Investimos somas fabulosas para construir belos prédios. Proporcionamos transporte conveniente para crianças que residem em áreas rurais e outras. Mas esse maravilhoso sistema tem uma fraqueza assombrosa: é GRATUITO! Uma das coisas estranhas nos seres humanos é que eles só valorizam o que custa um preço. As escolas públicas e as bibliotecas públicas não impressionam as pessoas *porque são de graça* (ou parecem ser). Esse é o principal motivo pelo qual tanta gente acha necessário procurar uma formação adicional após concluir os estudos e ir trabalhar. É também um dos principais motivos pelos quais OS EMPREGADORES DÃO MAIS VALOR A EMPREGADOS QUE PARTICIPAM REGULARMENTE DE CURSOS A DISTÂNCIA E OUTRAS FORMAS DE DESENVOLVIMENTO PROFISSIONAL. Eles aprenderam, pela experiência, que qualquer pessoa que ambicione abrir mão de parte de seu tempo livre ou usar seu tempo ocioso no trabalho para se desenvolver profissionalmente tem as qualidades que caracterizam um líder. Esse reconhecimento não é um ato de caridade. É um julgamento profissional sólido por parte dos empregadores.

As pessoas têm uma fraqueza para a qual não há remédio. Trata-se da fraqueza universal da FALTA DE AMBIÇÃO! As pessoas, principalmente aquelas que ganham salário, que organizam seu tempo livre e seu tempo ocioso para se dedicar ao desenvolvimento pessoal, raramente permanecem lá embaixo por muito tempo. Sua ação abre caminho para a subida, remove muitos obstáculos de sua trajetória e conquista o interesse e a simpatia daqueles com poder para colocá-los na direção da OPORTUNIDADE.

O método de formação do desenvolvimento pessoal ou dos "estudos em domicílio" é especialmente adaptado às necessidades das pessoas que têm um emprego e constatam, após concluir os estudos, que precisam adquirir conhecimentos especializados suplementares, mas não dispõem de tempo para cursar uma instituição presencialmente.

As condições econômicas de hoje tornaram necessário que milhares de pessoas encontrassem novas fontes de renda. Para a maioria, a solução do problema talvez esteja na aquisição de conhecimento especializado. Muitas serão forçadas a mudar completamente de profissão. Quando os comerciantes descobrem que uma determinada linha de mercadorias não está vendendo, em geral a substituem por outra cuja demanda é maior. Aquele cujo negócio é vender serviços pessoais também precisa ser um comerciante eficiente. Se os serviços não gerarem o retorno adequado num ramo, o indivíduo deve mudar para outro em que o leque de oportunidades seja maior.

Stuart Austin Wier se formou engenheiro civil e seguiu na área até a Grande Depressão limitar seu mercado a ponto de não lhe proporcionar mais a renda de que necessitava. Ele se reavaliou, decidiu mudar de profissão e virar advogado, voltou a estudar e fez cursos especiais que o prepararam para exercer o direito empresarial. Embora a crise econômica não tivesse acabado, ele concluiu sua formação, passou no exame da Ordem e rapidamente montou um lucrativo escritório em Dallas, no Texas. Na verdade, tinha até que recusar clientes.

Só para deixar tudo bem claro e antecipar os álibis daqueles que dirão "Eu não poderia voltar aos estudos porque tenho família para sustentar" ou "Já passei da idade", acrescento que Wier tinha mais de 40 anos e era casado quando isso aconteceu. Além do mais, selecionando cursos altamente especializados nas instituições de ensino superior mais bem preparadas para lecionar as matérias escolhidas, Wier completou em dois anos as disciplinas que a maioria dos estudantes de direito precisa de quatro para fazer. SABER COMO COMPRAR CONHECIMENTO COMPENSA!

A pessoa que para de estudar apenas porque já deixou sua instituição de ensino está inevitavelmente fadada para sempre a ser medíocre, seja qual for sua vocação. O caminho para o sucesso é o caminho da *busca contínua por conhecimento*.

Vamos considerar um exemplo específico.

Durante a Grande Depressão, um vendedor se viu desempregado. Como tinha alguma experiência contábil, fez um curso especial de contabilidade, familiarizou-se com todos os equipamentos contábeis e de escritório e abriu um negócio próprio. Começando pelo dono da mercearia para quem antes trabalhava, fechou contratos com mais de 100 pequenos comerciantes para fazer sua contabilidade a uma tarifa mensal bem módica. Sua ideia era tão prática que ele logo constatou a necessidade de montar um escritório portátil num pequeno caminhão de entregas, dentro do qual instalou equipamentos contábeis modernos. Em seguida, criou uma frota desses escritórios de contabilidade "sobre rodas" e contratou vários assistentes, proporcionando aos pequenos comerciantes um serviço de contabilidade equivalente ao melhor que o dinheiro podia comprar, mas a um custo módico.

Conhecimento especializado somado a imaginação: foram esses os ingredientes que entraram nesse singular e bem-sucedido negócio. Em pouco tempo, o dono estava pagando um imposto de renda quase 10 vezes superior ao que era pago pelo comerciante para quem trabalhava quando a depressão econômica o forçou a encarar uma adversidade temporária que se revelou uma bênção disfarçada.

Esse negócio de sucesso começou com uma IDEIA!

Na medida em que tive o privilégio de fornecer essa ideia ao vendedor desempregado, assumo agora o privilégio suplementar de sugerir outra que traz em seu bojo a possibilidade de uma renda significativa, bem como a possibilidade de prestar um serviço útil a milhares de pessoas que precisam dele.

A ideia foi sugerida inicialmente pelo vendedor que desistiu das vendas e entrou no ramo dos serviços contábeis por atacado. Quando esse plano foi sugerido como solução para seu problema de desemprego, ele rapidamente exclamou: "Gostei da ideia, mas não saberia como transformá-la em dinheiro." Em outras palavras, ele reclamou que não saberia *comercializar* esse conhecimento contábil *depois de adquiri-lo*.

Isso levantou, portanto, outro problema que precisava ser solucionado. Com a ajuda de uma jovem criativa – uma datilógrafa – com talento para a caligrafia e capaz de contar bem a história, ele conseguiu preparar um portfólio muito atraente, que descrevia as vantagens do novo sistema de contabilidade. Ela datilografou as páginas com esmero e montou uma espécie de *scrapbook*, que foi usado como um "vendedor silencioso". A estratégia foi tão eficaz que, em pouco tempo, o dono da empresa tinha mais clientes do que era capaz de atender.

Existem hoje milhares de pessoas, em comunidades país afora, que poderiam contratar um especialista em vendas como essa jovem, capaz de preparar um material atraente para ser usado no marketing de seus serviços. A renda anual agregada de um trabalho desses poderia facilmente superar aquela gerada por uma agência de empregos, e os benefícios desse serviço poderiam ser bem maiores para o comprador do que qualquer um passível de ser obtido numa agência de empregos.[4] A IDEIA aqui descrita nasceu de uma necessidade, para atender a uma emergência que precisava ser contornada, mas não parou após servir apenas a uma pessoa. A mulher que criou a ideia tinha uma IMAGINAÇÃO aguçada. Ela viu na sua recém-nascida criação o potencial para uma nova profissão, uma profissão que prestaria um serviço valioso a milhares de pessoas que precisavam de um direcionamento prático na comercialização de suas habilidades pessoais.

Entusiasmada pelo sucesso instantâneo do primeiro "Plano de Comercialização de Serviços Pessoais" que havia preparado, essa mulher cheia de energia se dedicou, em seguida, à solução de um problema semelhante para seu filho. Ele acabara de concluir o ensino superior, mas fora totalmente incapaz de encontrar um mercado para oferecer seus serviços. O plano que ela criou para ele foi o melhor exemplo de marketing de serviços que eu já vi.

Ao ficar pronto, o portfólio, com cerca de 50 páginas de informações lindamente datilografadas e adequadamente organizadas, contava a história das habilidades inatas de seu filho, de seus estudos, experiências pessoais, além de várias outras informações demasiado extensas para serem descritas aqui. O portfólio continha também uma descrição completa do cargo desejado pelo filho, além de um maravilhoso gráfico do planejamento que ele seguiria ao ocupá-lo.

A preparação do portfólio exigiu várias semanas de trabalho e, durante esse período, sua criadora mandou o filho quase todos os dias à biblioteca pública buscar as informações necessárias para vender seus serviços da melhor maneira possível. Ela também o mandou visitar todos os concorrentes de seu empregador em potencial para coletar com eles informações vitais relacionadas a seus métodos profissionais, o que teve grande valor na criação do planejamento que ele pretendia usar para ocupar o cargo que almejava. Quando o planejamento foi concluído, tinha mais de meia dúzia de excelentes sugestões a serem usadas e aproveitadas pelo empregador em potencial. (As sugestões foram usadas pela empresa.)

Talvez haja alguém inclinado a perguntar: "Por que se dar todo esse trabalho para conseguir um emprego?" A resposta vai direto ao ponto e é também contundente, porque lida com um assunto que assume proporções trágicas em milhões de homens e mulheres cuja única fonte de renda são os serviços prestados.

A resposta é: "FAZER BEM ALGUMA COISA NUNCA DÁ TRABALHO! O PLANO PREPARADO POR ESSA MULHER EM BENEFÍCIO DO FILHO O AJUDOU A CONSEGUIR O CARGO AO QUAL ELE SE CANDIDATOU NA PRIMEIRA ENTREVISTA E COM UM SALÁRIO QUE ELE PRÓPRIO FIXOU."

Além do mais – e isso também é importante – O CARGO NÃO EXIGIU DO RAPAZ COMEÇAR POR BAIXO. ELE COMEÇOU COMO EXECUTIVO JÚNIOR, COM UM SALÁRIO DE EXECUTIVO.

"Por que se dar esse trabalho todo?", perguntará você. Bom, para começar, a APRESENTAÇÃO PLANEJADA da candidatura desse rapaz lhe poupou nada menos do que 10 anos do tempo necessário para ele chegar ao cargo desejado caso tivesse começado por baixo e subisse aos poucos.

Essa ideia de começar por baixo e ir subindo aos poucos pode parecer sólida, mas a principal objeção a ela é esta: uma quantidade excessiva daqueles que começam por baixo nunca consegue levantar a cabeça o suficiente para ver a OPORTUNIDADE, de modo que continua lá embaixo. É preciso lembrar também que as perspectivas lá embaixo não são tão brilhantes nem encorajadoras. Isso tende a estancar a ambição. Chamamos isso de "cair na mesmice", ou seja, aceitamos nosso destino porque formamos o HÁBITO de uma rotina diária, um hábito que acaba ficando tão forte que paramos de tentar nos livrar dele. E esse é outro motivo pelo qual começar um ou dois degraus acima do nível mais baixo compensa. Ao fazer isso, a pessoa forma o HÁBITO de olhar em volta, de observar como os outros progridem, de ver a OPORTUNIDADE e de abraçá-la sem hesitação.

Dan Halpin é um exemplo esplêndido daquilo a que estou me referindo.[5] Na faculdade, ele administrou o célebre time de futebol americano de Notre Dame no campeonato nacional quando o treinador era Knute Rockne.

Talvez ele tenha sido inspirado por esse técnico a mirar alto e NÃO CON-FUNDIR UMA DERROTA TEMPORÁRIA COM FRACASSO, da mesma forma que Andrew Carnegie, o poderoso líder da indústria, inspirou seus jovens subordinados a fixarem objetivos altos para si mesmos. Seja como for, o jovem Halpin concluiu o ensino superior num período extremamente desfavorável, quando a Grande Depressão tinha tornado os empregos escassos. Depois de breves tentativas no ramo dos investimentos e do cinema, ele aceitou a primeira vaga com potencial de futuro que conseguiu encontrar: vendedor comissionado de aparelhos auditivos. QUALQUER UM PODERIA COMEÇAR NESSE TIPO DE CARGO E HALPIN SABIA DISSO, mas esse emprego bastou para lhe abrir a porta da oportunidade.

Durante quase dois anos, ele exerceu um cargo que não lhe agradava, e jamais teria ambicionado subir na carreira caso não tivesse tomado alguma providência em relação à própria insatisfação. Primeiro, ele mirou no cargo de assistente do gerente de vendas e conseguiu. Ultrapassar esse único degrau o deixou acima dos outros o suficiente para lhe permitir ver oportunidades ainda maiores. Além disso, posicionou-o onde a OPORTUNIDADE PUDESSE VÊ-LO.

Ele construiu um histórico tão bom de vendas de aparelhos auditivos que A. M. Andrews, presidente do conselho da Dictograph Products Company, concorrente da empresa para a qual Halpin trabalhava, quis saber mais sobre "aquele tal de Dan Halpin" que estava roubando tantos clientes da sua tradicional empresa. Mandou chamá-lo. Quando a reunião acabou, Halpin era o novo gerente de vendas responsável pela divisão Acousticon da Dictograph. Então, para testar a fibra do jovem Halpin, Andrews viajou para passar três meses na Flórida e o deixou para sobreviver ou naufragar no seu novo cargo. Ele não naufragou! O espírito de Knute Rockne em "O mundo inteiro adora vencedores e não tem tempo para perdedores!" o inspirou a se dedicar tanto ao emprego que ele acabou sendo eleito vice-presidente da empresa e gerente-geral da divisão Acousticon and Silent Radio, cargo que a maioria dos executivos teria tido orgulho de conquistar após 10 anos de esforços leais. Halpin conseguiu isso em pouco mais de seis meses!

É difícil dizer quem merece mais elogios, Andrews ou Halpin, pois ambos deram mostras de ter em abundância a raríssima qualidade conhecida como IMAGINAÇÃO. Andrews merece crédito por ter visto no jovem Halpin um ambicioso do mais alto grau. Halpin merece crédito por ter SE RECUSADO A SE CONTENTAR COM O QUE A VIDA ESTAVA LHE DANDO AO ACEITAR E MANTER UM EMPREGO QUE NÃO QUERIA. E esse é um dos principais pontos que tento enfatizar com toda esta filosofia: alcançamos posições elevadas ou permanecemos lá embaixo DEVIDO A CONDIÇÕES QUE PODEMOS CONTROLAR SE DESEJARMOS CONTROLÁ-LAS.

Outro ponto que também tento enfatizar é que tanto o sucesso quanto o fracasso são, em grande parte, consequências do HÁBITO! Não tenho a menor dúvida de que a ligação estreita de Dan Halpin com o maior treinador de futebol americano que os Estados Unidos conheceram plantou em sua mente o mesmo tipo de DESEJO de excelência que valeu ao time de Notre Dame sua fama mundial. Realmente há certa verdade na ideia de que é útil venerar um herói, contanto que se venere um VENCEDOR. Halpin me disse que Rockne foi um dos maiores líderes do mundo em toda a história.[6]

Minha crença na teoria de que os vínculos profissionais são fatores vitais, tanto para o fracasso quanto para o sucesso, foi demonstrada quando meu filho Blair estava negociando um emprego com Dan Halpin. O Sr. Halpin lhe ofereceu um salário inicial que representava cerca da metade do que ele poderia ter conseguido em uma empresa concorrente. Lancei mão da minha pressão parental e induzi meu filho a trabalhar com o Sr. Halpin porque ACREDITO QUE MANTER UM VÍNCULO ESTREITO COM ALGUÉM QUE SE RECUSA A ACEITAR CIRCUNSTÂNCIAS QUE NÃO LHE AGRADAM É UMA VANTAGEM QUE NUNCA PODE SER MEDIDA EM TERMOS MONETÁRIOS.

O nível mais baixo é um lugar monótono, sombrio e desvantajoso para qualquer um. Por isso me demorei na descrição de como um início por baixo pode ser evitado com um planejamento correto. É por isso que tanto espaço foi dedicado à história da mulher que acabou criando um negócio inteiramente novo como resultado de ter sido inspirada a executar um bom serviço de PLANEJAMENTO para que seu filho pudesse ter uma oportunidade favorável.[7]

Algumas pessoas talvez encontrem no tipo de IDEIA descrito brevemente aqui o âmago da riqueza que DESEJAM! IDEIAS simples têm sido a semente a partir da qual brotaram grandes fortunas nos Estados Unidos. A ideia de Woolworth de uma loja que vendesse artigos por 5 e 10 centavos, por exemplo, na época era tão simples que quase não merecia consideração, mas rendeu uma fortuna ao seu criador.[8]

Não existe preço fixo para IDEIAS sólidas!

Por trás de todas as IDEIAS está o conhecimento especializado. Infelizmente, para aqueles que não encontram riqueza em abundância, o conhecimento especializado é mais abundante e mais fácil de adquirir do que as IDEIAS. Capacidade significa IMAGINAÇÃO, a única qualidade necessária para combinar conhecimento especializado com IDEIAS na forma de um PLANEJAMENTO ORGANIZADO destinado a gerar riqueza.

Se você tiver IMAGINAÇÃO, as histórias que foram contadas neste capítulo podem estimulá-lo a ter uma ideia que baste para servir de começo para a riqueza que deseja. Lembre-se: o principal é a IDEIA. Conhecimento especializado pode ser encontrado logo ali na esquina – em qualquer esquina! Mas IMAGINAÇÃO é o catalisador que une uma boa ideia ao conhecimento especializado necessário para traduzi-la em SUCESSO.

Qualquer um pode QUERER riqueza, e a maioria das pessoas quer, mas apenas poucas sabem que um plano preciso somado a um DESEJO ARDENTE de riqueza são os únicos meios confiáveis de acumular riqueza.

A única limitação é aquela que uma pessoa estabelece dentro da própria mente.

CAPÍTULO 5

Imaginação

A oficina da mente
O quinto passo para a riqueza

A IMAGINAÇÃO é literalmente a oficina onde são confeccionados todos os planos criados pela humanidade. O impulso, o DESEJO, adquire forma, feições e AÇÃO pelo auxílio da imaginação.

Já foi dito que qualquer coisa que o ser humano consiga imaginar pode ser criada.

A época da civilização em que vivemos é a mais favorável para o desenvolvimento da imaginação, porque é uma época de mudança rápida. A todo momento podemos entrar em contato com estímulos que desenvolvem a imaginação.

Com a ajuda da faculdade imaginativa, descobrimos e aproveitamos mais forças da Natureza ao longo dos últimos 50 anos do que ao longo de toda a história da espécie humana. Conquistamos o ar de forma tão completa que os pássaros não se comparam a nós em matéria de voo. Controlamos o espectro eletromagnético e o fizemos servir como um modo de comunicação instantânea com qualquer parte do mundo. Analisamos e pesamos o Sol a uma distância de milhões de quilômetros e determinamos, com a ajuda da IMAGINAÇÃO, os elementos que o formam. Descobrimos que nosso cérebro é ao mesmo tempo uma estação de transmissão e de recepção da "vibração do pensamento", embora mal tenhamos começado a compreender o fenômeno com o objetivo de utilizar essa descoberta na prática. Aumentamos a velocidade das viagens até podermos tomar café da manhã em Nova York e almoçar em São Francisco no mesmo dia.

NOSSA ÚNICA LIMITAÇÃO, respeitada a razão, RESIDE NO MODO COMO DESENVOLVEMOS E USAMOS NOSSA IMAGINAÇÃO. Ainda não chegamos ao ápice do desenvolvimento no uso da "faculdade imaginativa". Apenas descobrimos que *temos* imaginação e começamos a usá-la de modo muito elementar.

Duas formas de imaginação

A faculdade imaginativa funciona de duas formas. Uma delas é conhecida como Imaginação Sintética, a outra como Imaginação Criativa.

IMAGINAÇÃO SINTÉTICA – Essa faculdade permite organizar velhos conceitos, ideias ou planos e produzir novas combinações. Essa faculdade não *cria* nada. Ela apenas trabalha com o material da experiência, da educação e da observação com o qual for alimentada. É a faculdade mais usada pelo inventor – excetuando-se os gênios, que, quando não conseguem resolver um problema por meio da Imaginação Sintética, recorrem à Imaginação Criativa.

IMAGINAÇÃO CRIATIVA – A mente humana finita estabelece uma comunicação direta com a Inteligência Infinita por meio da Imaginação Criativa. Essa é a faculdade pela qual são recebidas as "intuições" e "inspirações". É assim que todas as ideias básicas ou novas são entregues. É por essa faculdade que são recebidas as "vibrações do pensamento" ou "influências" das mentes dos outros. Essa faculdade possibilita a um indivíduo "sintonizar" ou se comunicar com as mentes subconscientes de outras pessoas.[1]

A Imaginação Criativa funciona automaticamente do modo descrito nas páginas a seguir. Essa faculdade só funciona quando a mente consciente está operando num nível extremamente alto de "intensidade" ou "energia", como ocorre quando ela está estimulada pela emoção de um *forte desejo*.

A Imaginação Criativa se torna mais alerta, mais receptiva a influências das fontes mencionadas, proporcionalmente ao seu desenvolvimento por meio do USO. Essa afirmação é importante! Reflita sobre ela antes de prosseguir.

Tenha sempre em mente, quando estiver seguindo esses princípios, que toda a história de como é possível converter DESEJO em dinheiro não pode ser contada numa única afirmação. A história só estará completa quando *todos* os princípios do sucesso explicados e interligados neste livro estiverem dominados, assimilados e já em uso.

Os grandes líderes dos negócios, da indústria, das finanças e os grandes artistas, músicos, poetas e escritores se tornaram de fato grandes porque desenvolveram a faculdade da Imaginação Criativa.

A imaginação, tanto a sintética quanto a criativa, se torna mais alerta com o uso, assim como qualquer músculo ou órgão do corpo.

O desejo nada mais é do que um pensamento, um impulso. É algo nebuloso e efêmero. Abstrato, ele não tem valor até ter sido transformado em seu equivalente físico. Embora a Imaginação Sintética seja usada com mais frequência no processo de transformar o impulso do DESEJO em dinheiro, você deve ter em mente o fato de que talvez precise enfrentar circunstâncias e situações que também exigem o emprego da Imaginação Criativa.

Sua faculdade imaginativa pode ter enfraquecido por causa da falta de prática. Ela pode ser reavivada e tornada alerta por meio do USO. Essa faculdade não morre, embora possa ficar adormecida.

Por enquanto, foque sua atenção em desenvolver a Imaginação Sintética, pois é a que você usará com mais frequência no processo de converter desejo em dinheiro.

Transformar o impulso intangível do DESEJO na realidade tangível do DINHEIRO demanda o uso de um plano ou mais de um. Esses planos devem ser formados com o auxílio da imaginação, principalmente da Imaginação Sintética.

Leia este livro do início ao fim, depois volte a este capítulo e comece imediatamente a pôr sua imaginação para trabalhar *construindo um plano ou mais de um* para transformar seu DESEJO em dinheiro. Instruções detalhadas para construir planos foram dadas em quase todos os capítulos. Execute as instruções que mais se adaptarem às suas necessidades e ponha seu plano por escrito caso ainda não o tenha feito. Assim que fizer isso, você terá CLARAMENTE dado forma concreta ao DESEJO intangível. Releia a frase anterior. Leia-a em voz alta, bem devagar, e, quando estiver lendo, lembre-se de que, no momento em que coloca no papel a afirmação do seu desejo – e um plano para sua realização –, você de fato DEU O PRIMEIRO de uma série de passos que lhe permitirão converter o pensamento em seu equivalente físico.

O lugar onde você vive, você próprio e todos os outros objetos materiais são resultado de uma mudança evolucionária – por meio da qual partículas microscópicas de matéria foram organizadas e dispostas de forma ordenada.

Além do mais – e essa afirmação é de suma importância –, este planeta, cada um dos bilhões de células individuais do seu corpo e todos os átomos de matéria *começaram como uma forma intangível de energia.*

DESEJO é impulso de pensamento! Quando você começa, por meio do impulso de pensamento do DESEJO DE ACUMULAR DINHEIRO ou qualquer outro objeto de desejo, está mobilizando a seu serviço o mesmo material que a Natureza usou para criar o planeta e toda forma material do universo, inclusive o corpo e o cérebro nos quais o impulso de pensamento ocorre.

Até onde a ciência foi capaz de determinar, o universo consiste em dois elementos: matéria e energia.

A combinação das duas criou tudo que podemos perceber, desde a maior das estrelas a flutuar no firmamento até nós mesmos.

Você agora está ocupado com a tarefa de tentar se beneficiar do método da Natureza. Está (com sinceridade e disposição, assim esperamos) tentando se adaptar às leis da Natureza, buscando converter DESEJO no seu equivalente físico ou monetário. VOCÊ CONSEGUE! ISSO JÁ FOI FEITO ANTES!

Você pode construir uma fortuna com a ajuda de leis imutáveis. Primeiro precisa se familiarizar com essas leis e aprender a USÁ-LAS. Por meio da repetição, e abordando a descrição desses princípios por todos os ângulos possíveis, espero lhe revelar o segredo graças ao qual todas as fortunas foram acumuladas. Por mais estranho e paradoxal que possa parecer, o segredo NÃO É UM SEGREDO. A própria natureza faz propaganda dele na Terra, nas estrelas, nos planetas, nos elementos que nos rodeiam, em cada folha de grama, em cada forma de vida que nossa visão abarca.

A Natureza faz propaganda desse segredo nos mecanismos da biologia, na conversão de uma célula minúscula NO SER HUMANO que agora está lendo estas linhas. A conversão do desejo no seu equivalente físico certamente não é menos milagrosa!

Não desanime se você não entender plenamente tudo que foi dito. A menos que você já seja um estudioso da mente, não espero que assimile todo o conteúdo deste capítulo numa primeira leitura.

Com o tempo você vai progredir bastante.

Os princípios a seguir abrirão caminho para o entendimento da imaginação. Assimile aquilo que compreender ao ler esta filosofia pela primeira vez e depois, quando a reler e estudar, descobrirá que algo aconteceu para esclarecê-la e lhe proporcionar uma compreensão mais ampla do todo. Acima de tudo, NÃO PARE nem hesite em seu estudo antes de ter lido o livro no mínimo TRÊS vezes – pois nessa hora você não vai querer parar.

Como usar a imaginação na prática

Ideias são o ponto de partida de todas as fortunas. Ideias são produtos da imaginação. Examinemos agora algumas ideias que deram origem a imensas fortunas, na esperança de que esses exemplos transmitam informações claras sobre os métodos pelos quais a imaginação pode ser usada para acumular riqueza.

A caldeira encantada

Cinquenta anos atrás, um velho médico do interior foi até a cidade, prendeu seu cavalo, entrou discretamente numa farmácia pela porta dos fundos e começou a negociar com o jovem farmacêutico.

Sua missão estava destinada a gerar riqueza para muita gente. Estava destinada a levar ao Sul dos Estados Unidos o benefício mais abrangente desde a Guerra Civil.

Por mais de uma hora, atrás do balcão de remédios vendidos sob prescrição, o velho médico e o farmacêutico ficaram conversando em voz baixa. Então o médico saiu. Foi até sua carroça, pegou uma panela grande antiquada e uma pá de madeira (usada para mexer o conteúdo da caldeira) e depositou os dois objetos nos fundos da farmácia.

O farmacêutico inspecionou a caldeira, levou a mão ao bolso, pegou um bolo de notas e entregou ao médico. O rolo continha exatamente 500 dólares – todas as economias do farmacêutico!

O médico entregou ao farmacêutico um pedacinho de papel no qual estava escrita uma fórmula secreta. As palavras nesse pedacinho de papel valiam uma fortuna digna de um rei! *Mas não para o médico!* Aquelas palavras mágicas eram necessárias para fazer a caldeira começar a ferver, mas nem o médico nem o jovem farmacêutico sabiam que fortunas fabulosas estavam destinadas a fluir daquela caldeira.

O velho médico ficou satisfeito ao vender a engenhoca por 500 dólares. O dinheiro pagaria suas dívidas e lhe traria tranquilidade. Já o farmacêutico correu um alto risco ao apostar todas as economias de sua vida num simples pedacinho de papel e numa caldeira velha! Ele jamais sonhou que aquele investimento fosse fazer ouro começar a transbordar da caldeira de um modo que iria suplantar a milagrosa façanha da lâmpada de Aladim.

O que o farmacêutico na verdade comprou foi uma IDEIA!

A caldeira velha, a pá de madeira e a mensagem secreta no papel eram incidentais. A estranha façanha da caldeira começou a ocorrer depois que seu novo dono misturou às instruções secretas um ingrediente sobre o qual o médico não tinha conhecimento.

Leia essa história com cuidado e faça um teste com sua imaginação! Veja se consegue descobrir o que o rapaz adicionou à mensagem secreta que fez ouro transbordar da caldeira. Lembre-se, quando estiver lendo, de que essa não é uma história saída das *Mil e uma noites*. O que se conta aqui são fatos mais estranhos do que a ficção, fatos que começaram com uma IDEIA.

Vamos dar uma olhada na fortuna que essa ideia gerou. Ela pagou, e continua pagando até hoje, imensas fortunas para homens e mulheres do mundo inteiro que distribuem o conteúdo da caldeira para milhões de pessoas.

A Caldeira Velha é hoje um dos maiores consumidores mundiais de açúcar, proporcionando assim empregos permanentes a milhares de homens e mulheres dedicados ao plantio de cana-de-açúcar, beterraba, a outras lavouras produtoras de açúcar e ao refino e comercialização do açúcar.

A Caldeira Velha consome milhões e milhões de garrafas e latas por ano, proporcionando empregos para milhares de trabalhadores que fabricam esses recipientes.

A Caldeira Velha fornece emprego a um exército de funcionários de escritório, estenógrafos, redatores e especialistas em publicidade espalhados por toda a nação. Trouxe fama e fortuna a dezenas de artistas que criaram magníficas imagens e propagandas para descrever o produto.

A Caldeira Velha transformou uma pequena cidade do Sul dos Estados Unidos na capital de negócios da região, onde hoje beneficia, direta ou indiretamente, todas as empresas e praticamente todos os moradores locais.

A influência dessa ideia hoje atinge todos os países civilizados ao redor do mundo, despejando um fluxo contínuo de ouro em todos que a tocam.

O ouro da caldeira construiu e sustenta uma das universidades mais importantes do Sul dos Estados Unidos, onde milhares de jovens recebem a formação essencial para o sucesso.

A Caldeira Velha realizou outros feitos maravilhosos. Durante toda a Grande Depressão, quando fábricas, bancos e negócios fechavam as portas e encerravam suas atividades, o dono dessa Caldeira Mágica seguiu em frente, *continuando a empregar* um exército de homens e mulheres e pagando porções suplementares de ouro a quem muito tempo antes *tinha confiado na ideia*.

Se o produto dessa velha caldeira de latão pudesse falar, ele contaria histórias românticas emocionantes em todos os idiomas. Histórias românticas de amores, de negócios, de profissionais homens e mulheres que, dia após dia, são estimulados por ela.

Conheço bem pelo menos uma dessas histórias, pois fiz parte dela, e tudo começou não muito longe do lugar onde o farmacêutico comprou a caldeira. Foi lá que conheci minha esposa, e foi ela quem me contou pela primeira vez sobre a Caldeira Mágica. Era o produto dessa caldeira que estávamos bebendo quando pedi a ela que me aceitasse "na alegria e na tristeza".[2]

Seja você quem for, onde quer que more, seja qual for o seu trabalho, lembre-se a partir de agora, sempre que vir as palavras "Coca-Cola", de que esse gigantesco império de riqueza e influência brotou de uma única IDEIA, e que o misterioso ingrediente que o farmacêutico – Asa Candler – misturou à fórmula secreta foi... IMAGINAÇÃO![3]

Pare e reflita sobre isso por alguns instantes.

Lembre-se também de que os 13 passos para a riqueza descritos neste livro foram o meio pelo qual a influência da Coca-Cola se estendeu a todas as grandes e pequenas cidades, todos os vilarejos e todas as encruzilhadas do mundo, e que QUALQUER IDEIA que você possa criar e que seja tão *sólida* e *meritória* quanto a Coca-Cola tem a possibilidade de reproduzir o fenomenal sucesso dessa bebida que mata a sede mundo afora.

Na verdade, os pensamentos são coisas, e sua área de operação é o próprio mundo.

O que eu faria se tivesse 1 milhão de dólares

A história a seguir prova como é verdadeiro o antigo ditado: "Quem quer consegue." Ela me foi contada pelo saudoso e amado educador e pastor Frank W. Gunsaulus, que iniciou sua carreira religiosa na região das docas do sul de Chicago.

Enquanto estava cursando a faculdade, o Dr. Gunsaulus observou muitos defeitos em nosso sistema de ensino, defeitos que acreditava poder corrigir se fosse reitor de uma universidade. Seu maior desejo era se tornar líder de uma instituição nacional em que rapazes e moças fossem ensinados a aprender fazendo.

Ele decidiu organizar uma nova instituição de ensino superior na qual pudesse pôr suas ideias em prática sem ser atrapalhado pelos métodos de ensino ortodoxos.

Precisava de 1 milhão de dólares para realizar o projeto! Onde poderia conseguir uma quantia tão grande? Era essa a pergunta que absorvia a maior parte dos pensamentos desse ambicioso jovem pastor.

No entanto, ele não parecia estar avançando.

Toda noite, Gunsaulus carregava esse pensamento para a cama. Levantava-se com ele de manhã. Levava-o com ele aonde fosse. Virava-o e revirava-o na mente, até o pensamento virar uma *obsessão* que a tudo consumia. Um milhão de dólares é muito dinheiro. Gunsaulus reconhecia esse fato, mas reconhecia também a verdade de que *a única limitação é aquela que criamos na nossa mente*.

Por ser filósofo além de pastor, Gunsaulus sabia, como todos que têm sucesso na vida, que a CLAREZA DE PROPÓSITO é o ponto de partida. Sabia também que a clareza de propósito adquire animação, vida e poder quando sustentada por um DESEJO ARDENTE de traduzir esse propósito no seu equivalente físico.

Ele conhecia todas essas grandes verdades, mas mesmo assim não sabia onde nem como pôr as mãos em 1 milhão de dólares. O procedimento natural teria sido desistir e abandonar o projeto dizendo: "Ah, minha ideia é boa, mas não posso fazer nada porque nunca vou conseguir arrumar o dinheiro necessário." É exatamente isso que a maioria das pessoas teria dito, mas não foi o que Gunsaulus pensou. O que ele disse e fez foi tão importante que vou agora apresentá-lo e deixá-lo falar por si mesmo.

"Certo sábado à tarde, eu estava sentado em meu quarto pensando em maneiras de conseguir o dinheiro para executar meus planos. Vinha pensando havia quase dois anos, mas *não tinha feito nada a não ser pensar!*

Chegara a hora de AGIR!

Tomei a decisão, ali mesmo, de que conseguiria o milhão de dólares necessário em uma semana. Como? Eu não estava preocupado com isso. O importante era a *decisão* de conseguir o dinheiro dentro de um intervalo de tempo específico, e quero lhes dizer que, no momento em que tomei essa decisão, fui tomado por uma estranha certeza que nunca havia experimentado. Algo dentro de mim parecia dizer: 'Por que você não tomou essa decisão há mais tempo? O dinheiro estava à sua espera esse tempo todo!'

As coisas começaram a acontecer depressa. Liguei para os jornais e avisei que faria um sermão na manhã seguinte intitulado 'O que eu faria se tivesse 1 milhão de dólares'.

Comecei na mesma hora a trabalhar no sermão, mas devo lhes dizer com franqueza que não foi uma tarefa difícil, porque eu já estava preparando aquele sermão havia quase dois anos. O espírito que o sustentava fazia parte de mim!

Acabei de escrevê-lo bem antes da meia-noite. Fui para a cama e dormi confiante, pois *já podia me ver de posse do milhão de dólares.*

Na manhã seguinte, acordei cedo, entrei no banheiro e li o sermão. Então me ajoelhei e pedi que meu sermão chamasse a atenção de alguém que fornecesse o dinheiro necessário.

Enquanto rezava, mais uma vez tive a certeza de que o dinheiro iria aparecer. De tão animado, saí sem o sermão e só descobri meu esquecimento quando estava no púlpito, quase pronto para começar a falar.

Não havia mais tempo de buscar minhas anotações, e que bênção eu não ter podido voltar! Em vez disso, minha mente subconsciente produziu o material de que eu precisava. Quando me levantei para começar, fechei os olhos e falei sobre meus sonhos com todo meu coração e toda minha alma. Não falei apenas para minha plateia, mas também para Deus. Relatei o que faria com 1 milhão de dólares se essa quantia fosse posta na minha mão. Descrevi o plano que tinha para organizar uma ótima instituição de ensino onde os jovens aprendessem tudo na prática e ao mesmo tempo desenvolvessem suas mentes.

Quando terminei e me sentei, um homem levantou-se lentamente, a umas três fileiras do fundo, e aproximou-se do púlpito. Perguntei-me o que ele ia fazer. Ele estendeu-me a mão e disse: 'Reverendo, eu gostei do seu sermão. Acredito que o senhor é capaz de fazer tudo que disse se tiver 1 milhão de dólares. Para provar que acredito no senhor e no seu sermão, se for ao meu escritório amanhã de manhã eu lhe darei o dinheiro. Meu nome é Phillip D. Armour.'"[4]

O jovem Gunsaulus foi ao escritório de Armour e lá o milhão de dólares lhe foi apresentado. Então ele fundou o Armour Institute of Technology.

Essa quantia é mais do que a maioria dos pastores vê durante toda a vida, mas o impulso de pensamento que sustentou o dinheiro foi criado dentro da mente do jovem pastor em menos de um minuto. O milhão de dólares necessário foi resultado de uma ideia. O que sustentava essa ideia era um DESEJO que o jovem Gunsaulus vinha acalentando havia quase dois anos.

Observe o seguinte fato importante: ELE CONSEGUIU O DINHEIRO MENOS DE 36 HORAS APÓS TER TOMADO UMA DECISÃO CLARA DE CONSEGUI-LO – E DEPOIS DE TER DEFINIDO UM PLANO PRECISO!

O pensamento vago do jovem Gunsaulus sobre o dinheiro e a débil esperança de consegui-lo não tinham nada de novo ou de único. Outros antes dele, e muitos desde então, já haviam tido, e vêm tendo, pensamentos parecidos. Mas ocorreu algo único e diferente na decisão que ele tomou naquele sábado memorável em que empurrou a indefinição para longe e disse com clareza: "Eu vou conseguir esse dinheiro em uma semana!"

Deus parece estar ao lado das pessoas que sabem exatamente o que querem, se elas estiverem decididas a obter JUSTAMENTE ISSO!

Além do mais, o princípio pelo qual o Dr. Gunsaulus conseguiu seu dinheiro continua vivo! Ele está disponível para você! Essa lei universal é tão passível de funcionar hoje quanto na época em que o jovem pastor lançou mão dela com tamanho sucesso. Este livro descreve, passo a passo, os 13 elementos dessa grande lei e sugere como eles podem ser postos em prática.[5]

Observe que Asa Candler e Frank Gunsaulus tinham uma característica em comum. Ambos conheciam a espantosa verdade de que IDEIAS PODEM SER TRANSMUTADAS EM DINHEIRO PELO PODER DO PROPÓSITO PRECISO SOMADO A PLANOS PRECISOS.

Se você acredita que apenas o trabalho árduo e a honestidade trazem riqueza, esqueça isso! Não é verdade! A riqueza, quando vem em grande quantidade, nunca é resultado de TRABALHO árduo! A riqueza, se vier, responde a demandas claras, com base na aplicação de princípios precisos, e não por acaso nem por sorte.

Falando de modo geral, uma ideia é um impulso de pensamento que impele à ação através de um apelo à imaginação. Todos os vendedores de talento sabem que ideias podem ser vendidas onde não há mercadorias. Vendedores comuns *não* sabem isso – por isso são comuns.

Um editor de livros vendidos a poucos dólares descobriu algo que deveria valer muito para o mercado editorial. Ele descobriu que muita gente compra títulos, não o conteúdo dos livros. Ao trocar o título de um livro que não estava tendo boa saída, obteve um aumento de suas vendas em mais de 1 milhão de exemplares. O conteúdo não foi modificado. Ele apenas arrancou a capa com o título que não vendia e pôs uma nova com um título que tinha um valor "de venda".

Isso, por mais simples que possa parecer, foi uma IDEIA! Isso foi IMAGINAÇÃO em ação.

Não existe um preço padrão para ideias. Criadores de ideias ditam seu preço e, se forem espertos, vão obtê-lo.

A indústria do cinema criou toda uma multidão de milionários, na maioria, indivíduos incapazes de criar ideias. No entanto, eles tinham imaginação para reconhecer ideias quando as viam.[6]

A história de praticamente toda fortuna começa no dia em que um criador de ideias e um vendedor de ideias se juntam e trabalham em harmonia. Carnegie cercou-se de pessoas capazes de fazer tudo que ele não podia – pessoas que criavam ideias e pessoas que punham ideias em prática – e, ao fazê-lo, gerou uma fabulosa fortuna para si e para outros.

Milhões de pessoas passam pela vida torcendo por ocasiões propícias. Pode ser que uma ocasião propícia proporcione oportunidade a alguém, mas o plano mais seguro é não depender da sorte. Foi uma "ocasião propícia" que me proporcionou a maior oportunidade da minha vida, porém dediquei 25 anos de *esforço e determinação* a essa oportunidade antes de ela se tornar uma vantagem.

A ocasião propícia consistiu na minha sorte de conhecer e conseguir a cooperação de Andrew Carnegie. Ele plantou em minha mente a ideia de organizar os princípios da realização pessoal numa filosofia do sucesso. Milhares de pessoas já se beneficiaram com as descobertas feitas nesses 25 anos de pesquisas e várias fortunas foram acumuladas por meio de sua aplicação. O início foi simples. Foi uma IDEIA que qualquer um poderia ter desenvolvido.

O momento propício veio por intermédio de Andrew Carnegie, mas e a DETERMINAÇÃO, a CLAREZA DE PROPÓSITO, O DESEJO DE ALCANÇAR A META e O ESFORÇO PERSISTENTE? Não foi um DESEJO qualquer que sobreviveu à decepção, ao desânimo, à derrota temporária, às críticas e ao constante lembrete de que era "perda de tempo". Foi um DESEJO ARDENTE! Uma OBSESSÃO!

Depois que a ideia foi plantada em minha mente pelo Sr. Carnegie, ela foi incentivada, acalentada e estimulada a *permanecer viva*. Aos poucos, a ideia se tornou um gigante com poder próprio e passou a me incentivar, acalentar e estimular. Ideias são assim. Primeiro você lhes dá vida, ação e direção; então elas adquirem poder próprio e varrem da sua frente qualquer oposição.

Ideias são forças imperceptíveis, mas têm mais poder do que os cérebros que lhes dão origem. Elas têm o poder de seguir vivendo mesmo depois que o cérebro de seu criador volta ao pó. Vejam o poder da cristandade, por exemplo. Ela começou como uma simples ideia. Seu mais importante preceito era: "Faça aos outros o que gostaria que os outros fizessem a você." Jesus voltou para onde veio, mas Sua IDEIA segue em frente. Algum dia ela talvez venha a se concretizar por completo. Nesse dia, terá realizado o mais profundo DESEJO de Jesus. A IDEIA só vem se desenvolvendo há cerca de 2 mil anos. Vamos lhe dar um pouco mais de tempo!

*A riqueza, quando ocorre em grande quantidade,
nunca é resultado de trabalho ÁRDUO!
A riqueza vem, se vier, com base na aplicação de
princípios precisos, e não por acaso ou sorte.*

O SUCESSO NÃO EXIGE DESCULPAS.
O FRACASSO NÃO PERMITE ÁLIBIS.

CAPÍTULO 6

Planejamento Organizado

A cristalização do desejo em ação
O sexto passo para a riqueza

Você aprendeu que tudo que vale a pena ser criado ou adquirido por alguém começa em forma de DESEJO – e que a primeira parada no trajeto desse DESEJO do *abstrato* ao *concreto* é a oficina da IMAGINAÇÃO, onde os PLANOS para a transição do DESEJO são criados e organizados.

No Capítulo 1, você foi instruído a executar seis ações claras e práticas como seu primeiro passo para traduzir o desejo do dinheiro no seu equivalente físico. Uma dessas ações é a formação de um ou mais de um plano PRECISO, prático, por meio do qual essa transformação possa ser feita.

Você agora receberá instruções sobre como construir planos práticos:

a. Alie-se a um grupo de tantas pessoas quantas forem necessárias para criar e executar seu plano ou planos para a acumulação de dinheiro. (Para fazer isso, você usará o Princípio da Mente Mestra descrito no Capítulo 9. A execução dessa instrução é *absolutamente essencial*. Não a deixe de lado.)

b. Antes de formar seu Grupo de Mentes Mestras, decida quais vantagens e benefícios *você* pode oferecer aos membros desse grupo em troca da cooperação deles. Ninguém vai trabalhar indefinidamente sem alguma forma de compensação. Nenhuma pessoa inteligente vai pedir ou esperar que outra trabalhe sem uma compensação adequada, embora esta nem sempre tenha que ser em forma de dinheiro.

c. Combine encontrar os integrantes do seu Grupo de Mentes Mestras no mínimo duas vezes por semana, e com mais frequência, se possível, até vocês terem coletivamente aperfeiçoado o plano ou os planos para a acumulação de dinheiro.

d. Mantenha uma PERFEITA HARMONIA entre si mesmo e todos os membros do seu Grupo de Mentes Mestras. Se não executar essa instrução à risca, pode ser que você fracasse. O Princípio da Mente Mestra *não pode* funcionar onde não prevaleça uma PERFEITA HARMONIA.

Tenha sempre em mente os dois fatos a seguir:

- **Um.** Você está envolvido num projeto da maior importância para si. Para ter certeza do sucesso, deve ter planos sem falhas.
- **Dois.** Você precisa dispor da vantagem da experiência, da instrução, da habilidade nata e da imaginação de outras mentes. Isso está em harmonia com os métodos seguidos por qualquer um que tenha acumulado fortuna.

Nenhum indivíduo tem experiência, instrução, habilidade nata e conhecimento suficientes para garantir a acumulação de fortuna sem a cooperação de outras pessoas. Todo plano que você adotar na sua empreitada deve ser uma criação coletiva sua e de todos os outros membros do seu Grupo de Mentes Mestras. Você pode traçar seus planos, no todo ou em parte, mas CERTIFIQUE-SE DE QUE SEJAM VERIFICADOS E APROVADOS PELOS MEMBROS DO SEU GRUPO DE MENTES MESTRAS.

Se o primeiro plano não for bem-sucedido, substitua-o por outro. Se esse novo plano não funcionar, substitua-o por sua vez por um terceiro e assim por diante, até encontrar um plano que DÊ CERTO. É nesse exato ponto que a maioria das pessoas fracassa devido a sua falta de PERSISTÊNCIA para criar novos planos em substituição àqueles que fracassam.

Nem mesmo o mais inteligente dos indivíduos poderá ter sucesso na acumulação de riqueza – ou em qualquer outra empreitada – sem planos práticos e factíveis. Basta manter isso em mente e lembrar, quando seus planos fracassarem, que uma derrota temporária não é um fracasso permanente. Ela pode significar apenas que seus planos não foram sólidos. Construa outros. Recomece do zero.

Thomas A. Edison "fracassou" 10 mil vezes antes de aperfeiçoar a lâmpada elétrica incandescente – ou seja, esbarrou num *fracasso temporário* 10 mil vezes antes de ter seus esforços coroados pelo sucesso.

Uma derrota temporária deveria significar apenas uma coisa – a certeza de que há algo errado com seu plano. Milhões de pessoas passam a vida na miséria e na pobreza por não terem um plano sólido para acumular uma fortuna.

Henry Ford acumulou fortuna não devido à sua mente superior, mas por ter adotado e seguido um PLANO que se revelou sólido. Seria possível apontar mil indivíduos, todos eles com uma educação melhor do que a de Ford; que vivem na pobreza porque não têm o plano CERTO para acumular dinheiro.

Sua conquista não pode ser maior do que a solidez dos seus PLANOS. Isso pode parecer uma afirmação axiomática, mas é verdade. E ninguém é derrotado até DESISTIR – *dentro da própria mente*.

Esse fato se repetirá muitas vezes, pois é muito fácil "jogar a toalha" ao primeiro sinal de fracasso.

James J. Hill esbarrou numa derrota temporária na primeira vez em que tentou reunir o capital necessário para construir uma ferrovia do Leste ao Oeste dos Estados Unidos, mas também transformou o fracasso em vitória ao montar *novos planos*.

Henry Ford esbarrou em derrotas temporárias não só no começo de sua carreira na indústria automobilística, mas depois de ter avançado muito em direção ao topo.

Muitas vezes só reconhecemos o triunfo de pessoas que acumularam fortuna, deixando de ver as derrotas temporárias que elas precisaram superar antes de "chegarem lá".

NENHUM SEGUIDOR DESTA FILOSOFIA PODE TER QUALQUER MÍNIMA EXPECTATIVA DE ACUMULAR FORTUNA SEM ENFRENTAR DERROTAS TEMPORÁRIAS. Quando a derrota surgir, aceite-a como um sinal de que seus planos não são sólidos, reformule esses planos e zarpe outra vez em direção ao objetivo almejado. Se você desistir antes de alcançar esse objetivo, é alguém que desiste fácil. QUEM DESISTE FÁCIL NUNCA VENCE – E UM VENCEDOR NUNCA DESISTE. Separe essa frase, escreva-a num pedaço de papel em letras garrafais e coloque-o num lugar onde o verá todas as noites antes de ir dormir e todas as manhãs antes de sair para o trabalho.

Quando começar a selecionar membros para seu Grupo de Mentes Mestras, tente escolher aqueles que não levam a derrota a sério.

Algumas pessoas acreditam tolamente que só DINHEIRO é capaz de gerar capital. Isso não é verdade! O DESEJO, transmutado no seu equivalente monetário por meio dos princípios aqui expostos, é o agente pelo qual se obtém o dinheiro. O dinheiro em si não passa de matéria inerte. Não é capaz de se mover, de pensar nem de falar, mas é capaz de "ouvir" quando uma pessoa que o DESEJA o chama!

Como planejar a venda de serviços

O restante deste capítulo é dedicado a uma descrição de modos de comercializar serviços pessoais. As informações aqui apresentadas serão uma ajuda prática para qualquer um que tiver um tipo de serviço a comercializar e trarão um benefício incalculável a quem aspira à liderança na sua profissão.

Um planejamento inteligente é essencial para o sucesso de qualquer empreitada destinada a acumular riqueza. As páginas a seguir fornecem instruções detalhadas para aqueles que devem iniciar a acumulação de riqueza vendendo serviços pessoais.

Deveria servir de incentivo saber que praticamente todas as fortunas começam na forma de compensação por serviços ou com a venda de IDEIAS. O que mais, a não ser ideias e serviços, alguém que possui poucos bens poderia ter para dar em troca da riqueza?

Falando de modo bem amplo, existem dois tipos de pessoa. Um deles é conhecido como LÍDERES e o outro como SEGUIDORES. Decida logo de início se você pretende se tornar um líder ou permanecer um seguidor. A diferença em matéria de compensação é enorme. O seguidor não pode ter expectativas razoáveis de obter a compensação à qual um líder fará jus, embora muitos seguidores cometam o erro de esperar esse tipo de pagamento.

Não há desgraça alguma em ser um seguidor. Por outro lado, permanecer um seguidor não constitui crédito algum. A maioria dos líderes começou como seguidor. Eles se tornaram grandes porque foram SEGUIDORES INTELIGENTES. Com poucas exceções, a pessoa incapaz de seguir um líder de modo inteligente não pode se tornar um líder eficaz. Em geral, a pessoa capaz de seguir um líder com mais eficiência é aquela que evolui mais rapidamente para a liderança. Um seguidor inteligente tem muitas vantagens, entre elas a OPORTUNIDADE DE ADQUIRIR CONHECIMENTO DO SEU OU DA SUA LÍDER.

Os 11 principais fatores da liderança

Os seguintes fatores são atributos importantes da liderança:

1. CORAGEM INABALÁVEL. Baseada no conhecimento de si e da própria atividade. Nenhum seguidor deseja ser dominado por um líder a quem faltem autoconfiança e coragem. Nenhum seguidor inteligente passará muito tempo dominado por um líder assim.
2. AUTOCONTROLE. A pessoa que carece de autocontrole jamais poderá controlar outras. O autocontrole proporciona um poderoso exemplo para os seguidores de um líder, que os mais inteligentes irão imitar.
3. NOÇÃO AGUÇADA DE JUSTIÇA. Sem noção clara de imparcialidade e justiça, nenhum líder pode obter e manter o respeito de seus seguidores.
4. FIRMEZA DE DECISÃO. Indivíduos que hesitam em suas decisões mostram não estar seguros de si. Eles não podem ter sucesso em liderar outros.
5. CLAREZA DE PLANOS. Líderes bem-sucedidos precisam planejar seu trabalho e executar seu plano. Líderes que avançam tateando, sem planos práticos e precisos, são como uma embarcação sem leme. Mais cedo ou mais tarde, vão bater nas pedras.
6. HÁBITO DE FAZER MAIS DO QUE FOI PAGO. Uma das penalidades da liderança é que os líderes precisam estar dispostos a fazer mais do que aquilo que exigem de seus seguidores.
7. PERSONALIDADE AGRADÁVEL. Nenhuma pessoa desleixada e descuidada pode se tornar um líder de sucesso. Liderança exige respeito. Seguidores não respeitarão um líder que não obtenha notas altas em todos os quesitos da "Personalidade Agradável".

8. EMPATIA E COMPREENSÃO. Líderes de sucesso devem ter empatia com seus seguidores. Além do mais, devem compreendê-los e compreender seus problemas.
9. DOMÍNIO DOS DETALHES. Uma liderança de sucesso exige um domínio dos detalhes da posição do líder.
10. DISPOSIÇÃO PARA ASSUMIR TOTAL RESPONSABILIDADE. Líderes de sucesso devem estar dispostos a assumir responsabilidade pelos erros e deficiências de seus seguidores. Se tentarem deslocar essa responsabilidade, não permanecerão líderes. Os líderes devem considerar suas as falhas de algum seguidor que cometer erros e demonstrar incompetência.
11. COOPERAÇÃO. Líderes de sucesso devem compreender e aplicar o princípio do esforço cooperativo e ter capacidade de levar seus seguidores a fazerem o mesmo. Liderança exige PODER e poder exige COOPERAÇÃO.

Existem duas formas de liderança. A primeira, de longe a mais eficaz, é a LIDERANÇA POR CONSENTIMENTO dos seguidores e com sua empatia. A segunda é a LIDERANÇA PELA FORÇA, sem consentimento ou empatia.

A história está repleta de provas de que a Liderança pela Força não pode durar. A queda e o ocaso de ditadores e reis é algo expressivo. Significa que as pessoas não vão seguir indefinidamente uma liderança forçada.

O mundo acabou de adentrar uma nova era de relacionamento entre líderes e seguidores que muito claramente exige novos líderes e uma nova modalidade de liderança nos negócios e na indústria. Aqueles que pertencem à velha escola da Liderança pela Força devem adquirir uma compreensão da nova forma de liderança (cooperação) ou serão relegados às fileiras dos seguidores. Não existe outra saída para eles.

No futuro, o relacionamento entre empregador e empregado ou entre líder e seguidor será de cooperação mútua, baseada numa divisão igualitária dos lucros do negócio. No futuro, o relacionamento entre empregador e empregado será mais parecido com uma parceria do que no passado. Napoleão, o *Kaiser* Guilherme da Alemanha, o czar da Rússia e o rei da Espanha foram exemplos de Liderança pela Força.[1] A liderança deles passou.

Sem muita dificuldade, seria possível identificar os protótipos desses ex-líderes entre os líderes de negócios, finanças e serviços dos Estados Unidos que foram destronados ou escolhidos para serem dispensados. A Liderança pelo Consentimento (dos seguidores) é o único tipo capaz de durar!

As pessoas podem até seguir temporariamente uma liderança pela força, mas não o farão de modo espontâneo.

O novo tipo de LIDERANÇA abarcará os 11 Principais Fatores da Liderança descritos neste capítulo, além de outros. O indivíduo que fizer deles a base da sua liderança encontrará uma profusão de oportunidades para liderar em qualquer área da vida. A crise econômica profunda que atravessamos se prolongou em grande parte porque faltava no mundo LIDERANÇA do tipo novo. Hoje, a demanda por líderes competentes na aplicação dos novos métodos de liderança supera em muito a oferta. Alguns dos líderes do tipo antigo vão se reformar e se adaptar ao novo tipo de liderança, mas, de modo geral, o mundo terá que procurar sangue novo.

Essa necessidade pode ser a sua OPORTUNIDADE!

Os 10 principais motivos de fracasso na liderança

Chegamos agora aos principais defeitos dos líderes que fracassam, pois é tão essencial saber O QUE NÃO FAZER quanto o que se deve fazer.

1. INCAPACIDADE DE ORGANIZAR DETALHES. Uma liderança eficaz exige a capacidade para organizar e controlar os detalhes. Líderes de verdade nunca estão "ocupados demais" para cumprir qualquer exigência. Sempre que as pessoas, sejam líderes ou seguidores, se dizem ocupadas demais para mudar de planos ou para dedicar atenção a uma emergência, estão reconhecendo sua ineficiência. Líderes de sucesso devem ter pleno domínio de todos os detalhes relacionados à sua posição. Isso significa, é claro, que devem adquirir o hábito de delegar os detalhes a subordinados capazes.[2]

2. FALTA DE DISPOSIÇÃO PARA PRESTAR SERVIÇOS HUMILDES. Líderes realmente bons se mostram dispostos quando surge uma ocasião para realizar qualquer tipo de trabalho que poderiam pedir que

outros fizessem. "O maior entre vocês será o criado de todos!" é uma verdade que todos os líderes capazes observam e respeitam.

3. EXPECTATIVA DE RECEBER PELO QUE SABEM EM VEZ DE PELO QUE *fazem* COM AQUILO QUE SABEM. O mundo não paga as pessoas pelo que elas sabem, e sim pelo que elas FAZEM ou estimulam os outros a fazer.

4. MEDO DA CONCORRÊNCIA DOS SEGUIDORES. Líderes temerosos de que seus seguidores possam ocupar seu lugar estão praticamente convencidos de que esse medo se tornará uma realidade mais cedo ou mais tarde. Líderes hábeis treinam subordinados a quem possam delegar como quiserem qualquer detalhe de sua área. Somente assim os líderes podem se multiplicar e se preparar para ser onipresentes, dedicando atenção a muitos assuntos ao mesmo tempo. É uma verdade incontestável que as pessoas recebem remuneração maior por sua CAPACIDADE DE FAZER OS OUTROS TRABALHAREM COM EFICIÊNCIA do que poderiam ganhar pelo próprio esforço individual. Líderes eficazes podem, por seu conhecimento do trabalho e do magnetismo de sua personalidade, aumentar muito a eficiência dos outros e estimulá-los a prestar mais e melhores serviços do que eles poderiam fornecer sem a ajuda do líder.

5. FALTA DE IMAGINAÇÃO. Sem imaginação, líderes são incapazes de lidar com emergências e de criar planos para guiar de modo eficiente seus seguidores.

6. EGOÍSMO. Líderes que reivindicam todas as honrarias pelo trabalho de seus seguidores certamente serão alvo de ressentimento. Grandes líderes NÃO REIVINDICAM NENHUMA HONRARIA. Eles ficam satisfeitos em ver as honrarias, quando elas existem, serem dadas aos seguidores, pois sabem que a maioria das pessoas trabalhará mais duro para obter elogios e reconhecimento do que apenas por dinheiro.[3]

7. DESTEMPERO. Seguidores não respeitam um líder destemperado. Além do mais, o destempero, em qualquer uma de suas variadas formas, destrói a resistência e a vitalidade de todos aqueles que cedem a ele.

8. DESLEALDADE. Talvez esta devesse ter sido posta no alto da lista. Líderes que não são leais à sua empresa e a seus colaboradores, tanto os subordinados quanto os superiores, não podem manter a liderança. A

deslealdade caracteriza uma pessoa como a mais rasteira que existe e faz cair sobre a cabeça dela todo o desprezo. A falta de lealdade é uma das principais causas de fracasso em todas as áreas da vida.

9. ÊNFASE EXCESSIVA NA AUTORIDADE DA LIDERANÇA. Líderes eficientes lideram pelo incentivo, não tentando instilar medo no coração de seus seguidores. Líderes que tentam impressionar os seguidores com sua "autoridade" entram na categoria da Liderança pela Força. Se os líderes forem LÍDERES DE VERDADE, não precisarão alardear esse fato a não ser pela própria conduta – empatia, compreensão, justiça e demonstração de que conhecem o trabalho que estão fazendo.

10. ÊNFASE EXCESSIVA NO TÍTULO. Líderes competentes não precisam de títulos para lhes trazer o respeito de seus seguidores. O indivíduo que enfatiza demais seu título em geral tem pouco mais a enfatizar. A porta da sala dos verdadeiros líderes está aberta para todos aqueles que desejarem entrar e seu ambiente de trabalho não tem formalidade nem ostentação.

Essas são algumas das causas mais comuns de fracasso na liderança. Qualquer um desses erros é suficiente para causar o fracasso. Estude a lista com cuidado se você aspirar a um cargo de liderança e certifique-se de estar livre desses defeitos.

Algumas áreas férteis nas quais novas lideranças serão necessárias

Antes de você deixar este capítulo para trás, chamo sua atenção para algumas das áreas em que houve um declínio de liderança e nas quais o novo tipo de líder pode encontrar OPORTUNIDADES abundantes.

- **Um.** Na área da política existe uma demanda muito insistente por novos líderes – demanda essa que indica nada menos do que uma emergência. A maioria parece ter se transformado em trapaceiros oficializados de alto grau. Eles aumentaram impostos e corromperam a máquina da indústria e dos negócios a tal ponto que as pessoas não conseguem mais suportar o fardo.

- **Dois.** O setor dos bancos está passando por uma reforma. Os líderes dessa área perderam quase totalmente a confiança do público. Os banqueiros perceberam a necessidade de uma reforma e já a iniciaram.
- **Três.** A indústria precisa de novos líderes. O antigo tipo de líder pensava e agia em termos de dividendos em vez de pensar e agir em termos de equações humanas! Os futuros líderes da indústria, para perdurarem, precisam se considerar quase como agentes públicos, cujo dever é administrar sua empresa de tal modo que ela não crie dificuldades para ninguém ou nenhum grupo. A exploração dos trabalhadores é coisa do passado. Que o homem ou a mulher que aspira a uma liderança na área dos negócios, da indústria e dos serviços se lembre sempre disso.
- **Quatro.** Os líderes religiosos do futuro devem dedicar mais atenção às necessidades temporais de seus seguidores na solução de seus problemas financeiros e pessoais na atualidade, dando menos atenção ao passado, que já morreu, e ao futuro, que ainda não chegou.
- **Cinco.** Nas profissões das áreas de direito, medicina e educação, um novo tipo de liderança, e, em certa medida, novos líderes se tornarão uma necessidade. Isso é verdade sobretudo na educação. O líder dessa área deverá, no futuro, encontrar meios e maneiras de ensinar às pessoas COMO APLICAR o conhecimento que elas receberam nos estudos. O educador deve lidar mais com PRÁTICA e menos com TEORIA.
- **Seis.** Novos líderes serão necessários na área do jornalismo. Os jornais do futuro, para serem administrados com sucesso, devem se afastar dos "privilégios especiais" e se libertar dos subsídios da publicidade. Eles devem parar de ser órgãos de propaganda dos interesses que sustentam suas colunas publicitárias. O tipo de jornal que publicar escândalos e imagens obscenas acabará indo pelo mesmo caminho de todas as forças que pervertem a mente humana.[4]

Essas são apenas algumas das áreas onde se encontram oportunidades, hoje, para novos líderes e para um novo tipo de liderança. O mundo está se transformando rapidamente. Isso significa que o meio pelo qual são promovidas as mudanças nos hábitos humanos precisa se adaptar às mudanças. Os meios aqui descritos são aqueles que, mais do que quaisquer outros, determinam a tendência da civilização. A informação descrita a seguir, sobre quando e como se candidatar a um cargo, é o resultado líquido de muitos anos de experiência durante os quais milhares de homens e mulheres foram ajudados a vender seus serviços de modo eficaz. Pode-se, portanto, confiar na sua solidez e praticidade.

Meios pelos quais serviços podem ser vendidos

A experiência demonstrou que os meios a seguir proporcionam os métodos mais diretos e eficientes de juntar o comprador e o vendedor de serviços pessoais.

1. AGÊNCIAS DE EMPREGOS. É preciso ter cuidado para escolher apenas agências com boa reputação, cujos administradores possam comprovar um histórico adequado de obtenção de resultados satisfatórios. As agências assim são comparativamente poucas.

2. PUBLICIDADE em jornais, periódicos especializados e revistas. Em geral, pode-se confiar que anúncios na seção de classificados produzirão resultados satisfatórios no caso das pessoas que buscam cargos de escritório ou cargos assalariados comuns. A publicidade avulsa é mais desejável no caso daqueles que buscam contatos executivos. O texto deve ser preparado por um especialista que saiba incluir qualidades vendáveis suficientes de modo a gerar respostas.

3. CARTAS DE APRESENTAÇÃO PESSOAIS, enviadas para empresas ou indivíduos mais propensos a necessitar serviços do tipo que está sendo oferecido. As cartas precisam ser *escritas com esmero* SEMPRE e firmadas à mão com uma assinatura enérgica. Junto com a carta deve ser enviado um resumo ou esboço completo das qualificações do candidato. Tanto a carta de apresentação quanto o histórico de experiência ou qualificações devem ser preparados por um especialista – ou ter a mesma qualidade e aparência dos preparados por um especialista. (Ver instruções quanto às informações a serem fornecidas.)

4. CANDIDATURA POR INTERMÉDIO DE CONTATOS PESSOAIS. Quando possível, o candidato deve tentar abordar empregadores em

potencial por intermédio de algum contato mútuo. Esse método de abordagem é particularmente vantajoso no caso daqueles que buscam contatos executivos e não querem dar a impressão de estarem se "oferecendo".[5]

5. CANDIDATURA PRESENCIAL. Em alguns casos, pode ser mais eficaz o candidato oferecer pessoalmente seus serviços aos empregadores em potencial, apresentando uma declaração completa por escrito das qualificações para o cargo. Os empregadores em potencial frequentemente querem conversar com colaboradores sobre o histórico do candidato.

Oito elementos essenciais para um currículo eficiente

Um currículo deve ser elaborado com o mesmo cuidado que um advogado dedicaria à preparação da peça processual de um caso a ser julgado no tribunal. A menos que o candidato tenha experiência na preparação de currículos, um especialista deve ser consultado e contratado para esse fim. Comerciantes de sucesso contratam homens e mulheres que entendem a arte e a psicologia da publicidade para apresentar os méritos de suas mercadorias. Alguém que tenha habilidades pessoais para vender deve fazer o mesmo. As oito informações a seguir precisam constar do currículo:

1. *Estudos*. Descreva de forma breve mas específica que tipo de instrução você recebeu e em quais matérias se especializou, citando os motivos para essa especialização.
2. *Experiência*. Se você teve alguma experiência relacionada a cargos semelhantes àquele que está buscando, descreva-a de modo completo e cite nomes e endereços de ex-empregadores. Certifique-se de destacar claramente qualquer experiência *especial* que você tenha e que o qualificaria para ocupar o cargo que está buscando.
3. *Referências*. Praticamente todas as empresas desejam saber sobre o histórico, os antecedentes, etc. de empregados em potencial que buscam cargos de responsabilidade. Anexe ao seu currículo cópias de cartas de:

a. ex-empregadores
   b. professores com os quais tenha estudado
   c. pessoas de destaque cuja opinião mereça confiança.
4. *Fotografia.* Anexe ao seu currículo uma foto sua recente e sem moldura (se o seu currículo estiver sendo impresso de forma profissional, mande reproduzir a fotografia do modo adequado).
5. *Candidate-se a um cargo específico.* Evite candidatar-se a um cargo sem descrever EXATAMENTE o que está buscando. Nunca se candidate a "apenas um cargo". Isso indica que lhe faltam qualificações especializadas.
6. *Enumere suas qualificações.* Especifique minuciosamente por que você acredita estar qualificado para o cargo. Esse é O DETALHE MAIS IMPORTANTE DA SUA CANDIDATURA. Mais do que qualquer outra coisa, isso determinará a atenção que você vai receber.
7. *Ofereça-se para fazer um período de experiência.* Na maioria dos casos, se você estiver decidido a conseguir o cargo para o qual está se candidatando, o mais eficaz será se oferecer para trabalhar durante uma semana, um mês ou um período de tempo suficiente para permitir ao seu empregador em potencial julgar seu valor SEM PAGAMENTO. Isso pode parecer uma sugestão radical, mas a experiência demonstrou que raramente deixa de conquistar pelo menos uma experiência. Se você tiver CERTEZA DAS SUAS QUALIFICAÇÕES, uma experiência é tudo de que precisa. De modo incidental, uma oferta dessas indica que você está seguro da sua capacidade de ocupar o cargo que está buscando. É algo muito convincente. Caso sua oferta seja aceita e você se saia bem, é mais do que provável ser remunerado pelo seu período de experiência. Deixe claro que a sua oferta tem por base:
   a. sua segurança quanto à capacidade de ocupar o cargo
   b. sua segurança quanto à decisão do seu empregador em potencial de contratá-lo após a experiência
   c. sua DETERMINAÇÃO de conseguir o cargo que está buscando.
8. *Conheça o negócio de seu empregador em potencial.* Antes de se candidatar a um emprego, pesquise o suficiente sobre o negócio de modo a se familiarizar com ele e indique no seu currículo o conhecimento

adquirido nessa área. Isso vai impressionar, pois indica que você tem imaginação e interesse genuíno pelo cargo.

Lembre-se: quem vence não é o advogado que conhece mais direito, e sim aquele que prepara o melhor caso. Se o seu "caso" for adequadamente preparado e apresentado, mais da metade de sua vitória já terá sido conquistada desde o princípio.

Não tenha medo de tornar seu currículo demasiado longo. Os empregadores têm tanto interesse em contratar os serviços de candidatos bem qualificados quanto você de conseguir um emprego. Na verdade, o sucesso dos empregadores mais bem-sucedidos se deve principalmente à sua capacidade de selecionar subordinados qualificados. Eles querem todas as informações disponíveis.

Lembre-se de mais uma coisa: a boa organização e o cuidado no preparo do seu currículo indicarão que você é uma pessoa meticulosa. Já ajudei a preparar currículos tão atraentes e fora do comum que resultaram na contratação do candidato até sem uma entrevista presencial.

Quando seu currículo estiver pronto, mande imprimir e encadernar num estabelecimento experiente. A capa deve ficar parecida com isto aqui:

CURRÍCULO DE
Robert K. Smith
CANDIDATO À VAGA DE
Gerente Assistente na empresa
THE BLANK COMPANY, INC.

Esse toque pessoal certamente chamará a atenção. Mande redigir ou imprimir seu currículo no melhor papel que puder encontrar, em seguida mande encadernar ou pôr dentro de uma pasta de apresentação adequada. A capa deverá ser trocada e o nome correto da empresa e do cargo inseridos caso o material se destine a mais de uma empresa. Sua foto deverá estar colada ou impressa em uma das páginas do seu currículo. Siga essas instruções à risca e aprimore-as onde sua imaginação sugerir.

Pessoas que sabem vender cuidam para ter uma boa apresentação. Entendem que a primeira impressão é a que fica. Seu currículo é seu representante de vendas. Vista-o bem, de modo que ele se destaque nitidamente de tudo que o seu empregador em potencial já viu em matéria de candidatura a um cargo. Se o cargo que estiver buscando valer a pena, vale a pena ter cuidado para obtê-lo. Além do mais, se você se vender aos seus empregadores de um modo que os deixe impressionados com sua personalidade, poderá muito bem receber mais dinheiro pelos serviços desde o princípio do que receberia caso se candidatasse ao emprego do modo habitual.

Se estiver buscando emprego por meio de uma agência, certifique-se de que ao tentar vender os seus serviços eles usem cópias do currículo que você produziu – ou produzam e forneçam um que atenda a todos os critérios citados. Isso o ajudará a garantir um tratamento preferencial tanto junto à agência quanto junto aos empregadores em potencial.

Como conseguir o cargo exato que você deseja

Todo mundo gosta de fazer o tipo de trabalho pelo qual sente mais afinidade. Artistas adoram tintas, artesãos adoram trabalhos manuais, escritores adoram escrever. Aqueles cujos talentos não são tão aparentes têm preferência por determinadas áreas dos negócios ou da indústria. Se os Estados Unidos sabem fazer bem alguma coisa, é oferecer uma gama completa de profissões, de lavrar a terra e trabalhar na manufatura até marketing, comércio e profissões liberais.

Eis aqui sete ações a executar para garantir o cargo exato que você quer:
- **Um.** Decida – e DEFINA por escrito de maneira breve – EXATAMENTE o tipo de emprego que deseja. Caso o emprego não exista, talvez você possa criá-lo.
- **Dois.** Escolha a empresa ou a pessoa específica para quem você deseja trabalhar.
- **Três.** Estude seu empregador em potencial em relação a procedimentos, recursos humanos e oportunidades de promoção.
- **Quatro.** Com uma análise pessoal de seus talentos e capacidades, determine O QUE VOCÊ PODE OFERECER e planeje maneiras de proporcionar vantagens, serviços, desenvolvimentos e ideias que *você acredite* que pode fornecer de fato.

- **Cinco.** Esqueça "um emprego". Esqueça se existe ou não uma vaga. Esqueça a conversa habitual que começa com "Tem algum emprego para mim?". Concentre-se no que *você pode oferecer*.
- **Seis.** Uma vez que tiver em mente o seu plano, combine com um redator experiente para colocá-lo no papel cuidadosamente e com todos os detalhes.
- **Sete.** Apresente-o à *pessoa com autoridade adequada* e ele ou ela fará o resto. Toda empresa está à procura de pessoas capazes de oferecer algo de valor, sejam ideias, serviços ou "contatos". Toda empresa tem lugar para quem tiver um plano de ação preciso vantajoso para essa empresa.

Essa linha de ação pode levar alguns dias ou semanas a mais, mas a diferença em matéria de renda, promoção e obtenção de reconhecimento lhe poupará anos de trabalho duro em troca de um salário baixo. Ela tem muitas vantagens. A principal é que muitas vezes economiza de um a cinco anos do tempo para alcançar um objetivo escolhido.

Todo mundo que começa ou que "entra" já na metade da escada segue um planejamento deliberado e cuidadoso (com exceção, é claro, do filho do Patrão).

A NOVA MANEIRA DE VENDER SERVIÇOS

"Empregos" hoje são "parcerias"

Os homens e mulheres que vendem seus serviços visando um futuro vantajoso precisam reconhecer a fenomenal mudança ocorrida na relação entre empregador e empregado.

No futuro, o fator predominante na venda de mercadorias e serviços pessoais será a "Regra de Ouro", não a "Regra do Ouro".[6] A futura relação entre empregadores e seus empregados terá uma natureza mais próxima de uma parceria entre:
   a. o empregador
   b. o empregado
   c. o público que eles atendem.

Essa nova forma de vender serviços pessoais é chamada de "nova" por muitos motivos. Em primeiro lugar, tanto o empregador quanto o empregado do futuro serão considerados "colegas", cuja função será ATENDER O PÚBLICO DE MODO EFICIENTE. No passado, empregadores e empregados travavam disputas entre si para tentar tirar um do outro as maiores vantagens possíveis sem considerar que, em última instância, estavam na realidade TRAVANDO DISPUTAS ÀS CUSTAS DE UM TERCEIRO – O PÚBLICO QUE ATENDIAM.[7] O verdadeiro empregador do futuro será o público. Quem deseja ser bem-sucedido na divulgação de seus serviços precisa ter isso sempre em mente.[8]

COMO OS TEMPOS MUDARAM! É justamente o que estou tentando enfatizar. OS TEMPOS MUDARAM! Além do mais, a mudança se reflete em todas as profissões e todas as áreas da vida. A política de "o público que se dane" é coisa do passado. Ela foi suplantada pela política do "estamos aqui ao seu dispor".[9]

"Cortesia" e "serviço" são as palavras-chave para o marketing na atualidade e aplicam-se mais diretamente a quem vende os próprios serviços do que a seu empregador, pois, em última instância, tanto empregador quanto empregado são CONTRATADOS PELO PÚBLICO QUE ATENDEM. Se eles não atenderem bem, pagam com a perda do seu privilégio de atender.[10]

Durante a Grande Depressão, passei muitos meses na região de exploração de carvão fóssil, o antracito, na Pensilvânia, estudando uma conjuntura que por pouco não destruiu a indústria carvoeira. Entre as várias descobertas muito significativas estava o fato de que a ganância por parte dos exploradores e seus empregados era a principal causa da perda de contratos das operadoras e da perda de empregos dos mineiros.

Com a pressão de um grupo de líderes sindicais radicais representando os trabalhadores e a ganância de lucro por parte das operadoras, a exploração do antracito subitamente minguou. As operadoras de extração do minério e seus empregados começaram a travar fortes disputas entre si. O custo dessas disputas repercutiu no preço do carvão até que, finalmente, eles descobriram que haviam CRIADO UM NEGÓCIO MARAVILHOSO PARA A EXPLORAÇÃO DE PETRÓLEO E OS FABRICANTES DE EQUIPAMENTOS DE REFINARIAS.

"O salário do pecado é a morte!" Muitos já leram isso na Bíblia, mas poucos descobriram o que significa. Hoje, e já há muitos anos, os Estados Unidos e o mundo têm escutado um sermão que poderia muito bem se chamar "O QUE QUER QUE UM HOMEM SEMEIE, ELE TAMBÉM COLHERÁ".

Nada tão generalizado quanto o período de depressão econômica que acabamos de atravessar poderia ser "apenas coincidência". Por trás de tudo houve uma CAUSA. Nada acontece sem uma CAUSA. A causa aqui pode ser localizada diretamente, em grande parte, no hábito econômico de tentar COLHER sem ter SEMEADO.

Não devemos confundir isso com uma afirmação de que esse período econômico difícil representa uma colheita que estamos sendo FORÇADOS a colher sem ter SEMEADO. O problema foi que semeamos o tipo errado de semente. Todo agricultor sabe que não pode plantar sementes de cardo e colher uma safra de cereal. Durante muito tempo, o povo dos Estados Unidos e de alguns outros países começou a plantar a semente de serviços inadequados, tanto qualitativa quanto quantitativamente. Quase todo mundo se dedicava ao passatempo de tentar OBTER SEM DAR.

Essa questão toda é trazida à atenção daqueles que têm serviços pessoais para vender, mostrando que onde estamos e quem somos se deve à nossa conduta! Se existe um princípio de causa e efeito que controla os negócios, as finanças e os transportes, esse mesmo princípio controla os indivíduos e determina seu status econômico.

Qual é sua pontuação QQE?

As causas do sucesso na comercialização EFICIENTE e permanente de serviços foram claramente descritas. A menos que essas causas sejam estudadas, analisadas, compreendidas e APLICADAS, ninguém pode colocar serviços no mercado de modo eficiente e permanente. Todo indivíduo precisa "vender" seus serviços. A QUALIDADE, a QUANTIDADE e o ESPÍRITO mediante o qual eles são prestados determinam em grande medida a remuneração e a duração de um emprego. Para pôr serviços pessoais no mercado de modo eficiente (ou seja, para um mercado permanente, a um preço satisfatório, sob condições agradáveis) é preciso adotar e seguir a "Fórmula

QQE" – QUALIDADE, QUANTIDADE E ESPÍRITO de cooperação adequado produzem a venda perfeita de um serviço. Lembre-se da fórmula QQE, mas vá além – APLIQUE-A COMO UM HÁBITO!

Analisemos a fórmula para ter certeza de compreender exatamente o que ela significa.

1. QUALIDADE de serviço deve significar o desempenho de cada detalhe relacionado ao seu cargo do modo mais eficiente possível, com o objetivo de uma maior eficiência sempre em mente.
2. QUANTIDADE de serviço deve ser compreendida como o HÁBITO de prestar todo o serviço de que você é capaz, a todo momento, com o propósito de aumentar a quantidade de serviço prestada conforme uma habilidade maior for sendo desenvolvida por meio da prática e da experiência. Mais uma vez, a ênfase está na palavra HÁBITO.
3. ESPÍRITO de serviço deve significar o HÁBITO de uma conduta agradável, harmoniosa, que estimule a cooperação de colaboradores e colegas. A adequação da QUALIDADE e da QUANTIDADE de serviço não basta para sustentar um mercado permanente para os seus serviços. A conduta ou o ESPÍRITO no qual você presta o serviço é um fator determinante tanto para sua remuneração quanto para a duração do seu emprego. Andrew Carnegie ressaltou esse ponto mais do que outros em sua descrição dos fatores que conduzem ao sucesso na comercialização de serviços pessoais. Ele enfatizou repetidas vezes a necessidade de uma CONDUTA HARMONIOSA. Ressaltou o fato de que não contrataria ninguém, por maior que fosse a QUANTIDADE ou por mais eficiente que fosse a QUALIDADE do trabalho dessa pessoa, sem que o indivíduo trabalhasse num espírito de HARMONIA. O Sr. Carnegie insistia para as pessoas serem AGRADÁVEIS. Para provar que valorizava muito essa qualidade, permitiu a vários indivíduos que se adequavam a esses padrões se tornarem muito ricos. Os que não se adequaram tiveram de ceder lugar a outros.

A importância de uma personalidade agradável foi enfatizada porque ela é um fator que permite a prestação de serviços dentro do ESPÍRITO adequado. Se alguém tem uma personalidade que AGRADA e presta serviço num espírito de HARMONIA, essas vantagens muitas vezes compensam deficiências tanto na QUALIDADE quanto na QUANTIDADE. Nada, porém, pode SUBSTITUIR DE MODO SATISFATÓRIO UMA CONDUTA AGRADÁVEL.

O valor monetário de seus serviços

A pessoa cuja renda advém integralmente da venda de serviços pessoais é tão comerciante quanto aquela que vende bens ou produtos. É possível acrescentar que essa pessoa está submetida EXATAMENTE ÀS MESMAS REGRAS de conduta do comerciante que vende mercadorias.

Isso foi enfatizado porque a maioria das pessoas que vive da venda de serviços pessoais comete o erro de se considerar livre das regras de conduta e das responsabilidades vinculadas àqueles que se dedicam à venda de bens e produtos.

A nova maneira de vender serviços praticamente forçou tanto empregador quanto empregado a formar alianças de parceria nas quais ambos levam em conta os direitos de um terceiro: O PÚBLICO A QUE ATENDEM.

A época dos gananciosos passou. "Aquele que vai lá e pega" foi suplantado por "aquele que vai lá e dá". Os métodos de alta pressão dos negócios finalmente fizeram a tampa explodir. Nunca haverá necessidade de recolocar a tampa no lugar, pois no futuro os negócios serão conduzidos com métodos que não exigirão pressão alguma.

O verdadeiro valor monetário de seu cérebro pode ser determinado pela quantidade de renda que você é capaz de gerar (vendendo seus serviços). Uma estimativa justa do valor monetário dos seus serviços pode ser feita multiplicando sua renda anual por 162/3 (ou 16,667), uma vez que é razoável estimar que sua renda anual represente aproximadamente 6% do seu valor monetário. (Dinheiro não vale mais do que cérebros. Com frequência, vale bem menos.)

Cérebros competentes, se comercializados de modo eficaz, representam uma forma bem mais desejável de capital do que aquele necessário para conduzir uma transação de negócios que envolva bens e produtos, pois cérebros são uma forma de capital que não pode ser permanentemente depreciada por depressões econômicas nem roubada ou gasta.

Além do mais, o dinheiro que é essencial para a condução de negócios é tão inútil quanto uma duna de areia até ter sido misturado com um cérebro eficaz.

AS 30 PRINCIPAIS CAUSAS DE FRACASSO

Quantas destas estão segurando você?

A maior tragédia é quando homens e mulheres tentam com afinco e fracassam! A tragédia está na esmagadora maioria que fracassa em comparação com os poucos que obtêm sucesso.

Tive o privilégio de analisar milhares de pessoas, 98% das quais eram classificadas como fracassadas. Há algo de radicalmente errado numa civilização e num sistema de ensino que permite que 98% das pessoas passem a vida pensando que são fracassadas. Mas não estou escrevendo com o propósito de dar lições de moral sobre os erros e acertos do mundo. Isso demandaria um livro 100 vezes maior do que este.

Minhas pesquisas e análises provaram que existem 30 razões principais para o fracasso e 13 princípios (os 13 passos para a riqueza) pelos quais as pessoas acumulam fortunas. Neste capítulo será feita uma descrição das 30 principais causas de fracasso. Conforme for percorrendo a lista, examine a si mesmo, ponto por ponto, com o propósito de descobrir quantas destas causas separam você do sucesso.

1. HISTÓRICO HEREDITÁRIO DESFAVORÁVEL. Pouco se pode fazer, se é que alguma coisa, por quem nasce com uma deficiência no poder do cérebro. A filosofia Pense e Enriqueça oferece um único método para compensar essa fraqueza: a ajuda de uma Mente Mestra. Observe bem, contudo, que essa é a ÚNICA das 30 causas de fracasso que não pode ser facilmente corrigida.

2. FALTA DE UM PROPÓSITO DE VIDA BEM DEFINIDO. Não existe esperança de sucesso para quem não tem um propósito central ou uma meta clara na qual mirar. No mínimo 98% das pessoas que analisei não tinham esse objetivo. Talvez essa tenha sido a PRINCIPAL CAUSA DO FRACASSO.

3. **FALTA DE AMBIÇÃO PARA MIRAR ACIMA DA MEDIOCRIDADE.** Não damos qualquer esperança a quem for tão indiferente a ponto de não querer avançar na vida e que não esteja disposto a pagar o preço por isso.
4. **EDUCAÇÃO INSUFICIENTE.** Essa é uma deficiência que pode ser superada com relativa facilidade. A experiência demonstrou que as pessoas mais bem-educadas muitas vezes são conhecidas por terem "subido sozinhas", ou seja, se instruído por conta própria. É preciso mais do que um diploma para fazer de alguém uma pessoa educada. Qualquer um que seja educado é alguém que aprendeu a conseguir o que quer da vida sem violar os direitos dos outros. A educação consiste nem tanto em conhecimento, mas em conhecimento APLICADO de modo eficiente e persistente. As pessoas não são pagas somente pelo que sabem, mas mais especificamente por AQUILO QUE FAZEM COM O QUE SABEM.
5. **FALTA DE DISCIPLINA.** A disciplina vem do autocontrole. Isso significa que é preciso controlar todas as qualidades negativas. Antes de poder controlar situações, é preciso controlar a si mesmo. O autodomínio é o trabalho mais difícil que você vai empreender. Se você não dominar a si mesmo, será dominado por suas emoções. Postando-se em frente a um espelho, poderá ver ao mesmo tempo tanto seu melhor amigo quanto seu maior inimigo.
6. **SAÚDE RUIM.** Ninguém pode tirar proveito de um sucesso excepcional sem boa saúde. Muitas das causas da saúde ruim podem ser dominadas e controladas. Elas são principalmente:
   a. o consumo de alimentos pouco nutritivos e que não contribuem para a saúde
   b. hábitos errados de pensamento; expressar pensamentos negativos
   c. uso errado e prática exagerada do sexo
   d. exercícios físicos inadequados
   e. exposição inadequada ao ar puro como resultado da má respiração.
7. **INFLUÊNCIAS DESFAVORÁVEIS DE SEU MEIO DURANTE A INFÂNCIA.** "É de pequenino que se torce o pepino." A maioria das pessoas com tendência para o crime a adquire como resultado de um entorno ruim e de relações indevidas na infância.

8. PROCRASTINAÇÃO. Essa é uma das causas mais comuns de fracasso. "A Velha e Boa Procrastinação" espreita na sombra de todo ser humano, aguardando a oportunidade de estragar suas chances de sucesso. As pessoas passam a vida como fracassadas pelo hábito de esperar "a hora certa" para começar algo que valha a pena. Não espere. O momento nunca vai ser "exatamente certo". Comece onde estiver e trabalhe com quaisquer ferramentas à sua disposição. Ferramentas melhores serão encontradas conforme você avançar.
9. FALTA DE PERSISTÊNCIA. Somos bons em começar, mas ruins em terminar aquilo que iniciamos. Além do mais, as pessoas tendem a desistir ao primeiro sinal de derrota. Não existe substituto para a PERSISTÊNCIA. Quem fizer da PERSISTÊNCIA uma palavra de ordem descobrirá que a "Velha e Boa Procrastinação" finalmente se cansará e irá embora. O fracasso não consegue lidar com a PERSISTÊNCIA.
10. PERSONALIDADE NEGATIVA. Não existe esperança de sucesso para quem afasta as pessoas por ter uma personalidade negativa. O sucesso vem da aplicação do PODER, e o poder é obtido a partir dos esforços cooperativos. Uma personalidade negativa não estimulará cooperação.
11. FALTA DE CONTROLE DOS IMPULSOS SEXUAIS. Devido ao modo como os seres humanos estão "programados", do ponto de vista biológico e genético, a energia sexual é o mais poderoso de todos os estímulos que induzem as pessoas à AÇÃO. Como é a mais poderosa das emoções, precisa ser controlada – por um processo de transmutação – e convertida em outros canais. (Mais sobre isso no Capítulo 10.)
12. DESEJO DESCONTROLADO DE "ALGO EM TROCA DE NADA". O instinto de levar vantagem conduz milhões de pessoas ao fracasso. Prova disso pode ser encontrada estudando a quebra da bolsa de Nova York em 1929, durante a qual muita gente tentou ganhar dinheiro apostando na compra de ações "à margem".
13. FALTA DE UM PODER DE DECISÃO BEM DEFINIDO. Pessoas bem-sucedidas tomam decisões depressa e as mudam, quando mudam, muito lentamente. Pessoas que fracassam tomam decisões muito devagar, quando as tomam, e as mudam depressa e com frequência. A indecisão e a procrastinação são irmãs gêmeas. Onde uma pode ser

encontrada, a outra em geral também está. Mate essa dupla antes que ela o amarre à engrenagem do FRACASSO.

14. UM OU MAIS DOS SEIS MEDOS FUNDAMENTAIS. Esses medos são analisados para você num capítulo posterior. Eles precisam ser dominados antes de você oferecer seus serviços no mercado com sucesso.

15. MÁ ESCOLHA DE PARCEIRO NUM CASAMENTO. Essa é uma causa muito comum de fracasso. A relação do casamento leva a um contato íntimo. A menos que essa relação seja harmoniosa, é provável que conduza ao fracasso. Além do mais, será uma forma de fracasso marcada pelo sofrimento e pela infelicidade, o que destruirá qualquer sinal de AMBIÇÃO.

16. EXCESSO DE CAUTELA. Em geral, quem não assume riscos precisa se contentar com o que tiver sobrado depois da escolha dos outros. O excesso de cautela é tão ruim quanto a falta de cautela. Ambos são extremos contra os quais é preciso se proteger. A vida em si está repleta do elemento risco.

17. MÁ ESCOLHA DE PARCEIROS PROFISSIONAIS. Essa é uma das causas mais comuns de fracasso nos negócios. Ao vender seus serviços pessoais, é preciso tomar muito cuidado para selecionar um empregador que seja inspirador, inteligente e bem-sucedido. Nós imitamos aqueles com quem nos associamos de modo mais estreito. Escolha um empregador que valha a pena imitar.

18. SUPERSTIÇÃO E PRECONCEITO. A superstição é uma forma de medo. Ela é também um sinal de ignorância. Pessoas de sucesso mantêm a mente aberta e não têm medo de nada.

19. MÁ ESCOLHA DE UMA VOCAÇÃO. Ninguém pode ter sucesso num ramo do qual não goste. O passo fundamental ao divulgar seus serviços pessoais é a escolha de uma profissão na qual você possa mergulhar de corpo e alma.

20. FALTA DE ESFORÇO CONCENTRADO. Dificilmente, o pau para toda obra consegue ser bom em alguma de suas atividades. Concentre todos os seus esforços num OBJETIVO PRINCIPAL PRECISO.

21. HÁBITO DE GASTAR INDISCRIMINADAMENTE. Esbanjadores não podem ter sucesso porque vivem com constante MEDO DA POBREZA. Forme hoje o hábito de poupar sistematicamente separando uma

porcentagem precisa da sua renda mensal (15% a 20% são o ideal, embora seja difícil; 5% são um mínimo absoluto). Dinheiro no banco proporciona uma base muito segura de CORAGEM quando se está negociando a venda de serviços pessoais. Sem dinheiro, a pessoa precisa aceitar o que lhe oferecerem e ficar aliviada por conseguir isso.

22. FALTA DE ENTUSIASMO. Sem entusiasmo não se pode ser convincente. Além do mais, o entusiasmo é contagioso, e quem o tiver sob controle em geral é bem recebido em qualquer grupo.

23. INTOLERÂNCIA. Quem tem uma mente fechada em relação a qualquer assunto raramente avança. Intolerância significa que se parou de adquirir conhecimento. As formas mais nocivas de intolerância são aquelas ligadas às diferenças de opinião religiosa, racial e política.

24. DESTEMPERO. As formas mais nocivas de destempero estão ligadas a comida, bebidas fortes, drogas e atividade sexual. O excesso em qualquer uma delas é fatal para o sucesso.

25. INCAPACIDADE DE COOPERAR COM OS OUTROS. Tal incapacidade leva mais pessoas a perderem seus cargos e grandes oportunidades na vida do que todos os outros motivos somados. Trata-se de um defeito que nenhum profissional ou líder bem informado vai tolerar.

26. TER UM PODER QUE NÃO FOI ADQUIRIDO POR ESFORÇO PRÓPRIO (por exemplo, filhos e filhas de famílias ricas e outros que herdam dinheiro). O poder nas mãos de quem não o obteve gradualmente muitas vezes é fatal para o sucesso. A RIQUEZA RÁPIDA é mais perigosa do que a pobreza.

27. DESONESTIDADE INTENCIONAL. Não há substituto para a honestidade. É possível ser desonesto temporariamente devido à força de circunstâncias sobre as quais não se tem controle, sem danos permanentes. Mas NÃO HÁ ESPERANÇA para quem é desonesto por opção. Mais cedo ou mais tarde, suas ações cobrarão seu preço e a pessoa há de pagar com a perda da sua reputação e talvez até da liberdade.

28. EGO E VAIDADE. Essas características servem de sinal vermelho para alertar os outros a manterem distância. SÃO FATAIS PARA O SUCESSO.

29. SUPOR EM VEZ DE PENSAR. A maioria das pessoas é demasiado indiferente ou preguiçosa para reunir FATOS e, a partir deles, PENSAR

DE FORMA CORRETA. Elas preferem agir com base em "opiniões" geradas por suposições ou juízos apressados.
30. FALTA DE CAPITAL. Essa é uma causa comum de fracasso entre aqueles que se lançam nos negócios pela primeira vez sem uma reserva suficiente de capital para absorver o choque de seus erros e para sustentar os negócios até eles terem estabelecido uma REPUTAÇÃO.
31. (Insira aqui qualquer causa específica de fracasso da qual você tenha padecido que não tenha sido incluída nesta lista.)

Na lista de "30 (ou 31) principais causas de fracasso" pode-se encontrar uma descrição da tragédia da vida, que se aplica a praticamente qualquer pessoa que tente e fracasse. Será útil se você puder induzir alguém que o conheça bem a percorrer essa lista com você e ajudá-lo a se analisar em relação às 30 causas de fracasso. Talvez seja útil tentar isso sozinho. A maioria das pessoas não consegue se ver como os outros as veem. Talvez você seja uma delas.

O mais antigo dos alertas é "Conhece a ti mesmo!". Para comercializar uma mercadoria com sucesso, é preciso conhecer a mercadoria. O mesmo vale para os serviços pessoais. Você precisa conhecer todas as suas fraquezas de modo a poder superá-las ou então eliminá-las por completo. Precisa conhecer suas forças de modo a poder chamar a atenção para elas quando estiver vendendo seus serviços. Só é possível se conhecer com uma análise cuidadosa.

A insensatez da ignorância em relação a si mesmo foi demonstrada por um rapaz que se candidatou a um cargo junto ao gerente de um negócio conhecido. Ele causou uma ótima impressão até o gerente lhe perguntar que salário esperava ganhar. Ele respondeu que não tinha nenhuma quantia fixa em mente (falta de objetivo preciso). O gerente falou: "Nós lhe pagaremos tudo que o senhor vale depois de termos feito uma experiência de uma semana."

"Eu não aceito", respondeu o candidato, "porque GANHO MAIS DO QUE ISSO ONDE ESTOU EMPREGADO AGORA."

Antes de sequer começar a negociar um reajuste do salário no seu cargo atual ou procurar emprego em outro lugar, CERTIFIQUE-SE DE QUE VOCÊ VALE MAIS DO QUE O QUE ESTÁ GANHANDO AGORA.

Uma coisa é QUERER dinheiro – todo mundo quer mais –, outra bem diferente é VALER MAIS! Muita gente confunde suas NECESSIDADES com o que lhe é JUSTAMENTE DEVIDO. Suas necessidades financeiras não têm absolutamente nada a ver com o seu VALOR. Seu valor é estabelecido inteiramente pela sua capacidade de prestar um serviço útil ou pela sua capacidade de estimular os outros a prestarem um serviço assim.

EXAMINE A SI MESMO
28 perguntas às quais você deve responder

Uma autoanálise anual é fundamental para a comercialização eficiente de seus serviços pessoais, da mesma forma que um inventário anual no ramo de vendas. Além disso, a análise anual deve revelar uma REDUÇÃO DOS DEFEITOS e um AUMENTO DAS VIRTUDES. Na vida, ou se avança, ou se fica parado, ou se anda para trás. O objetivo, naturalmente, deve ser avançar. Uma autoanálise anual revelará se houve algum avanço e, em caso positivo, quanto. Ela também revelará qualquer recuo. A comercialização eficiente de serviços pessoais exige que se avance, ainda que o progresso seja lento.

Sua autoanálise anual deve ser feita ao fim de cada ano, de modo que você possa incluir nas suas resoluções de ano-novo quaisquer melhorias que a análise indicar serem necessárias. Estabeleça essa lista fazendo a si mesmo as seguintes perguntas e conferindo as respostas com o auxílio de alguém que não lhe permita se ludibriar no que diz respeito à sua exatidão.

Questionário de autoanálise para balanço pessoal

1. Alcancei a meta que estabeleci como meu objetivo deste ano? (Você deve trabalhar com um objetivo anual preciso a ser alcançado como parte do seu objetivo de vida principal.)
2. Entreguei um serviço da melhor QUALIDADE possível de que fui capaz ou poderia ter melhorado alguma parte desse serviço?
3. Entreguei o serviço na maior QUANTIDADE da qual fui capaz?

4. O espírito da minha conduta foi harmonioso e cooperativo em todos os momentos?
5. Permiti ao hábito da PROCRASTINAÇÃO diminuir minha eficiência? Em caso positivo, quanto?
6. Melhorei minha PERSONALIDADE? Em caso positivo, de que maneira?
7. Fui PERSISTENTE ao seguir meus planos até sua conclusão?
8. Tomei decisões de modo RÁPIDO E PRECISO em todas as ocasiões?
9. Permiti que um ou mais dos Seis Medos Fundamentais diminuísse minha eficiência?
10. Demonstrei excesso ou falta de cautela?
11. Meu relacionamento com meus colegas de trabalho foi agradável? Caso tenha sido desagradável, a culpa foi parcial ou integralmente minha?
12. Dissipei minha energia com a falta de CONCENTRAÇÃO do esforço?
13. Mantive a mente aberta e fui tolerante com todos os temas?
14. De que modo melhorei minha capacidade de prestar serviço?
15. Fui destemperado em algum dos meus hábitos?
16. Expressei, abertamente ou em segredo, alguma forma de EGOLATRIA?
17. Minha conduta em relação a meus colegas foi tal que os tenha induzido a me RESPEITAR?
18. Minhas opiniões e DECISÕES se basearam em suposições ou na exatidão da análise e do PENSAMENTO?
19. Mantive o hábito de controlar meu tempo, minhas despesas e minha renda e fui firme nesse controle?
20. Quanto tempo dediquei a esforços NÃO LUCRATIVOS que poderia ter usado de modo mais vantajoso?
21. Como posso REDISTRIBUIR meu tempo e mudar meus hábitos de modo a ser mais eficiente no próximo ano?
22. Fui culpado de alguma conduta que não tenha sido aprovada pela minha consciência?
23. De que maneiras prestei MAIS E MELHORES SERVIÇOS do que fui pago para prestar?
24. Fui injusto com alguém? Em caso positivo, de que modo?
25. Se eu tivesse sido o comprador de meus próprios serviços durante o ano, estaria satisfeito com a compra?
26. Estou na profissão certa? Caso não esteja, por quê?

27. O comprador dos meus serviços ficou satisfeito com eles? Caso não tenha ficado, por quê?
28. Qual é minha pontuação atual nos princípios fundamentais do sucesso? (Estabeleça essa pontuação de modo justo e sincero e submeta-a à verificação de alguém corajoso o bastante para fazê-lo com precisão e comunicar-lhe o resultado.)

Depois de ler e assimilar as informações transmitidas neste capítulo, você agora está pronto para criar um plano prático para a comercialização de seus serviços pessoais. Este capítulo traz a descrição de todos os princípios essenciais para o planejamento e a venda de serviços pessoais, entre eles os principais atributos da liderança, as causas de fracasso mais comuns na liderança, as áreas de oportunidade para a liderança, as principais causas de fracasso em todos os setores da vida e as perguntas importantes que devem ser usadas na autoanálise.

É necessária a inclusão dessa apresentação extensa e detalhada de informações precisas para todos que querem iniciar a acumulação de riqueza vendendo serviços pessoais. Aqueles que perderam seus empregos, bens e fortunas e aqueles que estão apenas começando a ganhar dinheiro não têm nada além de serviços pessoais para oferecer em troca de riqueza; assim, é essencial que tenham disponíveis as informações práticas necessárias para vender serviços da melhor maneira possível.

As informações contidas neste capítulo serão de grande valia para todos que aspiram à liderança. Elas terão particular utilidade para aqueles cujo objetivo for vender seus serviços como executivos nas áreas de negócios ou da indústria.

A completa assimilação e compreensão das informações aqui transmitidas, além de úteis para vender os próprios serviços, também ajudará a pessoa a se tornar mais analítica e capaz de julgar os outros. As informações terão valor incalculável para diretores de recursos humanos e todos os supervisores e executivos encarregados de selecionar funcionários e manter organizações eficientes. Se você duvidar dessa afirmação, teste sua solidez respondendo por escrito as 28 perguntas da autoanálise. Isso pode ser tanto interessante quanto lucrativo, mesmo que você não duvide da solidez das afirmações.

Onde e como encontrar oportunidades para acumular riqueza

Agora que já analisamos seis dos 13 passos para a riqueza, é natural nos perguntarmos: "Onde encontrar oportunidades favoráveis para aplicar esses princípios?" Muito bem, analisemos e vejamos o que os Estados Unidos têm a oferecer para alguém que busca riqueza, seja grande ou pequena.

Para começar, vamos lembrar que vivemos num país onde os cidadãos respeitadores das leis gozam de uma liberdade de pensamento e de ação sem igual. A maioria de nós nunca analisou as vantagens dessa liberdade. Nunca comparamos nossa liberdade ilimitada com a liberdade restrita de outros países.

Aqui temos liberdade de pensamento e de expressão, de escolha e de aproveitamento da educação, religiosa, política, na escolha de um negócio, profissão ou ofício, para acumular e possuir sem ser molestados TODOS OS BENS QUE CONSEGUIRMOS ACUMULAR, para escolher nosso local de moradia, em relação ao casamento, por meio de oportunidades iguais para todas as raças, para viajar de um estado para outro, na escolha de alimentos e para ALMEJAR QUALQUER POSIÇÃO NA VIDA PARA A QUAL TENHAMOS NOS PREPARADO – inclusive a Presidência.

Temos outras formas de liberdade, mas o parágrafo anterior oferece uma visão geral das mais importantes, que constituem OPORTUNIDADES do mais alto grau. A vantagem dessas liberdades é ainda mais notável porque os Estados Unidos são o único país que garante a todo cidadão, nato ou naturalizado, uma lista de liberdades tão ampla e variada.

Recapitulemos a seguir algumas das bênçãos garantidas por nossa liberdade generalizada. Consideremos, por exemplo, a família americana padrão (uma família com renda mediana) e somemos os benefícios disponíveis para cada membro da família nesta terra de OPORTUNIDADE e fartura!

    a. COMIDA. Junto com a liberdade de pensamento e ação vêm COMIDA, VESTUÁRIO e ABRIGO, as três necessidades básicas da vida.

    Graças à nossa liberdade universal, a família americana padrão tem disponível, na porta de casa, a melhor seleção de alimentos que se pode encontrar em qualquer lugar do mundo, e a preços que estão dentro de suas possibilidades financeiras.

Uma família de quatro pessoas que more numa cidade americana de pequeno a médio porte, bem distante da fonte de produção dos alimentos, elaborou uma lista minuciosa do custo individual de um simples café da manhã, com o seguinte e espantoso resultado:

Itens alimentícios	Custo na mesa do café da manhã:[*]
suco de laranja (da Flórida)	0,56
cereal (trigo de fazenda no Kansas)	0,44
chá (da China)	0,20
bananas (da América do Sul)	0,28
torradas (de novo, trigo de fazenda no Kansas)	0,19
ovos frescos (de fazenda local)	0,18
açúcar (do Utah ou do Texas)	0,01
margarina (do Illinois)	0,16
leite (de leiteria local)	0,74
Total	US$ 2,76

Não é muito difícil obter COMIDA num país onde quatro pessoas podem tomar um café da manhã composto por tudo que quiserem ou necessitarem por 69 centavos cada uma! Observem que esse café da manhã simples foi reunido, por alguma estranha forma de magia, da China, da América do Sul, do Utah, do Kansas, do Illinois e entregue à mesa, pronto para ser consumido, bem no coração de uma cidade padrão, a um custo inteiramente dentro dos recursos do mais humilde trabalhador. No custo já estão inclusos todos os impostos federais, estaduais e municipais![11]

b. ABRIGO. Essa família vive num apartamento confortável, aquecido por gás natural, iluminado por luz elétrica e com gás encanado para o fogão, tudo por 800 dólares ao mês. Numa cidade menor, o mesmo apartamento poderia ser alugado por até 685 dólares mensais.

A torrada que eles comeram no café da manhã na lista dos alimentos foi tostada numa torradeira elétrica que custou apenas 15 dólares.

---

[*] A preços atuais.

O apartamento é limpo com um aspirador de pó movido a eletricidade. Há água fria e quente encanadas na cozinha e no banheiro. A comida é refrigerada numa geladeira funcionando a eletricidade. A esposa enrola o cabelo, lava e seca as roupas com equipamentos elétricos fáceis de usar, com eletricidade obtida inserindo um plugue na tomada. O marido faz a barba com um barbeador elétrico e eles recebem entretenimento do mundo inteiro, 24 horas por dia se quiserem, sem custo, simplesmente mudando o canal da TV ou a estação de rádio. Existem outros confortos nesse apartamento, mas a lista acima dá uma boa ideia de alguns dos indícios concretos da liberdade de que gozamos nos Estados Unidos.[12]

c. VESTUÁRIO. Em qualquer lugar do país, uma mulher com exigências medianas de vestimentas pode se vestir de modo muito confortável e elegante por menos de 1.500 dólares anuais, e o homem mediano pode se vestir por uma quantia igual ou menor.

Foram citadas apenas as três necessidades básicas de comida, vestuário e abrigo. O cidadão americano padrão dispõe de outros privilégios e vantagens em troca de um esforço modesto, sem exceder oito horas diárias de trabalho. Entre eles estão o privilégio do transporte automotivo, com o qual se pode ir e vir à vontade a um custo relativamente baixo.

Os americanos usufruem do direito à segurança de seus bens que não é encontrado em nenhum outro país do mundo. Eles podem guardar seu dinheiro excedente numa conta com a garantia de que o governo vai protegê-lo e ressarci-los caso o banco quebre. Se os cidadãos americanos quiserem viajar de um estado para outro, não precisam de passaporte nem da permissão de ninguém. Podem ir quando quiserem e voltar quando desejarem. Além do mais, podem viajar de carro particular, avião, ônibus, trem ou barco, conforme seu orçamento permitir.[13]

O milagre que proporcionou essas bênçãos

Muitas vezes ouvimos os políticos proclamarem as liberdades dos Estados Unidos ao pedirem votos, mas eles raramente dedicam tempo ou esforço suficientes à análise da origem ou da natureza dessa liberdade. Sem agenda para implementar, sem mágoas para desabafar e sem estar movido por nenhum motivo escuso, cabe a mim o privilégio de fazer uma análise franca desse misterioso, abstrato e muito incompreendido "QUÊ" que proporciona a todo cidadão dos Estados Unidos mais bênçãos, mais oportunidades de acumular riqueza e mais liberdade de tudo que se pode encontrar em outros países.

Tenho o direito de analisar a origem e a natureza desse PODER INVISÍVEL por conhecer, há mais de um quarto de século, muitas das pessoas que o organizaram e muitas das que agora são responsáveis por sua manutenção.

O nome desse misterioso benfeitor da humanidade é CAPITAL!

CAPITAL não consiste apenas em dinheiro, mas mais especificamente em grupos de indivíduos altamente organizados e inteligentes que planejam maneiras de usar o dinheiro de forma eficiente para o bem do público e de modo lucrativo para si próprios.

Esses grupos são formados por cientistas, educadores, químicos, inventores, analistas de negócios, executivos de publicidade, especialistas em transportes, contadores, advogados, médicos e tanto homens quanto mulheres que têm conhecimentos altamente especializados em todas as áreas da indústria e dos negócios. Eles desbravam, experimentam e abrem caminhos em novas áreas de empreendimento. Apoiam instituições de ensino superior, hospitais, escolas públicas, constroem boas estradas, publicam jornais, operam emissoras de televisão e estações de rádio, pagam a maior parte do custo do governo e cuidam dos numerosíssimos detalhes essenciais para o progresso humano. Resumindo, os capitalistas são *o cérebro da civilização*, pois proporcionam todo o tecido do qual toda educação, esclarecimento ou progresso humano consiste.

Dinheiro sem cérebro é sempre um perigo. Usado adequadamente, é o item essencial da civilização. O café da manhã simples descrito anteriormente jamais poderia ter sido entregue àquela família de quatro pessoas por cerca de 3 dólares ou por qualquer outro preço se o capital organizado não tivesse proporcionado máquinas, navios, ferrovias, caminhões e imensos exércitos de trabalhadores qualificados para garanti-lo.

Você pode ter uma leve ideia da importância do CAPITAL ORGANIZADO tentando se imaginar incumbido, sem o auxílio do capital, da responsabilidade de reunir e entregar para a família esse café da manhã.

Para obter o chá, você teria que viajar à China ou à Índia, ambas muito distantes dos Estados Unidos. A menos que seja um excelente nadador, você se cansaria bastante para ir e voltar. Além disso, teria pela frente outro problema: que dinheiro iria usar, ainda que tivesse a resistência física para atravessar o oceano a nado?

Para obter o açúcar, seria preciso fazer outra travessia até a região da beterraba do Utah ou as lavouras da Louisiana ou do Texas. Mesmo assim, talvez você voltasse sem o açúcar, porque produzi-lo demanda esforço organizado e dinheiro, sem falar no que é preciso para refinar, transportar e entregar o produto na mesa do café da manhã em qualquer lugar dos Estados Unidos.

Você poderia obter os ovos com relativa facilidade nas fazendas situadas na zona rural não muito distante da cidade, mas a caminhada de ida e volta até a Flórida seria muito longa antes de poder servir os quatro copos de suco de laranja. E você ainda teria outra longa caminhada até o Kansas ou algum outro estado produtor de trigo quando saísse à procura das quatro fatias de pão.

O cereal matinal teria que ser omitido do cardápio, pois só estaria disponível pelo trabalho de uma organização treinada de operários e máquinas adequadas, TODOS OS QUAIS DEMANDAM CAPITAL.

Enquanto estivesse descansando, você poderia partir para mais uma nadadinha até a América do Sul, onde pegaria uma ou duas bananas, e na volta daria uma passada na fazenda mais próxima que tivesse uma leiteria e pegaria um pouco de leite (e quem sabe um pouco de manteiga, pois teria que ficar sem a margarina, que, assim como o cereal em caixa, demanda CAPITAL para ser fabricada). Sua família então estaria pronta para se sentar e saborear o café da manhã e você poderia embolsar seus 6 *cents* e 7 *pennies* pelo trabalho que realizou!

Parece absurdo, não? Bem, o procedimento descrito seria a única maneira possível de pôr esses artigos alimentícios simples na mesa do café da manhã dessa família numa cidade do interior do país – se o sistema capitalista não existisse.

A quantia de dinheiro necessária para a construção e a manutenção de ferrovias, navios e linhas de transporte rodoviário usados na entrega desse simples desjejum é tão gigantesca que desafia a imaginação de qualquer um. Ela chega a bilhões de dólares, isso sem contar os exércitos de funcionários qualificados necessários para operar os navios, caminhões e trens. Mas o transporte é apenas parte das exigências da civilização moderna capitalista. Antes de haver qualquer coisa para transportar, é preciso plantá-la ou manufaturá-la e prepará-la para o mercado. Isso exige outros bilhões de dólares em equipamentos, máquinas, embalagens, comercialização e salários de milhões de homens e mulheres.

Navios, ferrovias, linhas aéreas e malhas ferroviárias não surgem do nada e começam a funcionar automaticamente. Eles surgem em resposta a um chamado da civilização, pela força de trabalho, a engenhosidade e a capacidade de organização de pessoas dotadas de IMAGINAÇÃO, FÉ, ENTUSIASMO, DECISÃO, PERSISTÊNCIA! Esses indivíduos são conhecidos como capitalistas. São motivados pelo desejo de construir, soerguer, conquistar, prestar um serviço útil, lucrar e acumular riqueza. E, como PRESTAM UM SERVIÇO SEM O QUAL NÃO HAVERIA CIVILIZAÇÃO, têm a possibilidade de conquistar grande riqueza.

Apenas para manter um registro simples e compreensível, acrescento ainda que esses capitalistas são exatamente as mesmas pessoas sobre as quais a maioria de nós já ouviu oradores improvisados falarem. As mesmas às quais radicais, estelionatários, políticos desonestos e líderes trabalhistas duvidosos se referiram como "interesses predatórios", "Wall Street" ou "grande capital".

Não estou tentando apresentar um argumento a favor ou contra qualquer grupo ou sistema econômico. Nem estou tentando condenar negociações coletivas quando me refiro a "líderes trabalhistas duvidosos". E meu objetivo tampouco é legitimar todos os indivíduos conhecidos como capitalistas ou empreendedores.

O propósito deste livro – ao qual dediquei fielmente um quarto de século – é apresentar a todos que desejarem esse conhecimento a mais sólida filosofia pela qual indivíduos podem acumular riqueza na quantidade que quiserem.

Analisei aqui as vantagens econômicas do sistema capitalista com o duplo propósito de mostrar:

1. que todos aqueles que buscam riqueza precisam reconhecer e se adaptar ao sistema que controla todos os modos de se fazer fortuna, seja ela grande ou pequena.
2. o lado da moeda oposto ao que vem sendo mostrado por políticos e demagogos que mascaram deliberadamente as questões que abordam, referindo-se ao capital organizado ou ao livre empreendedorismo como se fosse algo venenoso.

Este é um país de livre empreendedorismo, um país capitalista que se desenvolveu por meio do uso do capital, e nós, que reivindicamos o direito de usufruir das bênçãos da liberdade e da oportunidade, que buscamos acumular riqueza aqui, é melhor sabermos que nem riqueza nem oportunidade estariam disponíveis se o CAPITAL ORGANIZADO não houvesse proporcionado esses benefícios.

Durante décadas, desferir golpes contra "WALL STREET" e os "GRANDES NEGÓCIOS" foi passatempo apreciado e cada vez mais frequente de radicais, políticos interesseiros, estelionatários, líderes trabalhistas corruptos e, às vezes, até líderes religiosos.[14]

A prática se tornou tão generalizada que, por algum tempo, durante a Grande Depressão, testemunhamos a cena inacreditável de funcionários do alto escalão do governo alinhando-se a políticos baratos e líderes trabalhistas com o propósito abertamente confesso de pisotear o sistema que fez dos Estados Unidos industriais o país mais rico do mundo. O ataque foi tão generalizado e tão bem orquestrado que prolongou a mais duradoura depressão que o país já atravessou. Custou o emprego a milhões de pessoas, pois esses empregos eram parte inseparável do sistema industrial e capitalista que forma a própria espinha dorsal da nação.

Durante essa aliança incomum entre membros do governo e indivíduos interesseiros cuja intenção era lucrar declarando "caça aberta" ao sistema industrial norte-americano, um certo tipo de líder trabalhista uniu forças com esses políticos e ofereceu eleitores em troca de leis forjadas para permitir às pessoas TIRAR RIQUEZA DA INDÚSTRIA POR MEIO DA FORÇA COLETIVA ORGANIZADA EM VEZ DO MÉTODO DE PAGAR UM DIA JUSTO DE TRABALHO COM UM DIA JUSTO DE SALÁRIO.

Milhões de homens e mulheres país afora ainda se dedicam a esse popular passatempo de tentar OBTER sem DAR. Alguns estão alinhados com sindicatos para exigir MENOS HORAS DE TRABALHO E UM SALÁRIO MAIS ALTO! Outros sequer se dão ao trabalho de trabalhar. ELES EXIGEM AUXÍLIO DO GOVERNO E ESTÃO CONSEGUINDO.[15]

Se você acredita que a riqueza pode ser acumulada pelo simples ato de indivíduos que se organizam em grupos e exigem MAIS SALÁRIOS em troca de MENOS SERVIÇOS, se você EXIGE auxílio do governo sem estar disposto a retribuir com qualquer tipo de serviço, se acredita em trocar seus votos pela aprovação de leis que permitam o saque do Tesouro Público, pode ficar tranquilo na sua crença, com a certeza de que ninguém vai incomodá-lo, pois ESTE É UM PAÍS LIVRE ONDE CADA UM PODE PENSAR O QUE QUISER, onde quase todo mundo pode viver com pouco esforço, onde muitos podem viver bem sem nem trabalhar.

Mas você deveria conhecer toda a verdade em relação a essa LIBERDADE da qual tantos se gabam e que tão poucos compreendem. Por melhor que seja, por maior que seja o seu alcance, por mais privilégios que proporcione, ELA NÃO TRAZ E NÃO PODE TRAZER RIQUEZA SEM ESFORÇO.

Só existe um método confiável de acumular e manter riqueza de forma legítima: *prestando um serviço útil*. Nunca foi criado um sistema no qual as pessoas possam adquirir riqueza legalmente pela mera força dos números ou sem dar em troca um valor equivalente de alguma maneira.

Existe um princípio conhecido como LEI DA ECONOMIA! Ele é mais do que uma teoria. É uma lei que ninguém é capaz de derrotar. Guarde bem o nome desse princípio e lembre-se dele, pois é muito mais poderoso do que todos os políticos e do que toda a máquina pública. Está acima e além do alcance do controle de todos os grupos de interesses especiais e sindicatos trabalhistas. Não pode ser direcionado, nem influenciado, nem subornado por estelionatários ou líderes autoproclamados de qualquer natureza. Além disso, TEM UM OLHO QUE TUDO VÊ E UM SISTEMA DE CONTABILIDADE PERFEITO, com o qual mantém um controle preciso das transações de todos os seres humanos dedicados à atividade de tentar obter sem dar.

Mais cedo ou mais tarde, seus auditores chegam, examinam os números de indivíduos grandes e pequenos e exigem que as contas fechem.

"Wall Street", "Grandes Negócios", "Interesses Predatórios do Capital": seja qual for o nome que você resolva dar, o sistema que nos proporcionou a LIBERDADE NORTE-AMERICANA representa um grupo de pessoas que compreende, respeita e se adapta a essa poderosa LEI DA ECONOMIA! Sua perpetuação financeira depende do seu respeito a essa lei.

A maioria da população gosta deste país, com seu sistema capitalista e tudo. Devo confessar que não conheço nenhum país melhor onde se possa encontrar maiores oportunidades para acumular riqueza. A julgar por seus atos e feitos, algumas pessoas não gostam dos Estados Unidos. Naturalmente, esse é um direito seu: se não gostam de seu sistema capitalista e de suas oportunidades ilimitadas, *elas estão livres para ir embora!* Há sempre outros lugares onde se pode tentar gozar de liberdade e acumular riqueza, contanto que a pessoa não seja demasiado exigente.[16]

Os Estados Unidos proporcionam toda a liberdade e toda a oportunidade para acumular riqueza que uma pessoa honesta possa querer. Quando alguém sai para uma caçada, escolhe um terreno onde a caça seja abundante. Quando se estiver buscando riqueza, naturalmente a mesma regra se aplica.

Se riqueza for o que você estiver buscando, não subestime as possibilidades de um país cujos habitantes são tão ricos que gastam mais de 29 bilhões de dólares por ano em cuidados com os cabelos, as unhas e a pele.[17] Pense duas vezes, você que busca riqueza, antes de tentar destruir o sistema capitalista de um país cujos habitantes gastam mais de 25 bilhões por ano em jornais, 31 bilhões em livros, quase 14 bilhões em gravações de músicas e quase 54 bilhões em cinema, artigos que representam a LIBERDADE de expressão!

Sem dúvida, avalie com bastante cuidado um país cujo povo gasta mais de 115 bilhões de dólares anuais em fast-food e 13,3 bilhões em bares e restaurantes.

Não tenha pressa em se afastar de um país cujo povo se desfaz por vontade própria, com certo entusiasmo até, de 34 bilhões de dólares anuais para comprar brinquedos, 38 bilhões para cuidar de seus gramados e jardins e 74 bilhões para adquirir artigos esportivos. E, com toda a certeza, FIQUE num país onde os habitantes gastam mais de 91 bilhões por ano em móveis e artigos para casa, 167 bilhões em roupas e acessórios, 22 bilhões em lavanderias e tinturarias, 87 bilhões em lojas de eletrodomésticos e eletrônicos e quase 14 bilhões para enterrar seus mortos.

Lembre-se também de que isso é apenas o início das fontes disponíveis para o acúmulo de riqueza. Foram mencionados apenas uns poucos luxos e artigos não essenciais. Mas lembre-se de que as operações envolvidas na produção, no transporte e na comercialização desses poucos itens de mercadoria proporcionam emprego fixo para MUITOS MILHÕES DE HOMENS E MULHERES que recebem pelo seu serviço BILHÕES DE DÓLARES MENSAIS e os gastam livremente tanto com os luxos quanto com os itens básicos.

Lembre-se, acima de tudo, de que por trás de toda essa troca de mercadorias e serviços pessoais pode-se encontrar uma profusão de OPORTUNIDADES para acumular riqueza. É aí que nossa LIBERDADE NORTE-AMERICANA vem em nosso auxílio. Não há nada que impeça você ou qualquer outra pessoa de realizar qualquer parte do esforço necessário para materializar esses negócios. Com uma boa dose de talento, treino e experiência, é possível acumular riqueza em grande quantidade. Quem não tiver tanta sorte talvez acumule quantias menores. Qualquer um pode ganhar a vida em troca de pouco trabalho.

Sendo assim... é isso!

A OPORTUNIDADE lhe mostrou tudo que tem para oferecer. Aproxime-se, escolha o que você quer, crie seu plano, coloque esse plano em ação e persevere graças à sua PERSISTÊNCIA. O "capitalismo" norte-americano cuidará do resto. De uma coisa você pode ter certeza: OS ESTADOS UNIDOS GARANTEM A TODOS O DIREITO DE PRESTAR UM SERVIÇO ÚTIL E DE ACUMULAR RIQUEZA DIRETAMENTE PROPORCIONAL AO VALOR DO SERVIÇO PRESTADO.

O "sistema" não nega esse direito a ninguém, mas não promete nem pode prometer ALGO EM TROCA DE NADA, pois o sistema em si é irrevogavelmente controlado pela LEI DA ECONOMIA, que não reconhece nem tolera por muito tempo OBTER SEM DAR.

A LEI DA ECONOMIA foi promulgada pela Natureza! Não existe nenhuma Suprema Corte à qual os transgressores dessa lei possam recorrer. A lei distribui tanto penalidades para quem a transgride quanto recompensas adequadas aos que a respeitam, sem interferência ou possibilidade de interferência por parte de qualquer ser humano. A lei não pode ser rejeitada. É tão fixa quanto as estrelas no firmamento e, ao mesmo tempo, está subordinada e constitui parte integrante do mesmo sistema que controla as estrelas.

É possível se recusar a se adaptar à LEI DA ECONOMIA?

Com certeza! Este é um país livre, no qual todos nascem com os mesmos direitos, entre eles o de ignorar a LEI DA ECONOMIA. O que acontece então? Bem, não acontece nada até que pessoas unam forças com o propósito confesso de ignorar a lei e tomar à força o que querem. *Então vem o ditador, com esquadrões de atiradores bem organizados e metralhadoras!* Nos Estados Unidos nós nunca chegamos a esse estágio![18] Mas sabemos tudo sobre como funciona esse sistema. Quem sabe tenhamos a sorte de não precisar conhecer na pele uma realidade tão terrível. Sem dúvida preferiremos continuar com nossa LIBERDADE DE EXPRESSÃO, LIBERDADE DE AÇÃO e LIBERDADE PARA PRESTAR UM SERVIÇO ÚTIL EM TROCA DE RIQUEZA.

A prática de agentes do governo de estender a homens e mulheres o direito de saquear o Tesouro Público em troca de votos às vezes resulta numa eleição, mas, assim como o dia sucede a noite, o saldo final sempre chega quando cada centavo usado de maneira equivocada precisa ser devolvido com juros e mais juros acumulados. Se aqueles que "cometem o saque" não forem forçados a devolver, o ônus recai sobre seus filhos, e sobre os filhos de seus filhos, "até a terceira ou quarta gerações". Não há como escapar da dívida.[19]

As pessoas podem se reunir em grupos com o propósito de "forçar" aumentos de salário e redução da jornada de trabalho, e às vezes o fazem. Existe um limite que elas não podem ultrapassar. É o limite em que a LEI DA ECONOMIA intervém e o xerife captura tanto o empregador quanto os empregados.[20]

Durante seis anos, de 1929 a 1935, o povo dos Estados Unidos, tanto os ricos quanto os pobres, por pouco não viu a "Velha Economia" entregar ao xerife todos os negócios, indústrias e bancos. Não foi bonito! E não aumentou nosso respeito pela psicologia da turba por meio da qual as pessoas mandam a razão às favas e começam a tentar OBTER SEM DAR.

Nós, que atravessamos esses seis desanimadores anos – quando o MEDO ESTAVA NO COMANDO E A FÉ ESTAVA NA LONA –, não podemos esquecer o modo implacável como a LEI DA ECONOMIA cobrou seu preço tanto de ricos quanto de pobres, tanto de fracos quanto de fortes, tanto de velhos quanto de jovens. Não desejamos passar por outra experiência assim.

Essas observações não estão fundamentadas numa experiência de curto prazo. Elas são resultado de 25 anos de análise cuidadosa dos métodos dos indivíduos mais bem-sucedidos que os Estados Unidos conheceram. Essas pessoas qualificadas, trabalhadoras, inteligentes – e pessoas como elas hoje em dia, e pessoas como elas que viveram no passado – representam a verdadeira genialidade do sistema norte-americano de livre empreendedorismo e do *american way of life*. Seus atributos ajudaram a nação a sobreviver à Grande Depressão e a prosperar. Um desses atributos é a FIRMEZA DE DECISÃO, cujo domínio representa *o sétimo passo para a riqueza*. E é nesse passo que vamos agora concentrar nossa atenção.

*Deus parece ficar ao lado
das pessoas que sabem exatamente
o que querem, se elas estiverem decididas
a obter JUSTAMENTE ISSO!*

CAPÍTULO 7

Decisão

O controle da procrastinação
O sétimo passo para a riqueza

Uma ANÁLISE CUIDADOSA de homens e mulheres que vivenciaram o fracasso revelou que a FALTA DE DECISÃO estava perto do topo da lista das 30 principais causas de fracasso (Capítulo 6). Não se trata aqui da mera afirmação de uma teoria – *trata-se de um fato*.

A PROCRASTINAÇÃO, ao contrário da DECISÃO, é um inimigo comum que praticamente todo indivíduo precisa vencer.

Você terá a oportunidade de testar sua capacidade de tomar DECISÕES *rápidas* e *firmes* quando terminar de ler este livro e estiver pronto para começar a colocar em AÇÃO os princípios nele descritos.

A análise das centenas de pessoas que acumularam fortunas bem superiores à marca de 1 milhão de dólares revelou o fato de que *todas elas* tinham o hábito de TOMAR DECISÕES RÁPIDAS e mudar essas decisões devagar, se e quando mudassem. Pessoas que não conseguem acumular dinheiro, *sem exceção*, têm o hábito de tomar decisões, QUANDO AS TOMAM, muito *devagar* e de *mudar essas decisões depressa e com frequência*.

Uma das qualidades mais notáveis de Henry Ford era o seu hábito de tomar decisões de modo rápido e firme e de mudá-las vagarosamente. Uma qualidade tão marcante que lhe rendeu a reputação de ser teimoso. Foi essa virtude que o levou a seguir fabricando seu célebre Modelo T (o carro mais feio do mundo) enquanto todos os seus consultores e muitos dos compradores do carro insistiam para que ele o modificasse.

Talvez Ford tenha demorado demais a fazer a mudança, mas o outro lado da história é que a firmeza da sua decisão lhe rendeu uma imensa fortuna antes que a mudança no seu modelo se tornasse necessária. Não resta muita dúvida de que o hábito de tomar decisões firmes do Sr. Ford chegava às raias da teimosia, mas é preferível essa qualidade à lentidão em tomar decisões e à rapidez em mudá-las.

Em geral, as pessoas que não conseguem acumular dinheiro suficiente para cobrir suas necessidades se deixam influenciar facilmente pela opinião dos outros. Permitem que jornais e vizinhos "fofoqueiros" pensem no seu lugar. As opiniões são o artigo mais barato que existe. Todo mundo tem uma penca de opiniões prontas para serem impostas a qualquer um que as aceite. Se você se deixa influenciar pelas opiniões alheias ao tomar DECISÕES, não terá sucesso em empreitada alguma, muito menos na de transmutar SEU DESEJO em dinheiro.

Se você se deixa influenciar demasiado facilmente pelas opiniões alheias, não terá DESEJO próprio.

Siga seus instintos quando começar a pôr em prática os princípios descritos neste livro *tomando e seguindo as próprias decisões*. Não faça confidências a ninguém, EXCETO aos integrantes de seu Grupo de Mentes Mestras, e tenha plena certeza, na hora de selecionar esse grupo, de escolher APENAS aqueles que tenham PLENA EMPATIA E HARMONIA COM O SEU PROPÓSITO.

Amigos próximos e parentes, embora não tenham a intenção de fazê-lo, muitas vezes nos atrapalham com suas opiniões e, às vezes, ao nos ridicularizarem com observações que pretendem parecer divertidas. Milhares de homens e mulheres carregam um complexo de inferioridade durante toda a vida porque alguma pessoa bem-intencionada, porém ignorante, destruiu a confiança deles com opiniões ou ao ridicularizar suas ideias.

Você tem seu próprio cérebro e sua própria mente. USE-OS e tome as próprias decisões. Se precisar de fatos ou informações que lhe permitam tomar as próprias decisões, como será provável acontecer em muitos casos, pesquise esses fatos ou obtenha as informações que necessita discretamente, sem revelar seu propósito.

É típico daqueles que só têm um punhado ou um verniz de conhecimento tentar passar a impressão de que o detêm em abundância. Essas pessoas em geral falam DE MAIS e escutam DE MENOS. Mantenha olhos e ouvidos bem abertos – e a boca FECHADA – se quiser adquirir o hábito de tomar DECISÕES rápidas. Quem fala muito faz pouca coisa além disso. Se você fala mais do que escuta, não apenas se priva de oportunidades de acumular conhecimento útil, mas também revela seus PLANOS E PROPÓSITOS a pessoas que terão grande deleite em derrotá-lo porque sentem inveja de você.

Lembre-se também de que, toda vez que abre a boca diante de alguém com muito conhecimento, você mostra a essa pessoa qual é exatamente o seu estoque de conhecimento ou a FALTA dele! A sabedoria genuína em geral se manifesta por meio da *modéstia* e do *silêncio*.

Tenha sempre em mente o fato de que todas as pessoas com as quais você se associa estão, assim como você, buscando uma oportunidade para acumular dinheiro. Se você falar demasiado abertamente sobre os seus planos, pode se surpreender ao ficar sabendo que alguma outra pessoa chegou antes ao seu objetivo PONDO EM AÇÃO ANTES DE VOCÊ os planos sobre os quais você insensatamente falou.

Faça com que uma de suas primeiras decisões seja MANTER A BOCA FECHADA E OS OUVIDOS E OS OLHOS ABERTOS.

Como um lembrete para seguir esse conselho, será útil você copiar o seguinte epigrama em letras graúdas e pôr num lugar onde o verá diariamente:

"DIGA AO MUNDO O QUE VOCÊ PRETENDE FAZER, MAS PRIMEIRO MOSTRE."

Isso equivale a dizer que "o que mais conta são as atitudes, não as palavras".

Uma decisão de liberdade ou morte

O valor das decisões depende da coragem exigida para aplicá-las. As grandes decisões, que serviram de base para a civilização, foram tomadas assumindo grandes riscos, que muitas vezes significavam a possibilidade da morte.

A decisão de Lincoln de fazer sua célebre "Proclamação de Emancipação", que concedeu liberdade aos escravos dos Estados Unidos, foi tomada com a plena compreensão de que esse ato levaria milhares de amigos e apoiadores políticos a se voltarem contra ele. Lincoln sabia também que essa proclamação significaria a morte de milhares de homens nos campos de batalha. No fim das contas, custou-lhe a própria vida. Isso exigiu coragem.

A decisão de Sócrates de beber o cálice de cicuta para não comprometer sua crença pessoal foi corajosa. Ela fez o tempo avançar mil anos e deu a pessoas ainda não nascidas o direito à liberdade de pensamento e de expressão.

A decisão do general Robert E. Lee de se separar da União e abraçar a causa do Sul foi também ousada, pois ele bem sabia que poderia lhe custar a própria vida e que com certeza custaria vidas alheias.

Mas a maior decisão de todos os tempos, no que diz respeito a um cidadão norte-americano, foi tomada em Filadélfia, no dia 4 de julho de 1776, quando 56 pessoas assinaram um documento que, como sabiam, daria liberdade a todos os norte-americanos ou *faria com que todos os 56 fossem pendurados numa forca!*

Talvez você já tenha ouvido falar nesse documento, mas pode ser que não tenha extraído dele a grande lição de sucesso pessoal que tão bem ensinou. Todos sabemos a data dessa importante decisão, mas poucos entre nós compreendem a coragem que ela demandou. Recordamos a história como nos foi ensinada: rememoramos datas, o nome de quem lutou; lembramo-nos do acampamento de Valley Forge e da batalha de Yorktown; recordamo-nos de George Washington e lorde Cornwallis. Mas pouco sabemos sobre as verdadeiras forças por trás desses nomes, datas e lugares. Sabemos menos ainda sobre o intangível PODER que nos garantiu liberdade *bem antes de os exércitos de Washington chegarem a Yorktown.*

Lemos a história da Revolução Americana e imaginamos, equivocadamente, que George Washington foi o Pai de nosso País, que foi ele quem conquistou nossa liberdade, quando na verdade Washington foi apenas um acessório posterior ao fato, porque a vitória de seus exércitos já estava garantida muito antes de lorde Cornwallis se render. Não se pretende aqui roubar de Washington nenhuma parcela da glória que ele tanto mereceu. O propósito, isso sim, é dar mais atenção ao espantoso PODER que foi a verdadeira causa da sua vitória.

É quase uma tragédia que os historiadores tenham deixado de lado qualquer ínfima referência ao irresistível PODER que deu origem e liberdade à nação destinada a estabelecer novos padrões de independência para todos os povos da Terra. Digo tragédia porque se trata do mesmo PODER que precisa ser usado por todos que superam as dificuldades da vida e a obrigam a pagar o preço pedido.

Vamos rever brevemente os acontecimentos que deram origem a esse PODER. A história começa com um incidente em Boston, no dia 5 de março de 1770. Soldados britânicos patrulhavam as ruas, ameaçando abertamente os cidadãos com sua presença. Os colonos se sentiram ofendidos por haver soldados armados marchando entre eles. A população começou a expressar sua indignação abertamente, lançando tanto pedras quanto ofensas aos soldados que passavam até seu comandante dar a ordem de "Carregar baionetas... atacar!".

Começou a batalha, que deixou muitos mortos e feridos. O incidente causou tamanha revolta que a Assembleia da Província (formada por colonos importantes) convocou uma reunião com o propósito de adotar uma ação firme. Dois dos integrantes dessa assembleia eram John Hancock e Samuel Adams – VIDA LONGA A ESSES NOMES! Eles pediram corajosamente a palavra e declararam que era preciso tomar uma atitude para expulsar todos os soldados britânicos de Boston.

Lembre-se disso: uma DECISÃO, na mente de dois indivíduos, pode muito bem ser chamada de início da liberdade da qual nós norte-americanos podemos hoje usufruir. Lembre-se, também, de que a DECISÃO desses dois homens exigiu FÉ e CORAGEM, pois foi perigosa.

Antes de a assembleia se encerrar, Samuel Adams foi encarregado de procurar o governador da província, Thomas Hutchinson, e exigir a saída das tropas britânicas.

O pedido foi aceito e as tropas foram retiradas de Boston, mas o incidente não se encerrou. Ele havia provocado uma situação fadada a modificar toda a tendência civilizatória. Não é estranho que as grandes mudanças, como a Revolução Americana e a Primeira Guerra Mundial, muitas vezes tenham seu início em circunstâncias que parecem pouco importantes? É interessante também observar que essas mudanças importantes em geral começam na forma de uma DECISÃO CLARA na mente de um número relativamente pequeno de pessoas. Poucos entre nós conhecem a história de nosso país o bastante para perceber que John Hancock, Samuel Adams e Richard Henry Lee (da província da Virgínia) foram os verdadeiros Pais da Nação.

Richard Henry Lee se tornou um fator importante nessa história devido ao fato de que ele e Samuel Adams se comunicavam com frequência (por correspondência), compartilhando livremente seus medos e esperanças em relação ao bem-estar da população de suas províncias. A partir dessa prática, Adams teve a ideia de que uma troca mútua de cartas entre as 13 colônias poderia ajudar a produzir o esforço coordenado tão necessário para solucionar seus problemas. Em março de 1772, dois anos após o confronto com os soldados em Boston, Adams apresentou essa ideia ao propor à Assembleia a criação de um Comitê de Correspondência entre as colônias, que teriam, cada uma, correspondentes devidamente nomeados, "com o propósito de uma cooperação amigável para o melhoramento das colônias da América britânica".

Lembre-se bem desse incidente! Foi o início da organização do abrangente PODER destinado a prover liberdade para mim e para você. A Mente Mestra já estava organizada. Era formada por Adams, Lee e Hancock. (É como diz o Evangelho em Mateus 18:19: "Também lhes digo que, se dois de vocês concordarem na Terra sobre qualquer coisa que pedirem, isso lhes será feito por meu Pai, que está nos céus.")

O Comitê de Correspondência foi organizado. Observe que essa ação proporcionou um modo de aumentar o poder da Mente Mestra acrescentando-lhe pessoas de todas as colônias. Repare que esse procedimento constituiu o primeiro PLANEJAMENTO ORGANIZADO dos colonos descontentes.

A união faz a força! Os cidadãos das colônias vinham travando uma guerra desorganizada contra os soldados britânicos em incidentes semelhantes à rebelião de Boston, mas nada significativo fora obtido. Suas queixas individuais não tinham sido consolidadas sob uma única Mente Mestra. Nenhum grupo reunira seus corações, mentes e corpos numa DECISÃO firme de resolver de uma vez por todas suas dificuldades com os britânicos – até Adams, Hancock e Lee se juntarem.

Enquanto isso, os britânicos não estavam de braços cruzados. Por sua vez, eles se dedicavam a um PLANEJAMENTO e à formação de uma Mente Mestra, com a vantagem de contar com dinheiro e um exército organizado.

A Coroa nomeou o general de brigada Thomas Gage para suceder Hutchinson como governador de Massachusetts. Um de seus primeiros atos foi mandar um mensageiro procurar Samuel Adams com o objetivo de tentar fazer cessar sua oposição – MEDO.

Podemos entender melhor o espírito do que aconteceu citando a conversa entre um certo coronel Fenton (o mensageiro enviado por Gage) e Adams.

Coronel Fenton: "Fui autorizado pelo governador Gage a lhe garantir, Sr. Adams, que o governador lhe concederá todos os benefícios adequados com a condição de que o senhor se comprometa a cessar sua oposição às medidas do governo. O conselho que o governador lhe dá, Sr. Adams, é parar de desagradar Sua Majestade. Sua conduta foi de tal ordem que o torna sujeito às penalidades de uma lei de Henrique VIII segundo a qual pessoas podem ser mandadas para a Inglaterra para serem julgadas por alta traição ou por não impedi-la* mediante decisão do governador de uma província. Ao MUDAR SEU RUMO POLÍTICO, porém, o senhor não só receberá grandes vantagens pessoais como fará as pazes com o rei."

Samuel Adams podia escolher entre duas DECISÕES. Ele podia parar de fazer oposição e receber propina ou CONTINUAR E CORRER O RISCO DE SER ENFORCADO!

Estava claro que havia chegado o momento em que Adams era *forçado a tomar* uma DECISÃO *imediata* que poderia lhe custar a vida. Muitas pessoas teriam achado difícil tomar uma decisão assim. A maioria daria uma resposta evasiva, mas Adams não! Ele insistiu em ter a palavra de honra do coronel Fenton de que este transmitiria as palavras exatas de sua resposta ao governador.

A resposta de Adams foi a seguinte: "Diga ao governador Gage que acredito ter feito as pazes há muito tempo com o Rei dos Reis. Nenhuma consideração pessoal me levará a abandonar a causa justa do meu país. E DIGA AO GOVERNADOR GAGE QUE O CONSELHO QUE SAMUEL ADAMS LHE DÁ é parar de ofender os sentimentos de um povo exasperado."

Parece desnecessário tecer qualquer comentário em relação ao caráter desse homem. Deve ser óbvio para qualquer um que leia essa espantosa mensagem que seu autor tinha o mais alto grau de lealdade. *Isso é importante.*[1]

Quando o governador Gage recebeu a resposta ácida de Adams, ficou uma fera e emitiu uma proclamação que dizia: "Venho por meio desta, em

---

* No original, *misprison* significa qualquer violação de um dever oficial ou qualquer falha por parte de um indivíduo que não esteja ativamente envolvido no cometimento de um crime em impedi-lo ou denunciá-lo às autoridades.

nome de Sua Majestade, oferecer e prometer seu mais benevolente perdão a todos que daqui em diante depuserem suas armas e retornarem a seus deveres de súditos pacíficos, excetuando do benefício desse perdão apenas SAMUEL ADAMS E JOHN HANCOCK, cujas ofensas são de natureza demasiado criminosa para admitir qualquer outra consideração que não a de uma punição condizente."

Como se poderia dizer em termos mais simples, Adams e Hancock eram "a bola da vez"! A ameaça do governador furioso forçou os dois homens a tomar outra DECISÃO igualmente perigosa. Eles convocaram às pressas uma reunião com seus mais ferrenhos seguidores. (Nesse ponto, a Mente Mestra começou a ganhar força.) Uma vez iniciada a reunião, Adams trancou a porta, pôs a chave no bolso e informou a todos os presentes que era vital organizar um Congresso de Colonos e que NINGUÉM DEVERIA DEIXAR O RECINTO ATÉ A DECISÃO DE CONSTITUIR ESSE CONGRESSO TER SIDO TOMADA.

Seguiu-se uma forte agitação. Alguns pesaram as possíveis consequências de tal radicalismo (Temor de Homem Velho). Outros expressaram graves dúvidas quanto à sensatez de uma *decisão tão firme* à revelia da Coroa. Trancados dentro daquela sala estavam DOIS HOMENS imunes ao medo, cegos para a possibilidade de fracasso: Hancock e Adams. Pela influência de suas mentes, os outros foram levados a concordar que, por meio do Comitê de Correspondência, era preciso organizar uma reunião do Primeiro Congresso Continental, marcada para ocorrer em Filadélfia no dia 5 de setembro de 1774.

Lembre-se dessa data. Ela é mais importante do que 4 de julho de 1776. Caso não houvesse a DECISÃO de organizar um Congresso Continental, a Declaração de Independência não teria sido assinada.

Antes da primeira reunião do novo Congresso, outro líder, numa região diferente do país, estava muito envolvido na publicação da *Visão resumida dos direitos da América Britânica*. Era Thomas Jefferson, da província da Virgínia, cuja relação com lorde Dunmore (o representante da Coroa na Virgínia) era tão tensa quanto a de Hancock e Adams com seu governador.

Pouco depois da publicação de seu célebre *Resumo de direitos*, Jefferson foi informado de que estava sujeito a ser julgado por alta traição contra o governo de Sua Majestade. Inspirado por essa ameaça, um de seus colegas,

Patrick Henry, disse corajosamente o que pensava e concluiu suas observações com uma frase que será para sempre um clássico: *"Se isso for alta traição, então tire o máximo proveito."*

Foram homens como esses que, sem poder, sem autoridade, sem força militar e sem dinheiro, se reuniram para debater solenemente o destino das colônias, primeiro na abertura do Primeiro Congresso Continental e depois, de tempos em tempos, durante dois anos – até o dia 7 de junho de 1776, quando Richard Henry Lee se levantou, dirigiu-se ao presidente da assembleia e diante dos integrantes estarrecidos fez a seguinte proposta: "Senhores, eu proponho que estas Colônias Unidas sejam e, por direito, devam ser estados livres e independentes, que sejam liberadas de qualquer compromisso com a Coroa britânica e que qualquer vínculo político entre eles e a nação da Grã-Bretanha seja e deva ser totalmente desfeito."

A espantosa proposta de Lee levou a discussões calorosas durante tanto tempo que ele começou a perder a paciência. Por fim, após dias de debates, ele tornou a descer ao plenário e declarou em voz nítida e firme: "Sr. Presidente, estamos debatendo essa questão há dias. É o único caminho que temos a seguir. Nesse caso, Sr. Presidente, por que a demora? Por que seguir deliberando? Que este dia feliz dê à luz uma República Americana. Que ela surja não para devastar e conquistar, mas para restabelecer o reinado da paz e da lei. Os olhos da Europa estão cravados em nós. Ela nos exige um exemplo vivo de liberdade que possa contrastar, na felicidade do cidadão, com a tirania crescente."

Antes de sua proposta ser finalmente votada, Lee precisou voltar à Virgínia devido a uma grave doença na família. Ao partir, deixou sua causa nas mãos do amigo Thomas Jefferson, que prometeu lutar até que se tomasse uma ação favorável. Pouco depois, o presidente do Congresso (Hancock) nomeou Jefferson presidente de um comitê para elaborar a Declaração de Independência.

O Comitê trabalhou árdua e longamente na elaboração de um documento que significasse, quando aceito pelo Congresso, que TODOS QUE O ASSINASSEM ESTARIAM ASSINANDO A PRÓPRIA CONDENAÇÃO À MORTE caso as colônias perdessem a luta contra a Grã-Bretanha, o que certamente aconteceria a seguir.

O documento foi redigido e, em 28 de junho, a minuta original foi lida diante do Congresso. Foi debatida durante vários dias, alterada e preparada. Em 4 de julho de 1776, Thomas Jefferson levantou-se diante da Assembleia e, destemidamente, leu a mais importante DECISÃO já posta no papel: "Quando no decurso dos acontecimentos humanos é necessário a um povo desfazer os vínculos políticos que o ligavam a outro e assumir, entre os poderes da Terra, a posição distinta e equivalente à qual as leis da Natureza e do Deus da Natureza lhe dão direito, um respeito decente pelas opiniões da humanidade exige que esse povo declare os motivos que o incitam a se separar..."

Ao terminar, o documento foi votado, aprovado e assinado pelos 56 representantes, cada um arriscando a própria vida com a DECISÃO de inscrever seu nome. Com essa DECISÃO criou-se uma nação destinada a proporcionar às pessoas, para todo o sempre, o privilégio e o direito de tomar DECISÕES.

É com decisões tomadas num espírito semelhante de FÉ, e apenas por decisões assim, que as pessoas podem solucionar seus problemas pessoais e conquistar para si mesmas grandes patrimônios de riqueza material e espiritual. Não nos esqueçamos disso!

Analise os acontecimentos que culminaram na Declaração de Independência e convença-se de que esta nação, que hoje ocupa um lugar de autoridade, respeito e poder entre todas as nações do mundo, nasceu de uma DECISÃO criada por um Grupo de Mentes Mestras formado por 56 pessoas. Note bem o fato de que foi a DECISÃO delas que garantiu o sucesso dos exércitos de Washington, porque o *espírito* dessa decisão estava no coração de cada soldado que lutou a seu lado. Ela funcionou como um poder espiritual que não reconhece algo chamado FRACASSO.

Note também (com grande benefício pessoal) que o PODER que deu a esta nação sua liberdade é exatamente o mesmo que deve ser usado por todos que se tornarem senhores do próprio destino. Esse PODER é formado pelos 13 princípios descritos neste livro. Não será difícil detectar, na história da Declaração de Independência, pelo menos seis deles: DESEJO, DECISÃO, FÉ, PERSISTÊNCIA, MENTE MESTRA e PLANEJAMENTO ORGANIZADO.

A sugestão de que o pensamento, sustentado por um DESEJO ARDENTE, tende a se transmutar no seu equivalente físico é encontrada em toda esta filosofia. Antes de seguir em frente, é possível encontrar nessa história, bem como na história da formação da United States Steel Corporation (Capítulo 2), uma descrição perfeita do método pelo qual o pensamento realiza essa espantosa transformação.

Em sua busca pelo segredo do método, não procure um milagre, pois você não o encontrará. Encontrará apenas as leis eternas da Natureza. Essas leis estão disponíveis para qualquer um que tenha FÉ e CORAGEM para usá-las. Elas podem ser usadas para proporcionar liberdade a uma nação, para acumular riqueza ou para alcançar qualquer outro objetivo que valha a pena. Não há custo, a não ser o tempo necessário para compreendê-las e saber usá-las.

Aqueles que tomam DECISÕES rápidas e firmes sabem o que querem e em geral conseguem. Os líderes em todas as áreas da vida DECIDEM com rapidez e firmeza. Esse é o principal motivo pelo qual são líderes. O mundo tem o hábito de abrir espaço para os indivíduos cujas palavras e ações mostram que eles sabem para onde estão indo.

A INDECISÃO é um hábito que geralmente começa na juventude. O hábito se torna permanente à medida que o jovem atravessa o ensino fundamental, o ensino médio e até mesmo o ensino superior sem FIRMEZA DE PROPÓSITO. A principal fraqueza de todos os sistemas de ensino é não ensinar nem incentivar o hábito de tomar DECISÕES CLARAS.

Seria útil se nenhuma instituição de ensino superior permitisse a matrícula de nenhum estudante a não ser depois que ele ou ela declarasse seu principal propósito ao se matricular. Seria mais útil ainda se todo aluno do ensino fundamental fosse estimulado a aceitar ser treinado no HÁBITO DE TOMAR DECISÕES e forçado a prestar uma prova satisfatória dessa matéria antes de poder passar de ano.

O hábito da INDECISÃO adquirido devido às deficiências de nosso sistema de ensino acompanha os alunos nas profissões que escolhem – isso SE eles de fato *escolherem* alguma ocupação. Em geral, os jovens recém-formados aceitam o primeiro emprego que encontram, porque têm o hábito da INDECISÃO. Noventa e oito de cada 100 pessoas que hoje têm um trabalho assalariado exercem seus cargos atuais porque lhes faltou a FIRMEZA DE DECISÃO para PLANEJAR ALCANÇAR UM CARGO DETERMINADO e o conhecimento de como escolher um empregador.

FIRMEZA DE DECISÃO sempre exige coragem, às vezes muita coragem. Os 56 homens que assinaram a Declaração de Independência arriscaram as próprias vidas na DECISÃO de inscrever seus nomes nesse documento e assiná-lo. Indivíduos que tomam uma DECISÃO FIRME de obter um emprego *específico* e fazem a vida pagar o preço que estão pedindo não arriscam a vida com essa decisão. Eles arriscam sua LIBERDADE ECONÔMICA. A independência financeira, a riqueza, além de negócios e cargos profissionais cobiçados, não estão ao alcance de quem se esquece ou se recusa a PREVER, PLANEJAR e EXIGIR. Quem deseja riqueza – no mesmo espírito com que Samuel Adams desejava liberdade para as colônias norte-americanas – certamente conseguirá acumulá-la.

No Capítulo 6, sobre Planejamento Organizado, você recebeu instruções completas sobre como comercializar qualquer tipo de serviço pessoal. Recebeu também informações detalhadas sobre como escolher o empregador que prefere e o emprego específico que deseja. Essas instruções não terão valor a não ser que VOCÊ DECIDA CLARAMENTE organizá-las num plano de ação – e a não ser que execute esse plano com PERSISTÊNCIA, que é *o oitavo passo para a riqueza.*

*A riqueza não atende a desejos.
Ela atende apenas a planos precisos,
sustentados por desejos precisos, por meio de
uma PERSISTÊNCIA constante.*

TODO FRACASSO TRAZ CONSIGO A
SEMENTE DE UM SUCESSO EQUIVALENTE.

CAPÍTULO 8

Persistência

O esforço sustentado necessário para induzir a fé
O oitavo passo para a riqueza

A PERSISTÊNCIA é um fator essencial no processo de transmutar o DESEJO em seu equivalente físico. A base da persistência é o PODER DA VONTADE.

Força de vontade e desejo, quando combinados adequadamente, formam uma dupla irresistível. Pessoas que acumulam fortuna em geral são consideradas frias, às vezes cruéis. Muitas vezes são mal compreendidas. O que elas têm é força de vontade, que misturam com PERSISTÊNCIA, na qual apoiam seus desejos para garantir que alcançarão seus objetivos.

Henry Ford era considerado um homem cruel e frio. Esse equívoco advinha do hábito de Ford de executar todos os seus planos com PERSISTÊNCIA.

A maioria das pessoas está disposta a abrir mão de seus objetivos e propósitos e desistir ao primeiro sinal de oposição ou infortúnio. Algumas seguem em frente APESAR de todas as oposições até alcançarem seus objetivos. Essas poucas são os Fords, Carnegies, Rockefellers, Edisons e outros bem-sucedidos extraordinários deste mundo.

A palavra "persistência" pode não ter uma conotação heroica, mas essa qualidade representa para o caráter de uma pessoa o mesmo que o carbono representa para o aço.

A construção de uma fortuna em geral envolve a aplicação de todos os 13 princípios da filosofia Pense e Enriqueça. Esses princípios precisam ser compreendidos e aplicados com PERSISTÊNCIA por todos aqueles interessados em acumular dinheiro.

Se você pretende aplicar o conhecimento que este livro transmite, seu primeiro teste em relação a sua PERSISTÊNCIA acontecerá quando você começar a executar as seis ações descritas no Capítulo 1. A menos que seja uma das duas em cada 100 pessoas que já têm um OBJETIVO PRECISO no qual estão mirando e um PLANO PRECISO para alcançá-lo, você *talvez* leia essas instruções e depois continue com sua rotina cotidiana e nunca mais as siga.

Peço que neste ponto você se autoavalie, pois a falta de persistência é uma das principais causas de fracasso. Além disso, a experiência com milhares de pessoas demonstrou que a falta de persistência é uma fraqueza que a maioria tem em comum. Trata-se de uma fraqueza que pode ser superada por meio do esforço. A facilidade com que a falta de persistência pode ser derrotada dependerá *inteiramente* da INTENSIDADE DO DESEJO DA PESSOA.

O ponto de partida de qualquer sucesso é o DESEJO. Tenha isso sempre em mente. Desejos fracos produzem resultados fracos, do mesmo modo que uma quantidade pequena de fogo gera uma quantidade pequena de calor. Se você constatar que lhe falta persistência, essa fraqueza pode ser remediada construindo uma fogueira maior debaixo dos seus desejos.

Continue a ler este capítulo até o fim, depois volte ao Capítulo 1 e comece *imediatamente* a executar as seis ações ali indicadas. A energia com a qual você seguir essas instruções indicará claramente quanto DESEJA acumular dinheiro. Se você constatar que é indiferente, pode ter certeza de que ainda não adquiriu a "sensibilidade ao dinheiro" que precisa possuir para ter certeza de acumular uma fortuna.

Tal como o rio flui para o oceano, as fortunas fluem em direção aos indivíduos cujas mentes foram preparadas para "atraí-las". Neste livro é possível encontrar todos os estímulos necessários para "sintonizar" qualquer mente normal nas "vibrações de pensamento" que atrairão os objetos de desejo da pessoa.

Se você constatar uma fraqueza na sua PERSISTÊNCIA, concentre sua atenção nas instruções contidas no capítulo sobre o Poder da Mente

Mestra (Capítulo 9). Cerque-se de um GRUPO DE MENTES MESTRAS e pelo esforço cooperativo dos integrantes desse grupo será possível desenvolver sua persistência. Você encontrará instruções adicionais para o desenvolvimento da persistência nos capítulos sobre Autossugestão e a Mente Subconsciente (Capítulo 3 e Capítulo 11). Siga os passos até sua "natureza do hábito" entregar uma *imagem clara* do objeto do seu DESEJO para sua mente subconsciente, que trabalha continuamente enquanto você está acordado e enquanto está dormindo. Desse momento em diante, você não será mais prejudicado pela falta de persistência.

Esforços espasmódicos ou ocasionais para aplicar as regras de nada lhe valerão. Para conseguir RESULTADOS, você precisa aplicar todas as regras até que isso se torne um hábito. Não há outro jeito de desenvolver a sensibilidade ao dinheiro.

A POBREZA é atraída para a pessoa cuja mente lhe é favorável, assim como o dinheiro é atraído para a pessoa cuja mente foi deliberadamente preparada para atraí-lo, e por meio das mesmas leis. A SENSIBILIDADE À POBREZA SE APROPRIARÁ INTENCIONALMENTE DA MENTE QUE NÃO ESTIVER OCUPADA PELA SENSIBILIDADE AO DINHEIRO. Uma sensibilidade à pobreza se desenvolve sem a aplicação *consciente* de hábitos que a favoreçam. A sensibilidade ao dinheiro precisa ser criada, a não ser que a pessoa já nasça com ela.

Compreenda o significado pleno das afirmações do parágrafo anterior e você entenderá a importância da PERSISTÊNCIA na acumulação de uma fortuna. Sem PERSISTÊNCIA, você será derrotado antes mesmo de começar. Com PERSISTÊNCIA, você vencerá.

Se algum dia já teve um pesadelo, entenderá o valor da persistência. Deitado na cama, quase dormindo, vem a sensação de estar prestes a sufocar. Não consegue se virar nem mover nenhum músculo. Percebe que PRECISA COMEÇAR a recuperar o controle sobre seus músculos. Com um esforço persistente e muita força de vontade, você finalmente consegue mover os dedos de uma das mãos. Depois, estende seu controle para os músculos de um braço até conseguir erguê-lo. Então retoma o controle do outro braço. Por fim, você retoma o controle dos músculos de uma perna, em seguida estende esse controle para a outra perna. ENTÃO, COM UM ESFORÇO SUPREMO DA FORÇA DE VONTADE, recupera o controle total de seu sistema muscular e acorda do pesadelo. Dando um passo de cada vez, você conseguiu se livrar da armadilha.

Talvez você constate que precisa sair de sua inércia mental com um procedimento semelhante, movendo-se devagar no início, depois aumentando a velocidade até recuperar o controle completo sobre sua vontade. Seja PERSISTENTE, por mais lentamente que precise se movimentar no início. COM PERSISTÊNCIA, O SUCESSO VIRÁ.[1]

Se você escolher com cuidado seu Grupo de Mentes Mestras, terá nele pelo menos uma pessoa que vai ajudá-lo a desenvolver sua PERSISTÊNCIA. Alguns indivíduos que acumularam fortuna fizeram isso devido à NECESSIDADE. Desenvolveram o hábito da PERSISTÊNCIA porque foram tão fortemente impelidos pelas circunstâncias que *precisaram se tornar persistentes.*

NÃO HÁ NADA QUE SUBSTITUA A PERSISTÊNCIA! Ela não pode ser suplantada por nenhuma outra qualidade! Lembre-se desse fato e ele vai ajudá-lo no início, quando tudo poderá parecer difícil e lento.

Aqueles que cultivaram o HÁBITO da persistência parecem ter um seguro contra o fracasso. Não importa quantas vezes forem derrotados, um dia conseguem chegar ao topo da escada. Às vezes parecem ter um Guia oculto cujo dever é testá-los com todo tipo de experiência desanimadora. Aqueles que se reerguem após uma derrota e continuam tentando acabam chegando lá – e o mundo comemora: "Parabéns! Sabia que você conseguiria!" O Guia oculto não permite que ninguém alcance o sucesso sem passar pelo TESTE DA PERSISTÊNCIA. Quem não aguenta simplesmente não passa de ano.

Quem *consegue* fazê-lo é recompensado generosamente pela sua PERSISTÊNCIA. Essas pessoas recebem como compensação qualquer objetivo que estiverem buscando. E não é só isso! Recebem algo infinitamente mais importante do que a compensação material: a certeza de que TODO FRACASSO TRAZ CONSIGO A SEMENTE DE UMA VANTAGEM EQUIVALENTE.

Existem exceções a essa regra. Algumas poucas pessoas conhecem por experiência a solidez da persistência. São aquelas que não aceitaram a derrota como algo além de temporário. São aquelas cujos DESEJOS são ENCARADOS COM TANTA PERSISTÊNCIA que a derrota acaba sendo transformada em vitória. Quando observamos a vida dos outros, vemos o impressionante e imenso número de pessoas que são derrotadas e nunca mais se reerguem. E vemos as que encaram a punição da derrota *como um estímulo para um esforço maior*. Essas, felizmente, nunca aprendem a aceitar a "marcha à ré" da vida. Mas o que nós NÃO VEMOS, o que a maioria jamais desconfia existir, é o silencioso porém irresistível PODER que vem em socorro de quem continua lutando diante de um acontecimento desanimador. Se chegamos a falar nesse poder, nós o chamamos de PERSISTÊNCIA e deixamos por isso mesmo. Uma coisa sabemos: se uma pessoa não tem PERSISTÊNCIA, ela não consegue ser bem-sucedida em área alguma.

Enquanto estas linhas vão sendo escritas, ergo os olhos do meu trabalho e vejo diante de mim, a menos de um quarteirão de distância, a grande e misteriosa Broadway de Nova York, o "Cemitério das Esperanças Mortas" e a "Porta de Entrada das Oportunidades". Pessoas do mundo inteiro já foram a essa rua em busca de fama, fortuna, poder, amor ou seja lá o que os seres humanos denominam sucesso. De vez em quando, alguém se sobressai na longa fila de candidatos e o mundo fica sabendo que mais uma pessoa conquistou a Broadway. Mas a Broadway não é fácil nem rápida de conquistar. Ela reconhece o talento e a genialidade e paga por isso em dinheiro apenas *depois* que a pessoa se recusou a DESISTIR.

O segredo para conquistar a Broadway está inseparavelmente vinculado a uma palavra: PERSISTÊNCIA! O segredo é contado na luta de Fannie Hurst, cuja PERSISTÊNCIA conquistou essa rua conhecida também como Great White Way, o "grande caminho branco". Ela chegou a Nova York em 1915 para transformar a escrita em riqueza. Essa transformação não aconteceu depressa, MAS ACONTECEU. Durante quatro anos, a Srta. Hurst teve uma experiência direta das "Calçadas de Nova York". Passava os dias trabalhando e as noites ESPERANDO. Quando a esperança diminuiu, ela não disse: "Está bem, Broadway, você venceu!" O que disse foi: "Muito bem, Broadway, você pode vencer algumas pessoas, mas a mim não. Vou forçar você a desistir."[2]

A revista *The Saturday Evening Post* chegou a lhe mandar 36 cartas de recusa antes de ela conseguir furar o bloqueio e publicar um texto. O escritor mediano, assim como a pessoa "mediana" em todas as outras áreas da vida, teria desistido da profissão após receber a primeira carta de recusa. Ela continuou percorrendo as calçadas durante quatro anos ao som do "não" dos editores porque estava decidida a vencer.

Então veio a recompensa. O feitiço fora vencido, o Guia oculto testara Fannie Hurst e ela se mostrara merecedora. Desse momento em diante, os editores começaram a procurá-la sem parar. O dinheiro veio tão depressa que ela mal teve tempo de contá-lo. Então o pessoal do cinema a descobriu e o dinheiro passou de uns poucos trocados a uma enxurrada. Os direitos cinematográficos de seu romance *Great Laughter* [Gargalhada] lhe renderam 100 mil dólares, na época tido como o maior preço já pago por uma história antes da publicação. Os direitos da venda dos livros aumentaram ainda mais sua fortuna.

Você tem agora uma breve descrição do que a PERSISTÊNCIA é capaz de conquistar. Fannie Hurst não é nenhuma exceção. Sempre que homens e mulheres acumulam riqueza, pode ter certeza de que eles primeiro adquiriram PERSISTÊNCIA. A Broadway dá uma xícara de café e um sanduíche a qualquer mendigo, mas exige PERSISTÊNCIA daqueles que vão atrás das grandes recompensas.

Kate Smith teria dito "amém" ao ler isso. Ela passou anos cantando diante de qualquer microfone que conseguisse encontrar, sem dinheiro e a troco de qualquer coisa. A Broadway lhe disse: "Venha buscar se conseguir aguentar." Ela aguentou, até que um belo dia a Broadway se cansou e disse: "Ah, de que adianta? Você não sabe quando foi derrotada, então diga seu preço e vá trabalhar de verdade." A Srta. Smith disse o seu preço! Era um preço alto – tão alto que uma semana do seu salário era muito mais do que a maioria das pessoas ganhava num ano inteiro.[3]

Ser PERSISTENTE compensa mesmo!

Eis aqui uma afirmação encorajadora que traz consigo uma sugestão muito significativa: MILHARES DE CANTORAS CUJA HABILIDADE VOCAL SUPERA A DE KATE SMITH ESTÃO HOJE ANDANDO PARA LÁ E PARA CÁ PELA BROADWAY À PROCURA DE UMA "OPORTUNIDADE" – SEM SUCESSO. Incontáveis outras tentaram e desistiram. Muitas até cantavam bem, mas não conseguiram ter êxito porque lhes faltou coragem para continuar seguindo em frente e a Broadway se cansou de mandá-las embora.

A persistência é um estado de espírito, portanto pode ser cultivada. Como qualquer estado de espírito, ela se baseia em causas claras, entre as quais o que denomino:

Os oito fatores da persistência

1. FIRMEZA DE PROPÓSITO. Saber o que se quer é o primeiro e talvez o mais importante passo em direção ao desenvolvimento da persistência. Um motivo sólido força a pessoa a superar muitas dificuldades.
2. DESEJO. É comparativamente fácil adquirir e manter a persistência quando se está buscando o objeto de um desejo intenso.
3. AUTOCONFIANÇA. Acreditar na própria capacidade de executar um plano incentiva a pessoa a seguir esse plano com persistência. (A autoconfiança pode ser desenvolvida por meio do princípio descrito no Capítulo 3, sobre Autossugestão.)
4. PLANEJAMENTO ORGANIZADO. Planos organizados, muito embora possam ser fracos e pouco práticos, incentivam a persistência.
5. CONHECIMENTO PRECISO. Saber que se tem planos sólidos com base na experiência ou na observação incentiva a persistência. Supor em vez de saber destrói a persistência.
6. COOPERAÇÃO. Empatia, compreensão e uma cooperação harmoniosa com os outros tendem a desenvolver a persistência.
7. FORÇA DE VONTADE. O hábito de concentrar os pensamentos na construção de planos para alcançar um propósito firme conduz à persistência.
8. HÁBITO. A persistência é o resultado direto do hábito. A mente o absorve e ele se torna parte das experiências diárias que ela alimenta. O medo, o pior de todos os inimigos, pode ser eficazmente curado por meio da repetição de atos de coragem. Todos que já serviram ativamente numa guerra sabem disso.

Antes de concluir o tema da PERSISTÊNCIA, analise-se e determine em que quesito, se for o caso, você carece dessa qualidade essencial. Avalie-se de maneira corajosa, ponto a ponto, e veja quais dos oito fatores da persistência lhe faltam. Essa análise talvez conduza a descobertas que lhe proporcionarão um domínio renovado de si mesmo.

Os 16 sintomas da falta de persistência

Aqui você encontrará os verdadeiros inimigos que o separam de um sucesso notável. Não são apenas os 16 sintomas que indicam uma fraqueza da PERSISTÊNCIA, mas também as causas subconscientes e profundamente enraizadas dessa fraqueza. Estude a lista com cuidado e analise-se com franqueza SE VOCÊ REALMENTE DESEJAR SABER QUEM É E O QUE É CAPAZ DE REALIZAR. São estas as 16 fraquezas que precisam ser dominadas por todos aqueles que acumulam riqueza:

1. Não reconhecer e definir com clareza exatamente aquilo que se quer.
2. Procrastinação, com ou sem causa. (Em geral, sustentada por um conjunto formidável de álibis e desculpas.)
3. Falta de interesse em adquirir conhecimento especializado.
4. Indecisão, o hábito de transferir responsabilidade em todas as ocasiões em vez de encarar as questões. (Também sustentada por álibis.)
5. O hábito de se apoiar em álibis em vez de criar planos precisos para solucionar os problemas.
6. Arrogância. Há pouco remédio para esse mal e nenhuma esperança para quem dele padece.
7. Indiferença, em geral revelada na disposição para aceitar meios-termos em todas as ocasiões em vez de encarar a oposição e combatê-la.
8. O hábito de culpar os outros pelos próprios erros e de aceitar circunstâncias desfavoráveis como se fossem inevitáveis.
9. FRAQUEZA DE DESEJO, resultado de negligência em escolher MOTIVOS que impelem a agir.
10. Disposição, até certo entusiasmo, para desistir diante do primeiro sinal de derrota. (Baseada em um ou mais dos Seis Medos Fundamentais.)
11. Falta de PLANOS DELINEADOS por escrito, para que possam ser analisados.
12. O hábito de não dar continuidade a projetos ou de não agarrar uma oportunidade quando ela se apresenta.

13. ESPERAR em vez de QUERER.
14. O hábito de se contentar com a POBREZA em vez de mirar na riqueza. Uma ausência geral de ambição para ser, *fazer* e *ter*.
15. Procurar todos os atalhos para a riqueza, tentando OBTER SEM DAR um equivalente justo, em geral demonstrado no hábito de fazer apostas arriscadas ou tentar obter "pechinchas".
16. MEDO DA CRÍTICA, que leva ao fracasso na criação e execução de planos em ação devido ao que os outros vão pensar, fazer ou dizer. Esse inimigo deveria estar no alto da lista, pois em geral existe na mente subconsciente da pessoa, onde sua presença não é reconhecida. (Ver os Seis Medos Fundamentais na página 252.)

Vamos examinar alguns dos sintomas do item 16, o medo da crítica. A maioria das pessoas permite que parentes, amigos e as pessoas em geral as influenciem a tal ponto que não conseguem viver as próprias vidas por medo da crítica.

Muitos cometem erros no casamento, assumem essa escolha e passam a vida desanimados e infelizes por temerem as críticas que poderiam advir caso corrigissem o erro. (Qualquer um que já se curvou diante dessa forma de medo conhece os danos irreparáveis que ela causa ao destruir a ambição, a autoconfiança e o desejo de sucesso.) Milhões de pessoas deixam de ampliar sua educação depois de concluírem o ensino básico por temerem as críticas.

Incontáveis homens e mulheres, tanto jovens quanto velhos, permitem que parentes destruam suas vidas em nome do DEVER por temerem as críticas. (O dever não exige que *ninguém* se submeta à destruição de suas ambições pessoais e do direito de viver a própria vida como bem quiser.)

As pessoas se recusam a encarar riscos nos negócios por medo da crítica que poderá surgir caso fracassem. *O medo da crítica nesses casos é mais forte do que o desejo de sucesso.*

Pessoas demais se recusam a estabelecer objetivos precisos para si mesmas ou deixam até de escolher uma carreira por temerem as críticas de parentes e amigos, que poderão dizer: "Não mire tão alto, as pessoas vão achar que você enlouqueceu."

Quando Andrew Carnegie sugeriu que eu dedicasse 20 anos à organização de uma filosofia de sucesso pessoal, meu primeiro impulso de pensamento foi temer o que as pessoas poderiam dizer. A sugestão estabeleceu um objetivo para mim – muito maior do que qualquer um que eu já tivesse imaginado. Na mesma hora, minha mente começou a criar álibis e desculpas, todas derivadas do inerente MEDO DA CRÍTICA. Algo dentro de mim disse: "Você não vai conseguir. O trabalho é grande demais e exige tempo demais. O que seus parentes vão pensar de você? Como você vai ganhar a vida? Ninguém nunca organizou uma filosofia do sucesso; que direito tem você de pensar que pode fazer isso? Quem é você, aliás, para mirar tão alto? Lembre-se de sua origem humilde. O que você sabe sobre filosofia? As pessoas vão pensar que você é maluco (e pensaram mesmo). Por que ninguém mais fez isso antes?"

Essas e muitas outras perguntas surgiram na minha mente e exigiram atenção. Era como se o mundo inteiro tivesse de repente voltado sua atenção para mim com o propósito de me ridicularizar até me fazer desistir de qualquer desejo de seguir a sugestão do Sr. Carnegie.

Tive nesse momento uma bela oportunidade para matar a ambição antes de ela assumir o controle sobre mim. Mais tarde, após analisar milhares de pessoas, descobri que A MAIORIA DAS IDEIAS NASCE MORTA E PRECISA QUE SE INJETE NELAS O SOPRO DA VIDA NA FORMA DE PLANOS PRECISOS DE AÇÃO IMEDIATA. A hora de cuidar de uma ideia é quando ela nasce. Cada minuto de vida lhe dá uma chance melhor de sobreviver. O MEDO DA CRÍTICA é a causa da destruição da maioria das ideias que nunca chegam aos estágios do PLANEJAMENTO e da AÇÃO.

Muitos acreditam que o sucesso material é o resultado de oportunidades favoráveis. Há certa verdade nessa crença, mas as pessoas que dependem exclusivamente da sorte quase sempre se decepcionam, pois ignoram outro fator importante que precisa estar presente antes de poder ter certeza do sucesso. Trata-se do conhecimento por meio do qual as oportunidades favoráveis podem ser criadas.

Durante a Grande Depressão, o comediante W. C. Fields perdeu todo seu dinheiro e se viu sem renda, sem emprego e com seu ganha-pão (o teatro *vaudeville*) extinto. Além disso, ele tinha mais de 60 anos, idade em que muita gente se considera velha. De tão ansioso para voltar à ativa, ofereceu-se para trabalhar sem remuneração numa área nova (o cinema). Para culminar seus outros problemas, ele caiu e machucou o pescoço. Para muita gente, esse teria sido o momento de baixar os braços e DESISTIR. Mas Fields foi PERSISTENTE. Ele sabia que, se seguisse em frente, mais cedo ou mais tarde as oportunidades viriam, e de fato as conseguiu, mas não por sorte.[4]

Marie Dressler se viu destituída, sem dinheiro e sem emprego, quando tinha mais ou menos 60 anos. Ela também foi atrás das oportunidades e as conseguiu. Sua PERSISTÊNCIA lhe proporcionou um triunfo espantoso numa fase tardia da vida, muito depois da idade em que a maioria dos homens e mulheres já desistiram da ambição de ter sucesso.[5]

Eddie Cantor perdeu seu dinheiro em 1929 na quebra da bolsa de valores, mas ainda lhe sobraram sua PERSISTÊNCIA e sua coragem. Com elas, além de dois olhos saltados, ele conseguiu voltar à ativa com uma renda de 10 mil dólares mensais![6] De fato, se tiver PERSISTÊNCIA, uma pessoa pode se virar o suficiente sem muitas outras qualidades.

A única oportunidade na qual podemos nos dar ao luxo de confiar é aquela que nós mesmos fabricamos. Essas oportunidades surgem pela aplicação da PERSISTÊNCIA. O ponto de partida é a CLAREZA DE PROPÓSITO.[7]

Examine as primeiras 100 pessoas que encontrar, pergunte-lhes o que mais querem da vida e 98 delas não conseguirão lhe dizer. Se você as pressionar por uma resposta, algumas responderão SEGURANÇA; muitas dirão DINHEIRO; umas poucas dirão FELICIDADE; outras dirão FAMA E PODER; e outras ainda dirão RECONHECIMENTO SOCIAL, VIDA CONFORTÁVEL, SABER CANTAR, DANÇAR ou ESCREVER, mas nenhuma será capaz de definir esses termos ou proporcionar a mais ínfima indicação de um PLANO pelo qual esperam alcançar esses desejos vagamente expressados. A riqueza não reage a vontades. Ela reage apenas a planos organizados sustentados por desejos precisos com uma PERSISTÊNCIA constante.

Como desenvolver a persistência

Existem quatro passos simples que conduzem ao hábito da PERSISTÊNCIA. Eles não exigem alto nível de inteligência ou de instrução, apenas pouco tempo ou esforço. Os passos necessários são:

1. CLAREZA DE PROPÓSITO SUSTENTADA POR UM DESEJO ARDENTE DE QUE ELE SE REALIZE.
2. UM PLANO PRECISO EXPOSTO EM UMA AÇÃO CONTÍNUA.
3. UMA MENTE BEM FECHADA CONTRA QUAISQUER INFLUÊNCIAS NEGATIVAS E DESANIMADORAS, incluindo as sugestões negativas de parentes, amigos e conhecidos.
4. UMA ALIANÇA AMIGÁVEL COM UMA OU MAIS PESSOAS QUE O INCENTIVARÃO A PERSEVERAR TANTO NO PLANO QUANTO NO PROPÓSITO.

Esses quatro passos são essenciais para o sucesso em qualquer área da vida. Todo o propósito dos 13 princípios da filosofia Pense e Enriqueça é possibilitar que esses quatro passos sejam dados por uma questão de *hábito*.

Esses são os passos pelos quais podemos controlar nosso destino econômico.

Esses são os passos que conduzem à liberdade e independência de pensamento.

Esses são os passos que conduzem à riqueza, seja ela pequena ou grande.

Eles abrem caminho para poder, fama e reconhecimento mundial.

São os quatro passos que garantem oportunidades favoráveis.

São esses passos que transformam sonhos em realidades físicas.

Conduzem também ao controle do MEDO, do DESÂNIMO e da INDIFERENÇA.

Existe uma recompensa magnífica para todos que aprendem a dar esses quatro passos. Ela consiste no privilégio de decidir o próprio destino e de fazer a vida pagar qualquer preço que se peça.

Não tenho como saber os fatos, mas atrevo-me a conjecturar que o grande amor da Sra. Wallis Simpson por um homem não foi acidental, tampouco resultado apenas de oportunidades favoráveis. Em cada passo do caminho existiram um desejo ardente e uma busca cuidadosa. Seu primeiro dever era amar. Qual é a melhor coisa do mundo? Jesus chamou de amor – não de regras criadas pelos homens, críticas, amargura, calúnias ou "casamentos políticos", mas de amor.

Wallis Simpson sabia o que queria – não depois de conhecer o príncipe de Gales, mas bem antes disso. Por duas vezes, quando ela falhou em encontrar, teve a coragem de continuar sua busca. "Sê fiel a ti mesmo e disso decorrerá, como do dia decorre a noite, que não poderás ser falso com homem nenhum."

Sua ascensão do anonimato foi lenta, progressiva, PERSISTENTE e CERTEIRA! Ela obteve êxito quando as chances eram inacreditavelmente pequenas. E, seja você quem for e pense o que pensar sobre Wallis Simpson e o rei que abriu mão de sua coroa por seu amor, ela foi um exemplo espantoso de PERSISTÊNCIA aplicada, uma instrutora das regras de autodeterminação com quem o mundo inteiro poderia obter lições preciosas.[8]

E o rei Eduardo? Que lição podemos aprender de sua experiência num dos maiores dramas pessoais do século XX? Ele pagou um preço alto demais pelo afeto da mulher que amava?[9]

Só ele poderia responder a essa pergunta. Ao restante de nós cabe apenas fazer conjecturas. O que sabemos é: o rei veio ao mundo sem o próprio consentimento. Ele nasceu muito rico sem ter pedido por isso. Foi persistentemente perseguido para se casar. Políticos e funcionários públicos de toda a Europa jogaram aristocratas com títulos e princesas aos seus pés. Como ele era o primogênito, herdou uma coroa que não buscava e que talvez não desejasse. Por mais de 40 anos, não foi um homem livre, não pôde viver a vida como queria, teve pouca privacidade e, por fim, assumiu deveres que lhe foram impostos quando subiu ao trono.

Alguns dirão: "Com todas essas bênçãos, o rei Eduardo deveria ter encontrado paz de espírito, contentamento e alegria de viver." A verdade é que por trás de todos os privilégios, de todo o dinheiro, fama e poder herdados, havia um vazio que só o amor podia preencher.

Seu maior DESEJO era o amor. Muito antes de conhecer Wallis Simpson, ele sem dúvida devia sentir essa emoção universal lhe apertando o peito, batendo à porta da sua alma e gritando para se expressar.[10]

A DECISÃO do rei Eduardo de abrir mão da coroa britânica em troca do privilégio de viver o resto da vida com a mulher que escolhera demandou coragem. A decisão teve também um preço, mas quem tem o direito de dizer que foi um preço alto demais?[11]

Como sugestão a qualquer um que recrimine o duque de Windsor por seu DESEJO de AMOR o ter levado a se declarar abertamente e a abrir mão de seu trono em troca dele, lembre-se de que essa "declaração aberta" não era essencial. Ele poderia ter seguido o costume do "relacionamento clandestino" ou ter um caso de amor secreto, como prevaleceu na Europa por séculos, sem abrir mão nem do trono nem da mulher que escolhera – e NEM A IGREJA NEM O PÚBLICO TERIAM RECLAMADO. No entanto, esse homem incomum era feito de uma fibra mais forte. Seu amor era profundo e sincero. Ele representava a única coisa que acima de TODO O RESTO Eduardo realmente DESEJAVA, portanto ele pegou o que queria e pagou o preço que lhe foi pedido.[12]

A maior parte do mundo hoje em dia aplaudiria o duque de Windsor e Wallis Simpson pela PERSISTÊNCIA em encontrar a maior recompensa da vida. TODOS NÓS PODEMOS NOS BENEFICIAR seguindo o exemplo deles em nossa procura por aquilo que exigimos.[13]

Que poder místico dá às pessoas PERSISTENTES a capacidade de vencer as dificuldades? Será que a qualidade da PERSISTÊNCIA produz na mente da pessoa algum tipo de atividade espiritual, mental ou química que dá acesso a forças sobrenaturais? Será que a Inteligência Infinita se coloca do lado da pessoa que segue lutando depois de a batalha ser perdida, com o mundo inteiro contra si?

Essas e muitas outras perguntas semelhantes surgiram na minha mente ao observar pessoas como Henry Ford, que começou do nada e construiu um império industrial de proporções gigantescas com pouca coisa além de PERSISTÊNCIA, ou Thomas A. Edison, que, com menos de três meses de instrução, tornou-se o principal inventor do mundo e transformou a PERSISTÊNCIA no fonógrafo, no projetor cinematográfico e na lâmpada incandescente, sem falar em uma centena de outros inventos úteis.

Tive o feliz privilégio de analisar e estudar de perto tanto Thomas A. Edison quanto Henry Ford, ano após ano, durante um longo período, de modo que falo por experiência própria quando digo não ter encontrado nenhuma qualidade exceto a PERSISTÊNCIA em nenhum dos dois que pudesse sugerir, remotamente, a origem de seu estupendo sucesso.

Considere, por exemplo, a estranha e fascinante história de Maomé. Analise sua vida, compare-o com pessoas bem-sucedidas e observe como todas têm em comum um traço que se destaca: a PERSISTÊNCIA!

Se você tiver real interesse em estudar o estranho poder que confere à PERSISTÊNCIA tamanha potência, leia uma biografia de Maomé, em especial aquela escrita por Essad Bey. Essa breve crítica do livro, assinada por Thomas Sugrue no *New York Herald-Tribune*, proporciona um vislumbre do raro prêmio reservado àqueles que dedicarem o tempo necessário a ler a história toda de um dos mais espantosos exemplos do poder da PERSISTÊNCIA conhecidos em toda a civilização.

O último grande profeta
Crítica de Thomas Sugrue

Maomé foi um profeta, mas nunca realizou milagre algum. Ele não era um místico; não tinha instrução formal; só iniciou sua missão aos 40 anos. Quando anunciou ser o Mensageiro Divino e afirmou carregar a palavra da verdadeira religião, foi ridicularizado e tachado de louco... Foi banido de Meca, sua cidade natal, e seus seguidores foram privados de seus bens terrenos e exilados para o deserto junto com ele. Após 10 anos pregando, ele não tinha conseguido nada a não ser desterro, pobreza e ridículo. Apesar disso, menos de 10 anos depois, ele era o governante de Meca e líder de uma nova religião mundial, que se espalharia até o Danúbio e os Pirineus antes de exaurir a energia que ele lhe insuflou. Essa energia assumia três formas: o poder das palavras, a eficácia da prece e a identificação do homem com Deus.

A carreira de Maomé nunca fez sentido. Ele nasceu no ramo pobre de uma família importante de Meca. Como essa cidade – encruzilhada do mundo, lar da pedra mágica chamada Caaba (ou "Kabba"), grande centro mercantil e eixo de rotas comerciais – era insalubre, as crianças lá nascidas eram mandadas para o deserto, onde os beduínos se encarregavam de criá-las. Maomé foi criado assim, tirando força e saúde do seio de amas de leite nômades. Pastoreava ovelhas e não demorou a ser contratado por uma rica viúva para liderar suas caravanas. Viajou por todo o mundo oriental, conversando com muitos homens de crenças diversas, e observou o declínio da cristandade em seitas rivais. Quando contava 28 anos de idade, Khadija, a Viúva, reparou nele e o desposou. Ao longo dos 12 anos seguintes, Maomé levou a vida de um comerciante rico, respeitado e muito astuto. Então começou a vagar pelo deserto. Certo dia voltou de lá com o primeiro verso do Alcorão, dizendo a Khadija que o arcanjo Gabriel tinha aparecido para ele e lhe informado que ele seria o Mensageiro Divino.

O Alcorão, palavra revelada de Deus, foi a coisa mais próxima de um milagre na vida de Maomé. Ele não era um poeta; não possuía o dom das palavras. Mas os versos do livro sagrado, conforme ele os recebeu e recitou para os fiéis, eram melhores do que os versos que os poetas profissionais das tribos conseguiam produzir. Para os árabes, isso era um milagre. Para eles, o dom das palavras era o maior de todos os dons e o poeta era todo-poderoso. Além disso, o Alcorão diria que todos os homens eram iguais perante Deus e que o mundo deveria ser um Estado democrático – o Islã. Foi essa *heresia* política, somada ao desejo de Maomé de destruir todos os 360 ídolos no pátio da Caaba, que o fez ser banido. Os ídolos levavam as tribos do deserto a Meca, e isso significava comércio. Assim, os negociantes de Meca, os capitalistas, entre os quais ele antes se incluía, voltaram-se contra Maomé. Ele então se refugiou no deserto e exigiu soberania sobre o mundo.

Começou a ascensão do Islã. Do deserto veio uma chama que não podia ser apagada – um exército democrático, lutando como uma só unidade e preparado para morrer sem pestanejar. Maomé convidara judeus e cristãos a se unirem a ele, pois não estava construindo uma nova religião, e sim convocando todos aqueles que acreditavam num Deus uno para se juntarem numa única fé. Se judeus e cristãos tivessem aceito o seu convite, o Islã teria conquistado o mundo. Eles não aceitaram. Não quiseram aceitar sequer sua inovação da guerra humanizada. Quando os exércitos do profeta Maomé adentraram Jerusalém, ninguém foi morto por causa da fé. Séculos mais tarde, quando os cruzados adentraram a cidade, nenhum muçulmano, homem, mulher ou criança, foi poupado.

Mas uma ideia muçulmana os cristãos aceitaram: o lugar do conhecimento – a universidade.

Visionários religiosos como Maomé; líderes de negócios como Thomas Edison, Henry Ford e Andrew Carnegie; líderes políticos como Samuel Adams; artistas como Fannie Hurst, Kate Smith e W. C. Fields; cosmopolitas como Wallis Simpson e o duque de Windsor, seja qual for a sua vocação, pessoas como essas, em todas as eras da humanidade, demonstraram o tremendo poder do *oitavo passo para a riqueza*: a PERSISTÊNCIA, um esforço sustentado diante de todos os riscos e de toda adversidade.

PERSISTÊNCIA cria FÉ. E a FÉ é o único antídoto conhecido para o fracasso, o ponto de partida para toda acumulação de riqueza e a *única* maneira de mobilizar a força da Inteligência Infinita.

O GRANDE PODER NÃO PODE SER ACUMULADO POR MEIO DE NENHUM OUTRO PRINCÍPIO SENÃO O DA MENTE MESTRA!

CAPÍTULO 9

O Poder da Mente Mestra

A força motriz
O nono passo para a riqueza

PERSISTÊNCIA gera FÉ.
Da FÉ vem o PODER.
E o PODER é essencial para o sucesso na acumulação de dinheiro.
PLANOS sozinhos são inertes e inúteis sem PODER suficiente para traduzi-los em AÇÃO. Este capítulo vai descrever o método pelo qual cada um poderá obter e aplicar PODER.

PODER pode ser definido como "CONHECIMENTO organizado e direcionado de forma inteligente". O poder, da maneira como o termo é usado aqui, refere-se a um esforço ORGANIZADO suficiente para possibilitar a alguém a transmutação do DESEJO em seu equivalente monetário. O esforço ORGANIZADO é produzido pela coordenação desse esforço entre duas ou mais pessoas trabalhando na direção de uma finalidade PRECISA, num espírito de harmonia.

É PRECISO PODER PARA ACUMULAR DINHEIRO! É PRECISO PODER PARA RETER O DINHEIRO ACUMULADO!

Vamos estabelecer como o poder pode ser adquirido. Se poder é "conhecimento organizado", vamos examinar:

As três principais fontes de conhecimento

1. INTELIGÊNCIA INFINITA. Essa fonte de conhecimento pode ser con-

tatada, com o auxílio da Imaginação Criativa, usando o procedimento descrito no Capítulo 5.

2. EXPERIÊNCIA ACUMULADA. A experiência acumulada da civilização (ou da parcela da civilização que foi organizada e registrada) pode ser encontrada em qualquer biblioteca pública com um bom acervo. Uma parte importante dessa experiência acumulada é ensinada nas escolas e universidades públicas, onde foi classificada e organizada.

3. EXPERIMENTAÇÃO E PESQUISA. Na área da ciência e em praticamente qualquer outra área da vida, novos fatos são reunidos, classificados e organizados todos os dias. Essa é a fonte para a qual devemos nos voltar quando o conhecimento não estiver disponível pela "experiência acumulada". Aqui também a Imaginação Criativa deve ser usada com frequência.

É possível obter conhecimento de qualquer uma das fontes mencionadas. Ele pode ser convertido em PODER, organizando-o em PLANOS precisos e expressando esses planos em termos de AÇÃO.

Um exame das Três Principais Fontes de Conhecimento revelará rapidamente a dificuldade que você teria caso dependesse apenas do próprio esforço para reunir conhecimento e expressá-lo em planos firmes na forma de AÇÃO. Caso seus planos sejam abrangentes e exijam muita informação, você precisa convencer outras pessoas a cooperarem antes de poder injetar nelas o elemento necessário do PODER.

Como ganhar poder por meio da Mente Mestra

A Mente Mestra pode ser definida como "coordenação de conhecimento e esforço num espírito de harmonia entre duas ou mais pessoas para a obtenção de um propósito preciso".[1]

Nenhuma pessoa pode ter grande poder sem lançar mão do Princípio da Mente Mestra. No Capítulo 1 foram dadas instruções para a criação de PLANOS com o propósito de traduzir o DESEJO em seu equivalente monetário. Se você executar esses passos com PERSISTÊNCIA e inteligência, e tiver critério na seleção de seu Grupo de Mentes Mestras, andará metade do caminho rumo a seu objetivo antes mesmo de começar a reconhecê-lo.

Para você poder entender melhor o potencial intangível do poder disponível por um Grupo de Mentes Mestras bem escolhido, vou explicar aqui duas características do Princípio da Mente Mestra, uma delas de natureza econômica, a outra de natureza psíquica. O aspecto econômico é evidente. Vantagens econômicas podem ser criadas por qualquer um que se cerque dos conselhos, da orientação e da cooperação pessoal de um grupo de pessoas dispostas a prestar um auxílio sincero dentro de um espírito de PERFEITA HARMONIA. Essa forma de aliança cooperativa tem sido a base de quase toda grande fortuna. Sua compreensão dessa grande verdade com certeza pode determinar seu status financeiro.

O aspecto psíquico do Princípio da Mente Mestra é bem mais abstrato e bem mais difícil de compreender, pois envolve as forças espirituais com as quais a espécie humana ainda não está muito bem familiarizada. Você pode obter uma sugestão significativa da seguinte afirmação: "Nunca duas mentes se encontram sem criar desse modo uma terceira força invisível, intangível, que pode ser comparada a uma terceira mente."

Tenha em mente o fato de que só existem duas substâncias conhecidas em todo o universo: energia e matéria. É sabido que a matéria pode ser dividida em unidades de moléculas, átomos, prótons, nêutrons e elétrons. Existem unidades de matéria que podem ser isoladas, separadas e analisadas.

Da mesma forma, existem unidades de energia.

A mente humana é uma forma de "energia", e parte desta é de natureza espiritual. Quando as mentes de duas pessoas se coordenam num ESPÍRITO DE HARMONIA, as unidades espirituais de energia de cada mente formam uma "afinidade" que constitui o aspecto psíquico da Mente Mestra.

O primeiro a chamar minha atenção para o Princípio da Mente Mestra – ou melhor, para seu aspecto "econômico" – foi Andrew Carnegie, durante os primeiros anos da minha pesquisa. A descoberta dessa parte do princípio foi responsável pela escolha do trabalho da minha vida.

O Grupo de Mentes Mestras do Sr. Carnegie era formado por uma equipe de aproximadamente 50 pessoas das quais ele se cercava com o PROPÓSITO PRECISO de fabricar e comercializar aço. Ele atribuía toda sua fortuna ao PODER acumulado com a ajuda dessa Mente Mestra.

Analise o histórico de qualquer um que tenha acumulado uma grande fortuna e de muitos que acumularam pequenas fortunas e você constatará que eles utilizaram, de modo consciente ou inconsciente, o Princípio da Mente Mestra.

NÃO É POSSÍVEL ACUMULAR GRANDE PODER POR NENHUM OUTRO PRINCÍPIO!

A ENERGIA é o conjunto universal de tijolos da Natureza, com os quais constrói as coisas materiais do universo, inclusive os seres humanos e todas as formas de vida animal e vegetal. Por um processo que só a Natureza compreende, ela traduz energia em matéria.

Os tijolos da Natureza estão disponíveis para a humanidade na energia relacionada ao PENSAR! O cérebro humano pode ser comparado a uma bateria elétrica. Ele absorve energia do que se pode chamar de "Força Unificadora Misteriosa do Universo", que permeia todos os átomos de matéria – inclusive aqueles que compõem o cérebro humano – e preenche todo o universo.[2]

É fato bastante conhecido que um grupo de baterias elétricas produz mais energia do que apenas uma bateria. Também é sabido que uma única bateria produzirá uma energia proporcional ao número e à capacidade das células que contém.

O cérebro funciona de modo parecido. Isso explica o fato de alguns cérebros serem mais eficientes do que outros e conduz à seguinte e significativa afirmação: *Um grupo de cérebros coordenados (ou conectados) num espírito de harmonia gera mais energia de pensamento do que apenas um, da mesma forma que um grupo de baterias gera mais energia do que apenas uma.*

Essa metáfora torna imediatamente evidente que o Princípio da Mente Mestra detém o segredo do PODER gerado por pessoas que se cercam de outras mentes capazes.

Segue-se outra afirmação que se aproxima ainda mais do aspecto *psíquico* do Princípio da Mente Mestra: quando um grupo de cérebros individuais está coordenado e funciona em harmonia, a energia aumentada criada por essa aliança se torna disponível para todos os cérebros individuais do grupo.

Henry Ford começou sua carreira profissional com a desvantagem da pobreza, do analfabetismo e da ignorância. No período inacreditavelmente curto de 10 anos, Ford superou essas três desvantagens, e em 25 anos se tornou uma das pessoas mais ricas dos Estados Unidos. Relacione a esses fatos o conhecimento adicional de que os passos mais rápidos de Henry Ford puderam ser notados a partir da época em que ele se tornou amigo de Thomas A. Edison e você começará a entender o que a influência de uma mente em outra pode realizar. Dê um passo adiante e considere o fato de que as conquistas mais espantosas de Ford começaram a partir da época em que ele conheceu Harvey Firestone, John Burroughs e Luther Burbank (todos os três de grande capacidade intelectual) e terá mais provas de que o PODER pode ser gerado por uma aliança amigável de mentes.[3]

Restam poucas dúvidas, se é que alguma, de que Henry Ford foi um dos líderes mais bem informados do mundo dos negócios e da indústria de sua época. A questão da sua riqueza é indiscutível. Analise os amigos de Ford, alguns já mencionados aqui, e você estará preparado para compreender a seguinte afirmação: "Os indivíduos assumem a natureza, os hábitos e o PODER DE PENSAMENTO daqueles com quem se associam num espírito de empatia e harmonia."

Henry Ford se livrou da pobreza, do analfabetismo e da ignorância aliando-se a grandes mentes cujas "vibrações de pensamento" absorveu. Por essa associação com Edison, Burbank, Burroughs e Firestone, ele acrescentou ao próprio cérebro a essência da inteligência, experiência, conhecimento e força espiritual desses quatro homens. Além disso, Ford se apropriou do Princípio da Mente Mestra e o utilizou nos procedimentos descritos neste livro.

Esse princípio está à sua disposição!

Já citei Mahatma Gandhi. Talvez a maioria das pessoas que conhecem Gandhi o considere apenas um homenzinho excêntrico, que andava por aí sem roupas convencionais causando problemas para o governo britânico.

Na realidade, Gandhi não era excêntrico, mas O HOMEM VIVO MAIS PODEROSO DE SUA ÉPOCA (a julgar pela quantidade de seguidores e pela fé que estes tinham nele). Além disso, ele é provavelmente um dos indivíduos mais poderosos que já existiram. Seu poder era passivo, mas real.

Vamos estudar o método pelo qual ele alcançou esse PODER colossal. Esse método pode ser explicado em poucas palavras.

Gandhi alcançou o PODER induzindo mais de 200 milhões de pessoas a cooperarem, com sua mente e com seu corpo, num espírito de HARMONIA, em nome de um PROPÓSITO PRECISO.

Resumindo, Gandhi realizou um MILAGRE, pois é um milagre quando 200 milhões de pessoas podem ser induzidas – não forçadas – a cooperar num espírito de HARMONIA por um período ilimitado. Se você duvida que isso seja um milagre, tente induzir DUAS PESSOAS ESCOLHIDAS AO ACASO a cooperarem num espírito de harmonia durante qualquer intervalo de tempo.

Toda pessoa que administra um negócio sabe quanto é difícil fazer empregados trabalharem juntos num espírito que lembre remotamente a HARMONIA.

A lista das principais fontes nas quais o PODER pode ser obtido é encabeçada, como já foi mostrado, pela INTELIGÊNCIA INFINITA. Quando duas ou mais pessoas se coordenam num espírito de HARMONIA e trabalham em direção a um objetivo preciso, essa aliança as coloca em posição de absorver poder diretamente do grande estoque universal da Inteligência Infinita. Essa é a maior de todas as fontes de PODER. Ela é a fonte à qual o gênio recorre. É a fonte à qual todo grande líder recorre, quer conscientemente ou não.

As outras duas fontes principais nas quais o conhecimento necessário para a acumulação de PODER pode ser obtido – "experiência acumulada" e "experimentação e pesquisa" – não são mais confiáveis do que os cinco sentidos humanos. Os sentidos nem sempre são confiáveis. A Inteligência Infinita, porém, NÃO SE EQUIVOCA.

Nos próximos capítulos serão adequadamente descritos os métodos pelos quais a Inteligência Infinita pode ser mais facilmente contatada.

Este livro não é um curso de religião. Nenhum princípio fundamental descrito aqui tem a intenção de interferir, direta ou indiretamente, em hábitos religiosos. Este livro se atém principalmente a ensinar o leitor a transmutar o PROPÓSITO PRECISO DO DESEJO DE DINHEIRO em seu equivalente monetário.

Leia, *pense* e medite enquanto estiver lendo. O tema todo não vai demorar muito a se revelar e você poderá vê-lo *em perspectiva*. Por enquanto, está vendo o *detalhe* dos capítulos individuais.

Dinheiro é algo tímido, fugidio. Precisa ser cortejado e conquistado por métodos não muito diferentes daqueles usados por um amante decidido a conquistar o ser amado. E, por mais coincidência que isso seja, o PODER usado para cortejar o dinheiro não é muito diferente daquele usado para cortejar uma pessoa. Esse poder, quando usado com sucesso para obter dinheiro, precisa ser misturado à FÉ. Precisa ser misturado com DESEJO. Precisa ser misturado com PERSISTÊNCIA. Precisa ser aplicado com base em um plano, e esse plano precisa ser posto em AÇÃO.

Quando o dinheiro vem em grandes quantidades, ele flui para quem o acumula com a mesma facilidade com que a água corre morro abaixo. Existe na vida uma grande *fonte de poder* invisível que pode ser comparada a um rio – levando em direção à RIQUEZA todos aqueles que seguem o seu fluxo e em direção à infelicidade e à POBREZA todos aqueles que teimam em nadar contra a correnteza.

Todos aqueles que acumularam fortuna reconheceram a existência desse rio da vida. Ele consiste no PROCESSO DE PENSAMENTO da pessoa. As emoções de pensamento positivas formam o lado da correnteza que conduz à fortuna. As emoções negativas formam o lado que conduz correnteza abaixo em direção à pobreza.

Entender que você mesmo pode controlar onde se posicionará nessa correnteza da vida é de suma importância para quem estiver lendo este livro com o objetivo de acumular fortuna, pois essa compreensão conduz ao reconhecimento de que QUALQUER UM pode QUERER riqueza, e a maioria quer, mas apenas uns poucos sabem que um plano objetivo e um DESEJO ARDENTE de riqueza são as únicas maneiras confiáveis de acumular riqueza.

Caso você se veja do lado da *correnteza da vida* que conduz à pobreza, entenda que tem dentro de si o poder de se impulsionar até o outro lado. Seu remo não são a filosofia e os princípios expostos neste livro. Eles só terão serventia se forem aplicados e usados. Ler e julgar esses princípios apenas, seja de que modo for, não lhe trará qualquer benefício. Você precisa empunhar seu remo e AGIR.[4]

Algumas pessoas passam pela experiência de alternância entre os lados positivo e negativo da correnteza, encontrando-se algumas vezes do lado positivo e outras do negativo. O recente e difícil período econômico levou milhões de pessoas do lado positivo da correnteza para o negativo. Esses milhões estão lutando, alguns desesperados e com medo, para retornar ao lado positivo. Este livro foi escrito especialmente para eles.

A pobreza e a riqueza muitas vezes trocam de lugar. Condições econômicas que mudam rapidamente ensinaram ao mundo essa verdade, embora muita gente talvez não se lembre da lição por muito tempo. A pobreza pode assumir deliberadamente o lugar da riqueza, e em geral o faz. Quando a riqueza assume o lugar da pobreza, a mudança costuma ser ocasionada por PLANOS bem concebidos e cuidadosamente executados. A pobreza não precisa de planos. Não precisa de ninguém para ajudá-la, pois ela é ousada e implacável. A riqueza é tímida e recatada. Ela precisa ser atraída. Mas raramente será atraída e mantida a não ser que se aprenda primeiro a ligar-se ao PODER DA MENTE MESTRA e que em seguida se compreenda *o décimo passo para a riqueza,* que envolve o Mistério da Transmutação do Sexo.

CAPÍTULO 10

O Mistério da Transmutação do Sexo

O décimo passo para a riqueza

O SIGNIFICADO da palavra "transmutar" é, em linguagem simples, "transferir ou passar de um elemento ou forma de energia de um estado para outro".

A emoção do sexo dá origem a um estado de espírito.

Como há ignorância em relação ao tema, esse estado de espírito em geral é associado apenas ao lado *físico* da natureza humana. E, por causa das influências inadequadas às quais a maioria das pessoas foi exposta ao adquirir seu conhecimento sobre sexo, essa ênfase em seus aspectos puramente físicos criou tendências fortes e muitas vezes destrutivas na mente da maior parte delas.

A emoção do sexo tem por base a possibilidade de três potenciais construtivos. São eles:

1. a perpetuação da espécie humana
2. a manutenção de uma boa saúde física e emocional
3. a transformação da mediocridade em genialidade através da transmutação.

A transmutação do sexo que envolve o terceiro potencial construtivo pode ser explicada de modo simples e fácil. Significa modificar a mente da pessoa, ou seu "foco mental predominante", de pensamentos (e ações consequentes) de expressão meramente física para pensamentos (e ações consequentes) de outra natureza. Ela *não* significa celibato ou repressão dos instintos naturais. Significa, *sim*, abordar o sexo e manter condutas sexuais a partir de um estado de consciência completamente positivo, construtivo, equilibrado e adequado.

O desejo sexual é o mais poderoso de todos os desejos humanos. Quando posto em prática de forma adequada e equilibrada com os outros aspectos da vida, é positivo e saudável. Pessoas movidas por esse desejo – num sentido positivo e construtivo – podem "canalizá-lo" para desenvolver imaginação aguçada, coragem, força de vontade, persistência e capacidade criativa quase impossíveis em outros momentos. O desejo de contato sexual é tão forte, tão arrebatador, que algumas pessoas arriscam livremente a vida e a reputação em seu nome. Quando "domada" e "redirecionada" de modo construtivo, essa força motivadora mantém todos os seus atributos de imaginação aguçada, coragem e assim por diante, que podem ser usados como forças criativas potentes na literatura, na arte ou em qualquer outra profissão, vocação ou empreitada – incluindo, é claro, a acumulação de riqueza.[1]

A transmutação da energia sexual exige, é claro, o exercício da força de vontade, mas a recompensa vale o esforço. O desejo de expressão sexual é nato e natural. O desejo não pode e não deve ser sufocado nem eliminado. Tampouco se deve permitir que ele domine ou dite o comportamento de alguém. Esse desejo deve ter uma forma de escoamento suplementar em modos de expressão que enriqueçam o corpo, a mente e o espírito. Se não houver esse tipo de escoamento pelo processo de transmutação, ele buscará outras saídas por canais meramente físicos.

Um rio pode ser represado e sua água contida durante algum tempo, mas em algum momento acabará forçando uma saída. O mesmo vale para a emoção do sexo. Ela pode ser sufocada e controlada por algum tempo, mas sua natureza a faz estar sempre em busca de algum meio de expressão. Se não for transmutada em algum esforço criativo, encontrará uma saída menos positiva e menos produtiva. Sortudos, de fato, são aqueles que descobriram como proporcionar um escoamento para sua emoção sexual usando algum tipo de esforço criativo, pois, com essa descoberta, eles se alçaram ao nível do "desempenho genial".

Pesquisas revelaram os dois seguintes fatos significativos:

1. As pessoas mais bem-sucedidas tendem a ser aquelas com naturezas sexuais altamente desenvolvidas e que aprenderam a arte da transmutação do sexo.
2. De forma geral, aqueles que acumularam fortunas e conquistaram um reconhecimento notável na literatura, na arte, na indústria, na arquitetura e nas profissões liberais foram motivados pela influência do amor romântico.

As pesquisas que levaram a essas espantosas descobertas remontaram a mais de 2 mil anos nas páginas das biografias e da história. Sempre que havia indícios disponíveis ligados às vidas de homens e mulheres de grande sucesso, estes indicavam de modo convincente que eles tinham naturezas sexuais altamente desenvolvidas.

A emoção do sexo é uma força irresistível contra a qual não pode haver a oposição de um corpo imóvel. Quando movidas por essa emoção, as pessoas se tornam imbuídas de um superpoder de ação. Compreenda essa verdade e você entenderá o significado da afirmação de que a transmutação do sexo pode alçar uma pessoa a um desempenho de nível genial.

A emoção do sexo contém o segredo da habilidade criativa.

Destrua as glândulas sexuais, seja de um ser humano ou de um animal, e você terá eliminado uma importante fonte de ação.[2] Para provar isso, observe o que acontece com qualquer animal depois de ser castrado. Um touro ou um cão se torna inteiramente dócil após ter sido sexualmente alterado. A alteração sexual retira de qualquer animal macho o INSTINTO DE LUTAR. A alteração sexual da fêmea tem o mesmo efeito tranquilizador.

Os 10 estímulos da mente

A mente humana reage a estímulos através dos quais pode ser "sintonizada" em altas frequências de vibração conhecidas como entusiasmo, Imaginação Criativa, desejo intenso e assim por diante. Os 10 estímulos a que a mente responde mais livremente são:
1. o desejo de expressão sexual
2. amor

3. um desejo ardente de fama, poder ou ganho financeiro – DINHEIRO
4. música
5. amizade estreita, quer entre pessoas do mesmo sexo ou do sexo oposto
6. um Grupo de Mentes Mestras baseado na harmonia de duas ou mais pessoas que se aliam em nome do melhoramento espiritual ou temporal
7. sofrimento mútuo, como aquele vivido por pessoas perseguidas
8. autossugestão
9. medo
10. narcóticos e álcool.

O desejo de expressão sexual aparece no topo da lista de estímulos mais eficazes para aumentar as vibrações da mente e assim "fazer girar as engrenagens" da ação física. Oito desses estímulos são naturais e construtivos. Dois são destrutivos. A lista é apresentada aqui com o propósito de lhe permitir conduzir um estudo comparativo das principais fontes de estímulo mental. A partir desse estudo, será possível ver facilmente que a emoção do sexo é de longe o mais intenso e poderoso de todos os estímulos mentais.

Essa comparação é necessária como base para provar a afirmação de que a transmutação da energia sexual pode conduzir alguém a um desempenho de nível genial. Vamos descobrir no que consiste um gênio.

Algum espertalhão falou certa vez que um gênio é alguém que "deixa crescer os cabelos, come comida esquisita, vive sozinho e é vítima de atores de comédia". Uma definição melhor de gênio é "alguém que descobriu como aumentar a intensidade e a concentração mentais até o ponto de ser capaz de se comunicar livremente com fontes de conhecimento *não disponíveis por níveis de pensamento normais*".

Você pode querer fazer algumas perguntas em relação a essa definição. A primeira delas será: "Como é possível se comunicar com fontes de conhecimento que não estão disponíveis através da 'intensidade' e da 'concentração' de pensamento COMUNS?" A segunda será: "Há fontes de conhecimento conhecidas que estejam em geral disponíveis apenas para gênios e, caso existam, QUE FONTES SÃO ESSAS e como exatamente podem ser alcançadas?"

Darei provas da solidez de algumas das afirmações mais importantes feitas neste livro – ou, pelo menos, fornecerei indícios que lhe permitirão obter suas próprias provas mediante experimentação. Ao fazer isso, responderei a ambas essas perguntas.

A genialidade se desenvolve por meio do sexto sentido

A realidade de um sexto sentido em seres humanos já foi bem estabelecida. Esse sexto sentido é a Imaginação Criativa. A maioria das pessoas passa a vida inteira sem usar a faculdade da Imaginação Criativa e, se isso acontece, em geral é por simples acidente. Muito poucas usam a Imaginação Criativa COM CONSCIÊNCIA, PROPÓSITO E PLANEJAMENTO. Aquelas que a usam intencionalmente e compreendendo suas funções são, por definição, gênios.

A faculdade da Imaginação Criativa faz o elo direto entre a mente humana finita e a Inteligência Infinita. Todas as chamadas revelações mencionadas no contexto religioso e todas as descobertas de princípios básicos ou novos no campo da invenção acontecem com a utilização da Imaginação Criativa.

Quando ideias ou conceitos surgem na mente de alguém pelo que se costuma chamar de intuição, eles provêm de uma ou mais das quatro fontes a seguir:
1. Inteligência Infinita
2. a mente subconsciente da pessoa, onde ficam armazenados todas as impressões sensoriais e todos os impulsos de pensamento que alcançaram o cérebro através de algum dos cinco sentidos normais
3. a mente de outra pessoa que acabou de "liberar" o pensamento, ou a "imagem" da ideia ou conceito, por um pensamento consciente
4. o estoque subconsciente da outra pessoa.

A primeira, a terceira e a quarta fontes podem ser alcançadas por um processo ou processos misteriosos, talvez de natureza e manifestação extrassensorial, que ainda não sabemos explicar e que não compreendemos sequer remotamente. O que nós *compreendemos*, isso sim, é que essas fontes são acessadas diariamente mundo afora e que não existem outras CONHE-CIDAS pelas quais ideias ou palpites "inspirados" possam ser recebidos.

A Imaginação Criativa funciona melhor quando a mente está operando – ou funcionando, concentrando-se, "vibrando" (como resultado de alguma forma de estímulo) – num nível de intensidade e consciência significativamente maior do que o de um pensamento corriqueiro, normal.

Estimulada por um ou mais dos 10 estímulos mentais, a atividade cerebral vai alçar a pessoa muito acima do horizonte do pensamento normal. Seu efeito também é de permitir visualizar a distância, o alcance, a qualidade e a natureza de PENSAMENTOS indisponíveis em planos inferiores, como os que buscam soluções para os problemas de um negócio e da rotina profissional.

Alçada a esse "nível superior de pensamento" a partir de qualquer forma de estímulo mental, uma pessoa ocupa, relativamente falando, a mesma posição de alguém que, a bordo de um avião, subiu até uma altura onde pode vislumbrar objetos além do horizonte que limita a visão de quem está no chão. Além disso, enquanto se encontra nesse nível de pensamento superior, o indivíduo não é tolhido nem cerceado por nenhum dos estímulos que circunscrevem e restringem a visão de quem está lutando para obter as três necessidades básicas: alimento, vestuário e abrigo. Ele está num mundo de pensamento em que os pensamentos COMUNS, de todo dia, foram removidos de modo tão eficaz quanto morros, vales e outras limitações da visão física quando essa pessoa embarca num avião.

Nesse plano superior de PENSAMENTO, a faculdade criativa da mente adquire liberdade para agir. O caminho foi liberado para o Sexto Sentido funcionar. Ele se torna receptivo a ideias que não poderiam chegar ao indivíduo em nenhuma outra circunstância. O Sexto Sentido é a faculdade definidora que marca a diferença entre um gênio e uma pessoa comum.

Quanto mais essa faculdade criativa for usada, mais ela se torna alerta e receptiva a vibrações de pensamento que se originam fora da mente subconsciente – e mais o indivíduo passará a confiar nela e a exigir dela impulsos de pensamento (intuições, inspirações ou "sacadas"). Essa faculdade só pode ser cultivada e desenvolvida com o uso.

O que se conhece como "consciência" funciona inteiramente por intermédio da faculdade do Sexto Sentido.

Os grandes artistas, escritores, músicos e poetas se tornam grandes porque adquirem o hábito de confiar na "voz ainda fraca" interior por meio da faculdade da Imaginação Criativa. É um fato bem conhecido pelas pessoas de imaginação aguçada que suas melhores ideias surgem dos chamados palpites.

Existe um orador que só atinge o ápice de seu desempenho quando fecha os olhos e confia inteiramente na faculdade da Imaginação Criativa. Quando lhe perguntaram por que fecha os olhos logo antes de alcançar o clímax de sua capacidade oratória, ele respondeu: "Faço isso porque assim consigo *verbalizar ideias que me vêm de dentro*."[3]

Um dos financistas mais bem-sucedidos e mais conhecidos dos Estados Unidos tinha o hábito de fechar os olhos por dois ou três minutos antes de tomar uma decisão. Quando perguntado por que fazia isso, ele respondeu: "De olhos fechados consigo recorrer a uma *fonte de inteligência superior.*"

O Dr. Elmer R. Gates, de Chevy Chase, Maryland, criou mais de 200 patentes úteis, muitas delas básicas, recorrendo ao processo de cultivo da faculdade criativa. Esse método é ao mesmo tempo significativo e relevante para qualquer interessado em alcançar um "status de gênio", categoria à qual Gates sem dúvida alguma pertencia. O Dr. Gates foi um dos verdadeiramente grandes, embora de modo geral menos alardeados, cientistas do mundo.

Em seu laboratório, ele tinha o que chamava de sua "sala de comunicação pessoal".[4] Tratava-se de um recinto quase isolado acusticamente e organizado de tal forma que toda a luz pudesse ser bloqueada. A sala era equipada com uma pequena mesa sobre a qual ele mantinha um bloco de anotações. Quando desejava recorrer às forças disponíveis por sua Imaginação Criativa, ele entrava nessa sala, sentava-se diante da mesa, diminuía as luzes e SE CONCENTRAVA nos fatores CONHECIDOS da invenção na qual estava trabalhando. Gates permanecia nessa posição até começarem a surgir em sua mente ideias relacionadas aos fatores DESCONHECIDOS da invenção.

Certa vez, as ideias vieram tão depressa que ele passou quase três horas escrevendo sem parar. Quando os pensamentos pararam de fluir e ele examinou suas anotações, constatou que continham uma descrição de princípios que não tinham paralelo entre os dados científicos conhecidos. Além do mais, a resposta para seu problema estava apresentada nessas anotações de maneira inteligível. Desse modo, ele completou mais de 200 patentes que não tinham sido concluídas por outros inventores com menos recursos. Indícios dessa verdade podem ser encontrados no Escritório de Patentes dos Estados Unidos.

Elmer R. Gates ganhava a vida "sentando-se para ter ideias" para pessoas e empresas. Embora possam não ter se dado conta disso, algumas das maiores empresas americanas lhe pagaram honorários significativos por hora, para que ele se sentasse e tivesse ideias.

A faculdade normal do raciocínio é muitas vezes defeituosa, pois é guiada em grande parte pela experiência acumulada que a pessoa tem. Mas nem todo conhecimento acumulado a partir da experiência é correto. Ideias oriundas da faculdade criativa são bem mais confiáveis do que aquelas concebidas a partir da faculdade racional, pois provêm de fontes mais seguras.

A principal diferença entre o gênio e o inventor "excêntrico" comum pode estar no fato de que o gênio trabalha com a faculdade da Imaginação Criativa, enquanto o excêntrico não sabe nada sobre ela. O inventor científico (como Thomas A. Edison ou Elmer R. Gates) usa tanto a faculdade sintética quanto as capacidades criativas da imaginação.

Por exemplo, o cientista inventor que opera no modo genial inicia uma invenção organizando e combinando ideias conhecidas ou princípios acumulados pela experiência, usando a faculdade sintética (do raciocínio). Caso esse saber acumulado se revele insuficiente para completar a invenção, o inventor cientista então recorre aos outros tipos de conhecimento disponibilizados pela *faculdade criativa*. O método exato pelo qual isso acontece varia para cada um, mas a essência do procedimento usado pelos inventores geniais é a seguinte:

1. ELES "ESTIMULAM" AS PRÓPRIAS MENTES PARA QUE SEUS CÉREBROS FUNCIONEM NUM PLANO ACIMA DA MÉDIA E NUM NÍVEL DE INTENSIDADE TAMBÉM ACIMA DA MÉDIA, usando um ou mais dos 10 estimulantes mentais ou outro estimulante da sua preferência.
2. ELES SE CONCENTRAM nos fatores conhecidos (a parte concluída) da sua invenção e criam na mente uma imagem perfeita de seus fatores desconhecidos (a parte não concluída). Eles mantêm essa imagem na mente até ela ser absorvida pelo subconsciente. Em seguida, re-

laxam, esvaziando a mente de QUALQUER pensamento, e esperam a resposta surgir.

Às vezes os resultados são ao mesmo tempo precisos e imediatos. Em outras ocasiões, são negativos, dependendo do estágio de desenvolvimento de seu Sexto Sentido ou faculdade criativa.

Thomas Alva Edison tentou mais de 10 mil combinações diferentes de ideias usando a faculdade sintética de sua imaginação antes de sintonizar na faculdade criativa e obter a resposta que aperfeiçoou a lâmpada incandescente. Ele vivenciou algo semelhante ao inventar o fonógrafo.

Indícios confiáveis abundantes confirmam a existência da faculdade da Imaginação Criativa. Esses indícios estão disponíveis por uma análise cuidadosa de pessoas que se tornaram líderes em suas respectivas áreas sem terem recebido uma instrução extensa. Lincoln é o exemplo notável de um líder que alcançou a grandeza graças à descoberta e ao uso da sua Imaginação Criativa. Ele descobriu e começou a usar essa faculdade como resultado do estímulo do amor sentido após conhecer Anne Rutledge, afirmação da mais alta importância no que diz respeito ao estudo da origem da genialidade.

As páginas da história estão repletas de registros de grandes líderes cujas conquistas podem ser vinculadas diretamente à influência do ser amado, a pessoa que despertou a capacidade criativa de sua mente ao estimular o desejo sexual. Napoleão Bonaparte foi um desses. Quando inspirado por sua primeira mulher, Josefina, ele era irresistível e invencível. Quando seu "melhor juízo" ou sua faculdade racional o levou a deixar Josefina de lado, ele começou a declinar. A derrota e a ilha de Santa Helena não estavam muito longe.

Se o bom gosto permitisse, eu citaria facilmente dezenas de pessoas bastante conhecidas pelo povo americano que alcançaram altos níveis de sucesso sob a influência estimulante de seus cônjuges, apenas para experimentarem a derrocada DEPOIS que o dinheiro e o poder lhes subiram à cabeça e eles deixaram de lado seus amores originais em troca de alguém novo. Napoleão não foi o único a descobrir que a influência sexual, *da fonte certa*, é mais poderosa do que qualquer substituto mais expedito que possa ser criado pelo simples raciocínio.

A mente humana reage ao estímulo!

Entre os maiores e mais poderosos estímulos está o impulso sexual. Quando controlada e transmutada, essa força motriz é capaz de alçar as pessoas à esfera de pensamento superior que lhes permite controlar as fontes de preocupação e de irritação sem importância que permeiam seu caminho nos planos inferiores.

Infelizmente, só os gênios fizeram essa descoberta. Outros aceitaram a experiência do impulso sexual sem descobrir um de seus mais importantes potenciais – um fato que explica o grande número de "excêntricos" em comparação com o número limitado de gênios.

Com o propósito de refrescar a memória quanto aos dados biográficos disponíveis de determinados indivíduos, eis aqui os nomes de algumas pessoas que tiveram muito sucesso, todas elas conhecidas por terem uma natureza altamente sexual. Sua genialidade, sem dúvida, se originou na energia sexual transmutada:

GEORGE WASHINGTON
NAPOLEÃO BONAPARTE
WILLIAM SHAKESPEARE
ABRAHAM LINCOLN
RALPH WALDO EMERSON
ROBERT BURNS
THOMAS JEFFERSON
ELBERT HUBBARD[5]
ELBERT H. GARY[6]
OSCAR WILDE
WOODROW WILSON
JOHN H. PATTERSON[7]
ANDREW JACKSON
ENRICO CARUSO.[8]

Seu próprio conhecimento de biografias lhe permitirá ampliar essa lista. Descubra, se puder, uma só pessoa em toda a história da civilização que tenha obtido um sucesso notável em qualquer área sem ter sido movida por uma natureza sexual bem desenvolvida.

Caso não queira depender de biografias de quem já morreu, liste as que você conhece e veja se consegue encontrar entre elas alguma que não tenha uma forte energia sexual.

Talvez essa seja uma afirmação controversa, mas a energia sexual é a energia criativa de praticamente todos os gênios. *Nunca houve nem nunca haverá um líder, construtor ou artista a quem falte essa força motriz do sexo.*

Com certeza ninguém interpretará mal essas afirmações como se elas significassem que TODOS aqueles que têm forte energia sexual são gênios! O status de gênio é alcançado APENAS quando e SE estimulam as mentes de modo que elas recorram às forças disponíveis por meio da faculdade criativa da imaginação. Um dos principais estímulos capazes de produzir essa intensificação das funções mentais é a energia sexual. O simples fato de *ter* essa energia em si não basta para produzir um gênio. A energia precisa ser *transmutada* do desejo de um mero contato físico em alguma *outra* forma de desejo e ação antes de alçar alguém ao status de gênio.

Longe de se tornarem gênios devido a fortes desejos sexuais, a maioria, pela má compreensão e pelo mau uso dessa grande força, se rebaixa ao status dos mais rasteiros animais.

Por que a maioria das pessoas raramente tem sucesso antes dos 40

Descobri, após analisar mais de 25 mil pessoas, que indivíduos que obtêm um sucesso notável raramente o conseguem antes dos 40 anos de idade, e, mais frequentemente, só alcançam seu verdadeiro ritmo bem depois de passados os 50. Esse fato é tão espantoso que me levou a aprofundar com cuidado o estudo de sua causa, prolongando a investigação por um período de mais de 12 anos.

Esse estudo revelou o fato de que um dos principais motivos para a maioria das pessoas de sucesso não começar a tê-lo antes dos 40 ou 50 anos é sua tendência a DISSIPAR energias dedicando-se de modo exagerado à expressão *física* da emoção do sexo. A maioria das pessoas nunca chega a aprender que o impulso sexual tem outras possibilidades que transcendem em muito em importância a da mera expressão física. Boa parte dos que descobrem isso o faz *depois de ter desperdiçado muitos anos* num período em que a energia sexual está no auge, antes dos 45 ou 50 anos. Isso, em geral, é seguido por realizações notáveis.

A vida de muita gente até os 40, e às vezes bem depois disso, reflete uma dissipação contínua de energia que poderia ter sido canalizada de modo mais proveitoso para outros fins. Suas emoções mais nobres e mais poderosas são semeadas de qualquer maneira aos quatro ventos. Desse hábito nasceu a expressão *sowing one's wild oats* ("semear a aveia selvagem", em tradução livre), para se referir ao comportamento desregrado dos jovens.

O desejo de expressão sexual é de longe a mais forte e a mais arrebatadora de todas as emoções humanas, e, por esse exato motivo, esse desejo – quando domado e transmutado numa outra ação que não a da expressão física – pode alçar alguém ao "modo genial".[9]

A história não carece de exemplos dos que às vezes obtiveram o status de gênios com o auxílio de estimulantes mentais artificiais em forma de álcool ou narcóticos. Edgar Allan Poe escreveu *O corvo* sob a influência da bebida, "sonhando sonhos que nenhum mortal jamais ousou sonhar". James Whitcomb Riley produziu escritos incríveis sob a influência do álcool.[10] Talvez tenha sido assim que ele viu "o entrelaçamento ordenado entre realidade e sonho, o moinho sobre o rio e a névoa acima do regato". Robert Burns escreveu sob a influência de substâncias tóxicas as palavras imortais: "*For Auld Lang Syne, my dear, we'll take a cup of kindness yet, for Auld Lang Syne*" (em tradução livre: "Aos velhos tempos, meu caro, ainda ergueremos um copo aos velhos tempos").

Mas não podemos esquecer que muitos desses indivíduos acabaram destruindo a si mesmos.[11] A natureza preparou as próprias poções – entre elas, o amor profundo, o impulso sexual e o poder da autossugestão – com as quais as pessoas podem estimular suas mentes de forma *segura*, para assim fazê-las funcionar num plano mais elevado que lhes permita sintonizar pensamentos raros e de qualidade que vêm... ninguém sabe de onde! Nunca foi encontrado nenhum substituto satisfatório para os estimulantes oferecidos pela Natureza.

As emoções humanas governam o mundo e o destino da civilização. As pessoas são influenciadas em suas ações menos pela razão e mais pelos sentimentos. A faculdade criativa da mente é acionada totalmente pelas emoções, *e não pela razão fria*. A mais poderosa de todas as emoções humanas é a do sexo. Existem outros estimulantes mentais, alguns dos quais foram enumerados, mas nem todos eles somados podem se equiparar à força motriz do sexo.

Um estimulante mental é qualquer influência que aumente significativamente, de modo temporário ou permanente, a liberdade, a intensidade e a concentração do pensamento. Os 10 Estímulos Mentais descritos anteriormente são os mais utilizados. Por meio dessas fontes, ou de combinações entre elas, é possível entrar em contato com a Inteligência Infinita ou acessar, a qualquer momento que se queira, o estoque da mente subconsciente – seja a sua ou a de outra pessoa –, procedimento que *por si só resume o que significa ser genial*.

Um professor que já treinou e direcionou o esforço de mais de 30 mil pessoas na área de vendas fez a espantosa descoberta de que pessoas com forte desejo sexual geralmente se tornam os vendedores mais eficientes. A explicação é que o fator de personalidade conhecido como magnetismo pessoal nada mais é do que energia sexual. Indivíduos com forte desejo sexual sempre têm um estoque abundante de magnetismo pessoal. Quando cultivada e compreendida, essa força vital pode ser mobilizada e utilizada para se obter grandes vantagens nos relacionamentos com os outros. Essa poderosa energia pode ser comunicada aos outros pelos seguintes meios:

1. *O aperto de mão*. O contato da mão indica na hora a presença de magnetismo ou sua ausência.
2. *O tom de voz*. O magnetismo, ou a energia sexual, é o fator com o qual a voz pode ser incrementada ou tornada melodiosa e sedutora.
3. *Postura e porte de corpo*. Pessoas com forte energia sexual se movem de forma rápida, graciosa e fluida.
4. *Vibrações de pensamento*. Pessoas altamente sexuais, talvez de modo inconsciente, misturam as emoções do sexo com seus pensamentos ou podem fazer isso quando querem e assim influenciar outros à sua volta.
5. *Adornos corporais*. Pessoas com forte energia sexual em geral são muito cuidadosas com sua aparência pessoal. Elas geralmente escolhem roupas de um estilo que favorece sua personalidade, tipo físico, compleição, etc.

Ao contratar vendedores, os gerentes de vendas mais capazes procuram a qualidade do magnetismo pessoal como o *primeiro requisito* para ser um representante de vendas. Homens e mulheres sem energia sexual jamais terão entusiasmo nem inspirarão outros com entusiasmo, e o entusiasmo é um dos requisitos mais importantes na área de vendas, independentemente do que se estiver vendendo. Porta-vozes, oradores, pregadores, advogados ou vendedores sem energia sexual em geral fracassam quando se trata de influenciar outras pessoas. Some-se a isso o fato de que a maioria das pessoas só pode ser influenciada quando se apela para as suas emoções e você vai compreender a importância da energia sexual como parte da habilidade nata de um vendedor. Os melhores vendedores alcançam o status de domínio das vendas porque, de modo consciente ou inconsciente, *transmutam* a energia sexual em ENTUSIASMO DE VENDAS! Nessa afirmação se pode encontrar uma sugestão muito prática quanto ao verdadeiro significado da transmutação sexual.

Vendedores que sabem tirar suas mentes do tema sexo e direcionar essa energia para um esforço de venda – com tanto entusiasmo e determinação quanto empregariam no objetivo original – já adquiriram a arte da transmutação sexual, quer saibam disso ou não. A maioria dos vendedores que transmuta sua energia sexual faz isso sem ter a menor consciência do que está fazendo nem de como o está fazendo.

A transmutação da energia sexual exige mais força de vontade do que a pessoa comum está disposta a usar para esse propósito. Aqueles que consideram difícil reunir força de vontade suficiente para a transmutação podem adquirir essa habilidade aos poucos. Embora isso exija força de vontade, a recompensa para essa prática mais do que compensa o esforço.

Sexo é um tema sobre o qual a maioria das pessoas parece ser de uma ignorância imperdoável. O impulso sexual vem sendo lamentavelmente mal compreendido, difamado e caricaturado há tanto tempo pelos ignorantes e mal-intencionados que a própria palavra "sexo" adquiriu conotações lascivas e muitas vezes sórdidas. Homens e mulheres conhecidos por serem abençoados – sim, ABENÇOADOS – com fortes impulsos sexuais são frequentemente vistos com desconfiança ou até desprezo. Em vez de serem considerados normais, saudáveis e abençoados, eles são com frequência tachados de anormais, falhos ou mesmo desprezíveis.

Milhões de pessoas, mesmo nestes tempos esclarecidos, têm complexo de inferioridade por causa dessa falsa crença de que um forte desejo sexual é uma maldição. Apesar disso, afirmações em relação à virtude da energia sexual *não* deveriam ser interpretadas como uma justificativa para os libertinos. A emoção do sexo só é uma virtude quando usada de modo inteligente e criterioso. Ela pode ser mal utilizada, e muitas vezes o é, a tal ponto que rebaixa em vez de enriquecer tanto o corpo quanto a mente. Um uso melhor desse poder é o objetivo das explicações deste capítulo.

Pareceu-me bastante significativo quando descobri que praticamente todo grande líder que tive o privilégio de analisar era uma pessoa cujo sucesso fora em grande parte inspirado por alguém que esse indivíduo amava profundamente. Em muitos casos, a pessoa amada era um cônjuge modesto, discreto, de quem o público pouco ou nada ouvira falar, embora, em alguns casos, a fonte de inspiração fosse um amante. Talvez esses casos não sejam de todo desconhecidos por você.

O destempero nos hábitos sexuais é tão prejudicial quanto o destempero nos hábitos relacionados à bebida e à comida. Essa orgia de exageros pode ajudar a explicar a escassez relativa de grandes líderes hoje em dia. Nenhum indivíduo pode se beneficiar das forças da Imaginação Criativa enquanto as estiver dissipando. Os seres humanos são as únicas criaturas da Terra a violar o propósito da Natureza nesse quesito. Os outros animais exercem sua natureza sexual com moderação e num propósito que se harmoniza com as leis naturais e só atendem ao chamado do sexo quando estão "na época certa". Os seres humanos tendem a considerar todas as épocas certas.

Toda pessoa inteligente sabe que estímulos excessivos de bebidas alcoólicas e narcóticos são uma forma de destempero que destrói os órgãos vitais do corpo, entre eles o cérebro. Nem todo mundo sabe, porém, que um exagero na expressão sexual pode tornar-se um hábito tão destrutivo e prejudicial ao esforço criativo quanto os narcóticos ou a bebida.

Um indivíduo obcecado por sexo no fundo não é muito diferente de um viciado em drogas! Ambos perderam o controle de suas faculdades racionais e força de vontade. O exagero sexual pode não apenas destruir a razão e a força de vontade, mas também conduzir a uma disfunção mental temporária ou permanente. Muitos casos de hipocondria (doenças imaginárias) nascem de hábitos desenvolvidos devido à ignorância da verdadeira função do sexo.

Com essas breves referências ao tema, é possível ver de cara que a ignorância em relação à transmutação sexual, por um lado, impõe penalidades imensas aos ignorantes e, por outro, os impede de obter benefícios igualmente tremendos.

A ignorância generalizada em relação ao sexo se deve ao fato de que o tema sempre foi cercado de mistério e encoberto por um silêncio sombrio. A conspiração de mistério e silêncio teve o mesmo efeito na mente dos jovens que a psicologia da Lei Seca. O resultado foi um aumento da curiosidade e um desejo de adquirir mais conhecimento sobre esse tema proibido. E, para vergonha de todos os políticos e da maioria dos médicos – que pela sua formação são os mais qualificados para instruir a juventude sobre o tema –, informações adequadas muitas vezes não foram prontamente oferecidas.

É raro alguém realizar um esforço altamente criativo em qualquer área antes dos 40 anos de idade. A pessoa padrão alcança seu período de maior capacidade criativa entre os 40 e os 60. Essas afirmações têm por base observação e análise cuidadosas de milhares de homens e mulheres. Elas deveriam ser um incentivo para quem não consegue ter sucesso antes dos 40 e para quem se amedronta ao ver a velhice se aproximar. O período compreendido entre as idades de 40 e 50 anos é, em geral, o mais produtivo. As pessoas deveriam abordar essa fase sem estremecer de medo, mas com esperança e uma forte expectativa.

Se você quiser provas de que a maioria não começa a fazer seu melhor trabalho antes dos 40 anos, estude a história dos indivíduos mais bem-sucedidos que o povo norte-americano conhece e encontrará. Henry Ford só alcançou seu ritmo de sucesso depois de passar dos 40. Andrew Carnegie tinha bem mais de 40 anos quando começou a colher os louros de seus esforços. James J. Hill ainda estava operando um telégrafo aos 40 anos de idade.[12] Seus sucessos fenomenais vieram depois dessa idade. As biografias dos barões norte-americanos da indústria e das finanças estão repletas de provas de que o período que vai dos 40 aos 60 é a idade mais produtiva para quase todo mundo.

Entre os 30 e os 40, as pessoas começam a aprender (se é que aprenderão um dia) a arte da transmutação sexual. Essa descoberta em geral ocorre por acidente e, na maior parte das vezes, os indivíduos que a fazem não têm consciência alguma dela. Eles podem observar que seu poder de sucesso aumentou por volta dos 35 ou 40. No entanto, na maioria dos casos, desconhecem a causa dessa mudança – o fato de que a Natureza começa a harmonizar as emoções do amor e do sexo entre os 30 e os 40 anos, para que eles consigam mobilizar essas grandes forças e aplicá-las conjuntamente como estímulos à ação.

O sexo por si só é um poderoso estímulo à ação, mas suas forças se assemelham a um ciclone: são muitas vezes incontroláveis. Quando a emoção do amor começa a se misturar com a emoção do sexo, ela produz tranquilidade, serenidade, ponderação e equilíbrio. Qual pessoa chega aos 40 com tantos infortúnios que não consegue analisar e corroborar tais afirmações com a própria experiência?

Quando movidos pelo desejo de agradar a alguém do sexo oposto baseados somente na emoção do sexo, os indivíduos podem e em geral são capazes de grandes conquistas, mas suas ações podem ser desorganizadas, distorcidas e totalmente destrutivas. Quando movida por seu desejo de agradar a alguém que ama com base no motivo único do sexo, uma pessoa é capaz de roubar, trapacear – ou até mesmo, em casos extremos, de cometer assassinato. Mas, quando a emoção do AMOR é misturada à emoção do sexo, essas mesmas pessoas conduzem suas ações com sanidade, equilíbrio e razão.

Os criminologistas descobriram que alguns dos criminosos mais aguerridos podem ser recuperados por influência de um amor intenso. Não há registro de um criminoso que tenha sido recuperado somente pela influência do sexo. Esses fatos são conhecidos, mas sua causa não. A recuperação acontece, quando acontece, pelo coração, ou pelo lado emocional, não pela cabeça ou lado racional. A recuperação significa uma "mudança emocional". Não significa "mudar racionalmente". A razão pode levar uma pessoa a fazer determinadas mudanças em sua conduta pessoal para evitar as consequências de efeitos indesejáveis, mas uma RECUPERAÇÃO VERDADEIRA só acontece quando seus sentimentos se modificam – com um DESEJO de mudar.

O amor, a paixão e o sexo são emoções capazes de alçar as pessoas a píncaros de sucesso. O amor é a emoção que funciona como uma válvula de segurança e garante o equilíbrio, a tranquilidade e o esforço construtivo. Quando combinadas, essas três emoções podem alçar uma pessoa ao "nível" de um gênio. Há gênios, porém, que pouco sabem sobre a emoção do amor. A maioria pode ser encontrada se dedicando a alguma forma de ação destrutiva ou, no mínimo, sem se basear na justiça e na imparcialidade em relação aos outros. Se o bom gosto permitisse, seria possível enumerar uma dúzia de gênios no ramo da indústria e das finanças que pisoteiam implacavelmente os direitos de seus semelhantes da espécie humana. Eles parecem inteiramente desprovidos de consciência. Será fácil para o leitor elaborar sua própria lista de pessoas assim.

As emoções são um estado de espírito. A natureza proveu os seres humanos de uma química mental que opera de modo semelhante aos princípios da química da matéria. É fato notório que, com o auxílio da ciência, um químico profissional pode criar um veneno mortal misturando determinados elementos, nenhum dos quais é perigoso isoladamente.[13] Da mesma forma, as emoções podem ser combinadas para criar um veneno mortal. As emoções do sexo e do ciúme, quando combinadas, podem transformar uma pessoa num animal insano.

A presença de uma ou mais emoções destrutivas na mente humana, mescladas pela química da mente, cria um veneno capaz de destruir a noção de justiça e de imparcialidade. Em casos extremos, a presença de qualquer combinação dessas emoções na mente pode destruir a razão da pessoa.

A estrada para a genialidade consiste no desenvolvimento, controle e uso adequado do sexo, do amor e da paixão. Esse processo envolve *incentivar* a presença dessas emoções como pensamento predominante na mente da pessoa e *desencorajar* a presença de todas as emoções destrutivas. A mente funciona por hábito. Ela prospera com os pensamentos *predominantes* que lhe são fornecidos. Pela faculdade da força de vontade, é possível desencorajar a presença de qualquer emoção e incentivar a presença de qualquer outra. Não é difícil controlar a mente com a força de vontade. O controle advém da persistência e do hábito. O segredo do controle está em compreender o processo de transmutação. *Quando qual-*

quer emoção negativa surge na mente de alguém, ela pode ser transmutada numa emoção positiva ou construtiva pelo simples procedimento de mudar os próprios pensamentos.[14]

NÃO EXISTE NENHUM OUTRO CAMINHO PARA A GENIALIDADE A NÃO SER O DO ESFORÇO PRÓPRIO VOLUNTÁRIO! Durante algum tempo, é possível obter grandes sucessos nas finanças, nos negócios ou em outras áreas usando apenas a força motriz da energia sexual, mas a história está repleta de provas de que essas pessoas podem carregar consigo e, em geral, carregam, determinados traços de caráter que as privam da capacidade de manter ou tirar proveito da sua fortuna. Vale a pena analisar, refletir e meditar sobre isso, pois se trata da afirmação de uma verdade cujo conhecimento pode ser útil para todos os homens e mulheres. A ignorância dessa verdade custou a milhares de pessoas seu privilégio de FELICIDADE, muito embora elas possuíssem riqueza.

A emoção do amor desperta e desenvolve a parte artística e a natureza artística e estética da pessoa. Ela deixa sua impressão na própria alma, mesmo depois de o "fogo" ter sido apagado pelo tempo e pelas circunstâncias. As lembranças de um amor nunca passam. Elas perduram, servindo de guia e influência muito depois que a fonte do estímulo secou. Não há nada de novo nisso. Todos que já foram movidos por um AMOR GENUÍNO sabem que ele deixa vestígios duradouros no coração humano. O efeito do amor perdura porque ele é algo de natureza espiritual. Indivíduos incapazes de ser estimulados a alcançar grandes sucessos por meio do amor infelizmente não podem ser ajudados – embora possam parecer vivos, estão mortos. Até mesmo as lembranças do amor bastam para alçar uma pessoa a um plano superior de esforço criativo. A força principal do amor pode se esgotar e se apagar como um fogo que se consumiu mas deixa para trás marcas indeléveis para provar que passou por ali. Sua partida muitas vezes prepara o coração humano para um amor ainda maior.

Assim, vez por outra revisite seu passado e banhe sua mente nas lindas lembranças de antigos amores. Isso suavizará a influência das preocupações e irritações atuais e poderá lhe proporcionar um modo de escapar das realidades desagradáveis da vida, e talvez – quem sabe? – sua mente lhe ceda, durante esse retiro temporário, alguma ideia ou plano capaz de mudar todo o status financeiro ou espiritual da sua vida.

Se você se considera sem sorte por ter amado e perdido esse amor, não pense assim. Quem amou de verdade nunca pode perder por completo. O amor é caprichoso e temperamental. Sua natureza é efêmera, transitória. Ele vem quando quer e vai embora sem avisar. Aceite-o e aproveite-o enquanto ele durar, mas não gaste seu tempo se preocupando com a sua partida. A preocupação nunca vai trazê-lo de volta.

Descarte também a ideia de que o amor só acontece uma vez. O amor pode surgir incontáveis vezes, mas não existem duas experiências amorosas que afetem a pessoa exatamente da mesma forma. Pode ser que exista, e isso em geral acontece, uma experiência amorosa que deixe no coração uma marca mais funda do que as outras, mas todas as experiências de amor são benéficas, exceto para quem se torna ressentido e cínico quando o amor se vai.

Não deveria existir decepção amorosa, e não existiria se as pessoas compreendessem a diferença entre a emoção do amor e a emoção do sexo. A principal diferença é que o amor é espiritual e o sexo é biológico. Amor é química; sexo é física. Nenhuma experiência que toque o coração humano com uma força espiritual poderia ser prejudicial, a não ser que passe pela ignorância ou pelo ciúme.

O amor é, sem dúvida alguma, a maior experiência da vida. Ele nos coloca em comunhão com a Inteligência Infinita. Quando misturado às emoções da paixão e do sexo, ele pode nos fazer subir vários degraus da escada do esforço criativo. As emoções do amor, do sexo e da paixão são pontas do eterno triângulo da genialidade que permite alcançar o sucesso. A natureza não cria gênios através de nenhuma outra força.[15]

O amor é uma emoção com muitos lados, matizes e cores. O amor que se sente por pai e mãe ou pelos filhos é bem diferente do que se sente pelo namorado. Um está misturado à emoção do sexo, o outro, não.

O amor que se sente numa amizade verdadeira não é o mesmo que se sente por um parceiro, pelos pais ou pelos filhos, mas ele também é uma forma de amor.

Existe também a emoção do amor pelas coisas inanimadas, tais como o amor pelo trabalho da Natureza. Mas o mais intenso e mais ardente de todos esses diversos tipos de amor é aquele que se experimenta ao se misturar as emoções do amor e do sexo. Casamentos que não forem abençoados com a eterna afinidade do amor e do sexo, devidamente equilibrados e numa proporção adequada, não podem ser inteiramente felizes – e raramente duram. O amor sozinho não trará felicidade no casamento, e o sexo sozinho também não. Mas, quando essas duas lindas emoções se combinam, o casamento é capaz de proporcionar um estado de espírito o mais próximo do espiritual que alguém talvez experimente durante toda sua existência terrena. Quando a emoção da paixão é acrescentada às do amor e do sexo, os obstáculos entre a mente humana finita e a Inteligência Infinita podem ser removidos. O status de gênio pode ser alcançado. E *o décimo passo para a riqueza* pode ser dominado.

*Emoções positivas e negativas não podem
ocupar a mente ao mesmo tempo.*
UMA OU OUTRA DEVE PREDOMINAR.

CAPÍTULO 11

A Mente Subconsciente

O elo conector
O décimo primeiro passo para a riqueza

A MENTE SUBCONSCIENTE consiste num campo de consciência onde todos os impulsos de pensamento ou sensação que alcançam a mente objetiva por qualquer um dos cinco sentidos são classificados e registrados. Nesse campo, os pensamentos podem ser revistos ou jogados fora, do mesmo modo que cartas são removidas de uma pasta de arquivo.

A mente subconsciente recebe e arquiva impressões ou pensamentos independentemente da sua natureza. Você pode plantar INTENCIONALMENTE na sua mente subconsciente qualquer plano, pensamento ou propósito que deseje traduzir no seu equivalente físico ou monetário. O subconsciente age primeiro a partir dos desejos predominantes que foram misturados a sentimentos ou emoções, tais como a FÉ.

Analise isso em relação às instruções dadas no Capítulo 1 sobre o DESEJO para executar as seis ações ali descritas, e também as instruções dadas no Capítulo 6 para formular e executar planos, e você vai entender a importância do pensamento exposto no parágrafo anterior.

A MENTE SUBCONSCIENTE TRABALHA DIA E NOITE. Por um método ou procedimento ainda não compreendido, a mente subconsciente mobiliza as forças da Inteligência Infinita para obter o poder com o qual transmutar intencionalmente os desejos em seu equivalente físico, lançando sempre mão do modo mais prático pelo qual essa finalidade pode ser alcançada.

Você não pode controlar *totalmente* a sua mente subconsciente, mas pode lhe entregar deliberadamente qualquer plano, desejo ou propósito a que deseje dar forma concreta. Releia as instruções para usar a mente subconsciente do Capítulo 3. Vários indícios sustentam a crença de que a mente subconsciente é o elo que conecta a mente humana finita com a Inteligência Infinita. Ela é o intermediário por meio do qual se pode tirar proveito das forças da Inteligência Infinita sempre que se quiser. Somente ela contém o processo secreto pelo qual os impulsos mentais são modificados e transformados em seu equivalente espiritual. Somente ela constitui o meio pelo qual a prece pode ser transmitida à fonte capaz de atender às orações.

As possibilidades de esforço criativo ligadas à mente subconsciente são espetaculares e imponderáveis. Elas nos inspiram assombro. Eu nunca abordo uma conversa sobre a mente subconsciente sem experimentar uma sensação de pequenez e inferioridade, o que talvez se deva ao fato de que todo o nosso estoque de conhecimento sobre esse tema é lamentavelmente limitado. O simples fato de a mente subconsciente ser o meio de comunicação entre a mente humana pensante e a Inteligência Infinita é, por si só, um pensamento que quase paralisa a razão.

Depois de aceitar a realidade da existência da mente subconsciente e *compreender* suas possibilidades como um meio de transmutar seus DESEJOS no seu equivalente físico ou monetário, você entenderá o pleno significado das instruções dadas no Capítulo 1 sobre Desejo. Entenderá também por que foi aconselhado repetidamente a TORNAR CLAROS SEUS DESEJOS E A COLOCÁ-LOS POR ESCRITO. Também vai entender a necessidade de ter PERSISTÊNCIA na execução das instruções.

As instruções envolvidas nos 13 passos para a riqueza são os estímulos com os quais você adquire habilidade para alcançar e influenciar sua mente subconsciente. Não desanime se não conseguir fazer isso na primeira tentativa. Lembre-se de que a mente subconsciente só pode ser direcionada intencionalmente *por meio do hábito*, usando as instruções dadas no Capítulo 2, sobre Fé. Você ainda não teve tempo de dominar a fé. Seja paciente. Seja persistente.

Muitas das afirmações nos capítulos sobre Fé e Autossugestão serão repetidas aqui em benefício da SUA mente subconsciente. Lembre-se: sua mente subconsciente funciona de maneira automática, *quer você faça ou não qualquer esforço para influenciá-la*. Isso lhe sugere naturalmente que pensamentos relacionados ao medo ou à pobreza, bem como todos os pensamentos negativos, servem de estímulo para sua mente subconsciente – *a não ser* que você domine esses impulsos e proporcione a ela alimentos mais desejáveis com os quais possa se nutrir.

A mente subconsciente não permanecerá inativa! Se você não plantar DESEJOS na sua mente subconsciente, ela se alimentará com os pensamentos que lhe chegarem como *resultado da sua negligência*. Já foi explicado que os impulsos de pensamento, tanto negativos quanto positivos, chegam continuamente à mente consciente pelas quatro fontes mencionadas no Capítulo 10.

Por enquanto, basta lembrar que você vive *diariamente* no meio de todo tipo de impulso de pensamento que chega ao subconsciente sem você saber ou ter consciência disso. Alguns desses impulsos são negativos, outros são positivos. Você agora se dedica a tentar estancar o fluxo de impulsos negativos e ajudar a influenciar deliberadamente sua mente subconsciente por impulsos positivos de DESEJO.

Quando conseguir isso, você terá as chaves com as quais destrancar a porta de sua mente subconsciente. E mais: controlará essa porta de modo tão completo que nenhum pensamento indesejável vai influenciar seu subconsciente.

Tudo aquilo que seres humanos criam COMEÇA na forma de um impulso de pensamento. Ninguém pode criar nada que não conceba primeiro em PENSAMENTO. Com o auxílio da imaginação, os impulsos de pensamento podem ser reunidos em planos. A imaginação, quando controlada, pode ser usada para criar planos ou propósitos que conduzam ao sucesso na profissão que se tiver escolhido.

Todos os impulsos de pensamento que se pretende transmutar no seu equivalente físico e que forem intencionalmente plantados na mente subconsciente devem passar pela imaginação e ser misturados com fé. A mistura da fé com um plano ou propósito que se pretenda submeter à mente subconsciente só PODE ser feita pela imaginação.

A partir dessas afirmações, você observará de imediato que o uso voluntário da mente subconsciente demanda a coordenação e a aplicação de todos os princípios de sucesso explicados neste livro.

Ella Wheeler Wilcox[1] deu mostras de ter compreendido o poder da mente subconsciente ao escrever:

Não há como saber se um pensamento
   Trará a você ódio ou amor,
Pois pensamentos são coisas e suas asas leves
   São mais velozes do que pombos-correio.

Eles seguem as leis do universo,
   Tudo gera o seu semelhante,

E correm pelos trilhos para lhe trazer de volta
   O que quer que tenha saído de sua mente.

Ella Wilcox compreendeu a verdade de que os pensamentos de uma pessoa também se entranham profundamente em sua mente subconsciente, onde servem de ímã, padrão ou mapa que influencia o subconsciente enquanto traduz os pensamentos para seu equivalente físico. Pensamentos são realmente concretos, pois todo objeto material começa na forma de "energia de pensamento".

A mente subconsciente é mais suscetível a ser influenciada por impulsos de pensamentos que estejam misturados com sentimentos ou emoções do que por aqueles que se originem apenas na porção racional da mente. Na verdade, muitas provas sustentam a teoria de que SOMENTE os pensamentos emocionalizados têm influência de AÇÃO sobre a mente subconsciente. É fato conhecido que a emoção, ou o sentimento, governa a maioria das pessoas. Se for verdade que a mente subconsciente reage mais rapidamente e é influenciada com mais facilidade por impulsos de pensamento que estejam energizados com emoção, é essencial se familiarizar com as emoções mais importantes. Existem sete emoções positivas principais e sete emoções negativas principais. As negativas penetram automaticamente nos impulsos de pensamento, o que garante sua passagem para a mente subconsciente. As positivas *precisam ser injetadas*, pelo princípio da autossugestão, nos impulsos de pensamento que cada um deseja transmitir para sua mente subconsciente. (Instruções para conseguir isso são dadas no Capítulo 3, sobre Autossugestão.)

Essas emoções, ou impulsos de sentimento, podem ser comparadas ao fermento de um pão, pois constituem o elemento de AÇÃO que faz os impulsos de pensamento passarem do estado passivo para o estado ativo. Assim, pode-se compreender por que impulsos de pensamento que foram bem misturados com emoções se transformam em ação mais depressa do que impulsos de pensamento que se originam na razão fria.

Você está se preparando para influenciar e controlar a "plateia interna" da sua mente subconsciente de modo a lhe entregar o DESEJO de dinheiro, que deseja transmutar no seu equivalente monetário. Para isso, é essencial que compreenda o método para abordar essa plateia interna. Você precisa falar a sua língua, do contrário ela não vai atender seu chamado. Ela compreende melhor a linguagem da emoção ou do sentimento. Deixe-me, portanto, descrever aqui as sete principais emoções positivas e as sete principais emoções negativas, para que você possa recorrer às positivas e evitar as negativas quando for dar instruções à sua mente subconsciente.

As sete principais emoções positivas

A emoção do DESEJO
A emoção da FÉ
A emoção do AMOR
A emoção do SEXO
A emoção do ENTUSIASMO
A emoção da PAIXÃO
A emoção da ESPERANÇA

Existem outras emoções positivas, mas essas são as sete mais potentes e as mais comumente usadas no esforço criativo. Domine essas sete (elas só podem ser dominadas pelo USO) e as outras emoções positivas responderão ao seu comando quando você precisar delas. Lembre-se, com relação a isso, de que você está estudando um livro que pretende ajudá-lo a desenvolver sua sensibilidade ao dinheiro *enchendo sua mente com emoções positivas*. Ninguém se torna sensível ao dinheiro enchendo a mente com emoções negativas.

As sete principais emoções negativas
(a serem evitadas)

A emoção do MEDO
A emoção da INVEJA
A emoção do ÓDIO
A emoção da VINGANÇA
A emoção da GANÂNCIA
A emoção da SUPERSTIÇÃO
A emoção da RAIVA

Emoções positivas e negativas não podem ocupar a mente ao mesmo tempo. Uma ou outra precisa dominar. É sua responsabilidade garantir que as emoções positivas constituam a influência predominante da sua mente. É nesse ponto que a LEI DO HÁBITO virá em seu auxílio. *Crie o hábito* de aplicar e usar as emoções positivas! Com o tempo, elas vão dominar sua mente de modo tão completo que as negativas *não poderão* entrar.

Somente seguindo essas instruções de forma literal e contínua é que você conseguirá ter controle sobre sua mente subconsciente. A presença de um único pensamento ou sentimento negativo forte na mente consciente basta para *destruir* todas as chances de ajuda construtiva de seu subconsciente.[2]

Se você for uma pessoa observadora, deve ter percebido que a maioria das pessoas só recorre à oração DEPOIS que tudo mais FRACASSOU! Ou então reza seguindo um ritual com palavras sem significado. E, uma vez que é fato que a maioria das pessoas que reza SÓ O FAZ DEPOIS DE TUDO MAIS HAVER FRACASSADO, elas chegam à oração repletas de MEDO e DÚVIDA, *que são as emoções com base nas quais a mente subconsciente age* e que transmite à Inteligência Infinita. Da mesma forma, são essas as emoções que a Inteligência Infinita recebe e COM BASE NAS QUAIS ELA AGE.

Se você rezar por alguma coisa, mas sentir medo enquanto estiver rezando de que não receberá aquilo ou que sua oração não se transformará em ação pela Inteligência Infinita, sua oração *terá sido em vão.*

A oração às vezes tem por resultado a concretização daquilo por que se rezou. Se você alguma vez tiver a experiência de receber aquilo pelo que rezou, volte na memória, recorde de seu real ESTADO DE ESPÍRITO enquanto estava rezando e saberá, com certeza, que a teoria descrita aqui é mais do que uma teoria.

Talvez chegue o dia em que as escolas e instituições de ensino do país ensinarão a "ciência da oração". Quando essa hora chegar (ela chegará assim que a humanidade estiver pronta para ela e a exigir), ninguém abordará a Mente Universal (a Inteligência Infinita) num estado de medo, pelo excelente motivo de que o sentimento de medo não vai existir. Ignorância, superstição e falsos ensinamentos terão desaparecido, e os seres humanos terão alcançado seu verdadeiro status de filhos da Inteligência Infinita. Uns poucos já alcançaram essa bênção.

Se você acha que essa profecia é exagerada, examine a espécie humana em retrospecto. Menos de 100 anos atrás, as pessoas acreditavam que os raios eram uma demonstração da ira divina e os temiam. Agora, graças ao poder da FÉ, nós mobilizamos os raios e os fazemos girar as engrenagens da indústria. Bem menos de 100 anos atrás, as pessoas acreditavam que o espaço entre os planetas não passava de um imenso vazio, uma vastidão morta, um nada. Hoje, graças ao mesmo poder da FÉ, sabemos que, longe de ser morto ou vazio, o espaço entre os planetas é muito vivo, cheio de substâncias misteriosas e pulsantes de energia – a forma de energia mais elevada que se conhece, excetuando-se, talvez, a do PENSAMENTO! Além do mais, há indícios de que essa energia viva, pulsante e vibratória, que permeia cada átomo de matéria e preenche cada nicho de espaço, conecta cada cérebro humano com os outros cérebros humanos de modos misteriosos que ainda não compreendemos.[3]

Por que não deveríamos acreditar que essa mesma energia conecta todos os cérebros humanos à Inteligência Infinita? Não há pedágios entre a mente humana finita e a Inteligência Infinita. A comunicação não tem custo algum a não ser Paciência, Fé, Persistência, Compreensão e um DESEJO SINCERO de comunicação. Além do mais, a abordagem só pode ser feita por cada um. Preces compradas não valem nada. A Inteligência Infinita não opera por pessoa interposta. Ou você se comunica diretamente, ou então não se comunica. Você pode comprar livros de orações e repeti-las até o dia do juízo final sem qualquer resultado. Os pensamentos que você desejar comunicar à Inteligência Infinita precisam passar por um tipo de transformação que só pode ser proporcionada pela sua mente subconsciente. O método pelo qual você pode se comunicar com a Inteligência Infinita é análogo àquele por meio do qual a vibração do som se propaga através do rádio. Se você compreende o princípio de funcionamento do rádio, sabe que o som só pode se propagar pelas ondas do ar se for amplificado ou elevado até uma taxa de vibração que o ouvido humano não consegue detectar. O equipamento de processamento e transmissão do rádio pega o som da voz humana e o embaralha ou modifica aumentando milhões de vezes a vibração. Somente assim a vibração sonora pode ser transmitida por centenas ou milhares de quilômetros. Depois dessa transformação, as vibrações originais do som – agora na forma de ondas magnéticas altamente energizadas – são propagadas pelas ondas do ar até receptores de rádio, que tornam a reduzir a vibração dessa energia ao seu estado original para que ela seja reconhecida como som.

Da mesma forma, a mente subconsciente é o intermediário que traduz as orações de uma pessoa em termos usados pela Inteligência Infinita, apresenta a mensagem e recebe de volta a resposta na forma de um plano ou uma ideia precisos para obter o objeto da oração. Compreenda esse princípio e saberá por que palavras simples lidas num livro de orações – embora possam trazer reconforto e proporcionar motivos para refletir e meditar – não podem servir e jamais servirão como agentes de comunicação ativa entre a mente humana e a Inteligência Infinita. Antes que a sua prece "alcance" a Inteligência Infinita (trata-se apenas da afirmação da teoria deste autor), ela é de algum modo transformada de sua "vibração de pensamento" original em "vibração espiritual".

A fé é o único agente conhecido capaz de proporcionar uma natureza espiritual a seus pensamentos dessa maneira. A FÉ e o MEDO são péssimos companheiros. Onde um está, o outro não pode existir.

CAPÍTULO 12

O Cérebro

Uma Estação Emissora e Receptora de Pensamento
O décimo segundo passo para a riqueza

Mais de 20 anos atrás, ao trabalhar com Alexander Graham Bell e Elmer R. Gates, observei que todo cérebro humano é ao mesmo tempo uma estação "emissora" e "receptora" dos impulsos de pensamento.

Nas circunstâncias corretas, e de um modo que pode ser comparado àquele empregado pelo sistema de transmissão por rádio, todo cérebro humano é capaz de "captar" impulsos de pensamento que se originam no cérebro dos outros.

Com relação à afirmação do parágrafo anterior, compare e considere a descrição da Imaginação Criativa tal como ela foi esboçada ao se discorrer sobre imaginação no Capítulo 5. A Imaginação Criativa é o conjunto receptor do cérebro que processa os pensamentos liberados pelos cérebros alheios.[1] Ela é o agente de comunicação entre a nossa mente consciente, ou racional, e as quatro fontes de onde se pode receber estímulos de pensamento (a Inteligência Infinita, nossa mente subconsciente, a mente consciente "altamente energizada" de outra pessoa e o estoque subconsciente de outra pessoa. Veja a discussão sobre Sexto Sentido no Capítulo 10).

A Imaginação Criativa é o mecanismo pelo qual a intuição e os palpites parecem surgir do nada e por meio do qual duas ou mais pessoas, trabalhando juntas num estado de concentração e foco intensos, parecem antever os próximos pensamentos, ações, "sacadas" e até mesmo as próprias palavras umas das outras.

Quando altamente estimulada ou amplificada dessa maneira, a mente se torna mais receptiva aos impulsos de pensamento que de algum modo chegam até ela de fontes externas. Esse processo de amplificação é conduzido por emoções poderosas, sejam elas positivas ou negativas.

O pensamento se manifesta no cérebro humano como energia elétrica. Apenas os impulsos de pensamento altamente intensificados ou "energizados" são transmitidos de um cérebro para outro por esse processo misterioso e ainda não compreendido. Um pensamento que foi modificado ou amplificado por qualquer uma das principais emoções é o único tipo de pensamento capaz de passar de um cérebro para outro através da "máquina emissora" do cérebro humano.

A emoção do sexo está no topo da lista das emoções humanas no que diz respeito à intensidade e à força motriz. O cérebro estimulado pela emoção do sexo fica muito mais energizado do que quando essa emoção está adormecida ou ausente. (Para reiterar uma afirmação já feita, "estimulado pela emoção do sexo" se refere a um impulso sexual vigoroso e potente, mas controlado, canalizado e expressado de modo adequado e próprio.)

O resultado da transmutação do sexo é o aumento desse efeito energizante nos pensamentos e nos processos de pensamento até um ponto tal que a Imaginação Criativa se torna altamente receptiva a ideias, que ela parece literalmente tirar do nada. Quando o cérebro está operando nesse estado altamente energizado, ele não apenas atrai pensamentos e ideias liberados por outros cérebros, mas também confere aos próprios pensamentos aquele sentimento essencial para captá-los e transformá-los em ação pela mente subconsciente.

Assim, você verá que o princípio da transmissão é o fator pelo qual você mistura sentimentos ou emoções com seus pensamentos e os transmite para sua mente subconsciente.

A mente subconsciente é a estação emissora do cérebro que transmite os impulsos de pensamento. A Imaginação Criativa é a estação receptora, pela qual os impulsos são captados. Além dos importantes fatores da mente subconsciente e da faculdade da Imaginação Criativa, que juntas formam as estações emissora e receptora do seu equipamento de transmissão mental, considere agora o princípio da autossugestão, que é o meio pelo qual você pode pôr a sua estação transmissora em funcionamento.

As instruções descritas no Capítulo 3, sobre Autossugestão, mostraram de modo preciso e específico o método mediante o qual o DESEJO pode ser transmutado no seu equivalente monetário.

Operar sua estação de transmissão mental é um procedimento comparativamente simples. Quando quiser usá-la, você só precisa lembrar de três fatores e aplicá-los: a MENTE SUBCONSCIENTE, a IMAGINAÇÃO CRIATIVA e a AUTOSSUGESTÃO. Os estímulos para transformar essas três forças em ação já foram descritos. Tudo começa com o DESEJO.

As maiores forças são intangíveis

O mundo chegou ao verdadeiro limiar de uma compreensão das forças intangíveis e invisíveis. Ao longo da história, as pessoas dependeram demais de seus sentidos físicos e limitaram seu conhecimento a coisas físicas que podiam ver, tocar, pesar e medir.

Estamos agora adentrando a mais espetacular das épocas – uma época que nos ensinará algo sobre as forças intangíveis do mundo ao nosso redor. Talvez aprendamos, ao atravessar essa época, que o "outro eu" é mais poderoso do que o eu físico que vemos ao olhar no espelho.

Às vezes as pessoas falam de modo leviano sobre as coisas intangíveis – que são incapazes de perceber por um dos cinco sentidos – e, quando as ouvimos falar, devemos nos lembrar que *somos todos controlados por forças invisíveis e intangíveis.*

Nem mesmo a espécie humana inteira teria poder para lidar com as forças intangíveis contidas nas ondas revoltas do oceano ou para controlá-las. Ainda não somos capazes de compreender a força intangível da gravidade, que mantém esta pequena Terra suspensa no ar e nos impede de cair dela, quanto mais de controlar essa força. Estamos inteiramente subordinados à força intangível de uma tempestade e somos igualmente impotentes diante da força intangível da eletricidade – sequer compreendemos plenamente o que é a eletricidade, de onde ela vem ou qual é seu derradeiro objetivo!

Esse tampouco é o limite da nossa ignorância em relação às coisas invisíveis e intangíveis. Não compreendemos a força (e a inteligência) intangível contida no solo e nos recursos da Terra – *a força que nos provê de cada bocado da comida que comemos, cada peça de roupa que vestimos, cada célula que carregamos no bolso.*

A emocionante história do cérebro

Por fim, mas não menos importante, nós – com toda nossa alardeada cultura e educação – pouco ou nada compreendemos sobre a força intangível (a maior de todas as forças intangíveis) do *pensamento*. Pouco sabemos sobre o cérebro físico e sua imensa rede de estruturas pela qual o poder do pensamento é traduzido no seu equivalente material, mas estamos agora adentrando uma era que trará esclarecimentos quanto a esse tema. Os cientistas já começaram a se debruçar sobre o estudo dessa coisa fenomenal chamada cérebro. Embora ainda estejam no jardim de infância de seus estudos, já descobriram o suficiente para saber que a "mesa central" do cérebro humano, a quantidade de linhas que interligam as células cerebrais, corresponde ao algarismo 1 seguido por 15 milhões de zeros!

"Esse número é tão espetacular que, em comparação com ele, os números astronômicos referentes a centenas de milhões de anos-luz se tornam insignificantes", afirma o Dr. Judson Herrick, da Universidade de Chicago. "Determinou-se que existem no córtex cerebral humano de 10 a 14 bilhões de células nervosas, e sabemos que elas estão organizadas em padrões definidos. Esses padrões não são aleatórios. Eles são ordenados. Métodos desenvolvidos recentemente captam correntes de atividade em células localizadas com grande precisão, amplificam-nas e registram diferenças potenciais até o milionésimo de volt."

É inconcebível que uma rede de equipamentos tão complexa exista apenas com o único objetivo de transmitir as funções físicas incidentais ao crescimento e à manutenção do corpo físico. Não é provável que o mesmo sistema que provê aos bilhões de células do cérebro o modo de se comunicarem entre si também proveja o meio de se comunicar com outras forças intangíveis?

Depois que este livro foi concluído, logo antes da entrega do manuscrito à editora, *The New York Times* publicou um editorial mostrando que pelo menos uma grande universidade e um pesquisador inteligente na área dos fenômenos mentais estavam fazendo pesquisas organizadas que levaram a conclusões semelhantes a muitas das que são descritas neste e no próximo capítulo. O editorial fazia uma breve análise do trabalho realizado pelo Dr. Rhine e seus colegas na Universidade Duke.

O que é telepatia?

Um mês atrás, mencionamos nesta página alguns resultados notáveis obtidos pelo professor Rhine e seus colegas da Universidade Duke a partir de mais de 100 mil testes para determinar a existência da "telepatia" e da "clarividência". Esses resultados foram resumidos nos dois primeiros artigos da *Harper Magazine*. No segundo, que acaba de ser publicado, o autor, E. H. Wright, tenta resumir o que se descobriu, ou o que parece sensato deduzir, em relação à natureza exata desses modos de percepção "extrassensoriais".

Hoje, em decorrência das experiências de Rhine, alguns cientistas consideram a existência em si da telepatia e da clarividência altamente provável. Vários sensitivos foram solicitados a identificar o máximo de cartas que conseguissem num baralho especial sem olhá-las ou terem à sua disposição qualquer outro acesso sensorial. Cerca de 20 desses homens e mulheres conseguiram identificar, com regularidade e corretamente, um número tão grande de cartas que "não havia sequer uma chance em muitos milhões de eles terem feito isso por sorte ou acidente".

Mas como eles conseguiram? Esses poderes, partindo do princípio de que existem, não parecem ser sensoriais. Não existe órgão conhecido para eles. Os experimentos funcionaram tão bem a distâncias de várias centenas de quilômetros quanto no mesmo recinto. Esses fatos, na opinião de Wright, também descartam a tentativa de explicar a telepatia ou a clarividência por qualquer teoria física da radiação. Todas as formas conhecidas de energia irradiante declinam numa proporção inversa ao quadrado da distância percorrida. A telepatia e a clarividência não. Mas elas não variam segundo causas físicas como nossos outros processos mentais. Ao contrário das opiniões generalizadas, não melhoram quando o sensitivo está dormindo ou com sono, e sim, de forma inversa, quando ele está inteiramente desperto e alerta. Rhine descobriu que um narcótico invariavelmente diminui o desempenho de um sensitivo, enquanto um estimulante sempre o aumenta. A mais confiável das cobaias só parece obter um bom resultado quando tenta dar o melhor de si.

Uma das conclusões que Wright tira com alguma segurança é que a telepatia e a clarividência constituem um único e mesmo dom. Ou seja, a faculdade que permite "ver" uma carta virada sobre a mesa parece ser exatamente a mesma que "lê" um pensamento que reside apenas na mente de outra pessoa. Vários fatos fundamentam essa crença. Até hoje, por exemplo, ambos os dons foram encontrados em todas as pessoas que apresentam um deles. Em todos os casos até agora, ambos apresentaram quase exatamente o mesmo vigor. Telas, paredes, distâncias não têm qualquer efeito sobre nenhum dos dois. Wright parte dessa conclusão para afirmar aquilo que sugere como um simples palpite de que outras experiências extrassensoriais, como sonhos proféticos, premonições relacionadas a tragédias e afins, também possam se revelar parte da mesma faculdade. Não se pede aos leitores que aceitem nenhuma dessas conclusões a menos que achem necessário, mas os indícios reunidos por Rhine são mesmo assim impressionantes.

* * *

Diante do anúncio do Dr. Rhine no que diz respeito às condições nas quais a mente reage àquilo que ele chama de "modos de percepção extrassensoriais", sinto-me agora privilegiado ao me juntar à sua opinião. Afirmo que meus colegas e eu descobrimos aquilo que acreditamos configurar as condições ideais para estimular a mente de modo que o Sexto Sentido – descrito no próximo capítulo – possa ser levado a funcionar de modo prático.

As condições às quais me refiro consistem na estreita aliança de trabalho entre mim e dois membros da minha equipe. Com experimentação e prática, descobrimos como estimular nossas mentes (aplicando o princípio usado em relação aos "Conselheiros Invisíveis" descrito no próximo capítulo) de forma a encontrar, por um processo de "fusão" de nossas três mentes numa só, a solução para uma grande variedade de problemas.

O procedimento é simples. Nós nos sentamos diante de uma mesa de reunião, enunciamos claramente a natureza do problema que devemos abordar e então começamos a debatê-lo. Cada um contribui com quaisquer pensamentos que lhe ocorram. O mais estranho em relação a esse método de estímulo mental é que ele põe cada participante em comunicação com fontes de conhecimento desconhecidas e definitivamente fora do escopo da sua experiência.

Se você compreende o princípio descrito no Capítulo 9 sobre a Mente Mestra, logicamente reconhece nesse procedimento de mesa redonda aqui descrito uma aplicação prática da Mente Mestra.[2] Esse método de estímulo mental, através de um debate harmonioso de três pessoas sobre assuntos determinados, ilustra o uso mais simples e mais prático da Mente Mestra. *Ao adotar e seguir um plano semelhante, qualquer aluno de filosofia pode obter a célebre fórmula de Carnegie, descrita brevemente na introdução.* Caso ela não signifique nada para você por enquanto, marque esta página e volte a ela após ter lido o último capítulo.

*Todos os indivíduos se tornaram
o que são por causa de seus*
PENSAMENTOS E DESEJOS
PREDOMINANTES.

CAPÍTULO 13

O Sexto Sentido

A porta para o Templo da Sabedoria
O décimo terceiro passo para a riqueza

O décimo terceiro passo para a riqueza, o último deles, é conhecido como SEXTO SENTIDO, mediante o qual a Inteligência Infinita *pode* e *vai* se comunicar de modo voluntário, sem qualquer esforço ou demanda por parte do indivíduo.

Esse princípio é o ápice da filosofia Pense e Enriqueça.[1] Ele só PODE ser assimilado, compreendido e aplicado depois de dominar os 12 outros princípios explicados nos capítulos anteriores. O SEXTO SENTIDO é a parte da mente subconsciente à qual nos referimos como Imaginação Criativa. Ele também foi chamado de "conjunto receptor" através do qual ideias, planos e pensamentos surgem na mente como clarões. Esses clarões são às vezes chamados de palpites ou inspirações.

O Sexto Sentido não pode ser descrito! É impossível descrevê-lo para alguém que não tenha dominado os outros princípios desta filosofia, pois essa pessoa não tem nenhum conhecimento ou experiência com os quais o Sexto Sentido possa ser comparado. Compreender o Sexto Sentido só acontece por meio da meditação, desenvolvendo a mente *a partir do interior de cada um*. O Sexto Sentido é muito provavelmente o meio de contato entre a mente humana finita e a Inteligência Infinita, por isso *é uma mistura tanto do mental quanto do espiritual*. Acredita-se que ele seja o ponto em que a mente humana entra em contato com a Mente Universal.

Uma vez dominados todos os princípios de sucesso explicados neste livro, você estará preparado para aceitar como verdade uma afirmação que de outro modo poderia lhe parecer incrível:

Com a ajuda do Sexto Sentido, você será alertado sobre perigos iminentes a tempo de evitá-los e notificado sobre oportunidades a tempo de aproveitá-las.

Com o desenvolvimento do Sexto Sentido, um "Anjo da Guarda" virá em seu auxílio para fazer tudo que você mandar, e ele lhe abrirá a todo momento a porta do Templo da Sabedoria.

Você só vai saber se essa afirmação é verdadeira ao seguir as instruções descritas nas páginas deste livro ou por algum método semelhante.

Não acredito em milagres nem os defendo, pelo simples motivo de que tenho conhecimento suficiente em relação à Natureza para entender que *a Natureza nunca se desvia de suas leis estabelecidas*. Algumas dessas leis são tão incompreensíveis que produzem aparentes milagres. O Sexto Sentido chega mais perto de ser um milagre do que qualquer outra coisa que eu tenha vivenciado, e isso só acontece porque eu não entendo o método pelo qual esse princípio opera.

De uma coisa eu sei: existe um poder ou uma Causa ou Inteligência Primordial que permeia cada átomo de matéria e inclui cada unidade de energia perceptível à mente humana. Essa Inteligência Infinita transforma bolotas em carvalhos, faz a água correr morro abaixo como resposta à lei da gravidade, faz a noite suceder o dia, faz o verão vir depois do inverno, cada qual mantendo sempre seu lugar adequado e seu relacionamento com o outro. Essa Inteligência pode, pelos princípios da filosofia Pense e Enriqueça, ser levada a ajudar a transmutar DESEJOS numa forma concreta, material. Eu tenho esse conhecimento porque conduzi experimentos com ele – e porque o VIVENCIEI.

Passo a passo, ao longo dos capítulos anteriores, você foi conduzido até aqui, o último princípio. Se tiver dominado cada um dos princípios anteriores, está agora preparado para aceitar *sem ceticismo* as impressionantes afirmações feitas aqui. Caso não tenha dominado os outros princípios, precisa fazê-lo antes de poder determinar com certeza se as afirmações apresentadas neste capítulo são fato ou ficção.

Quando atravessei a fase de venerar heróis, peguei-me tentando imitar aqueles a quem mais admirava. Além disso, descobri que o elemento da

FÉ, que eu usava para tentar imitar meus ídolos, me proporcionava grande capacidade para fazê-lo com bastante sucesso.

Embora tenha passado da idade na qual, em geral, se faz isso, nunca me livrei totalmente desse hábito de venerar heróis. Minha experiência me ensinou que a coisa mais próxima de ser verdadeiramente grande é imitar os grandes com a maior exatidão possível no sentimento e na ação.

Muito antes de escrever sequer uma linha para publicação ou de tentar fazer um discurso em público, desenvolvi o hábito de remoldar meu caráter tentando imitar os nove homens cuja vivência e cujo trabalho ao longo da vida mais me impressionavam. Esses nove eram Waldo Emerson, Thomas Paine, Thomas A. Edison, Charles Darwin, Abraham Lincoln, Luther Burbank, Napoleão Bonaparte, Henry Ford e Andrew Carnegie. Toda noite, ao longo de um período que durou anos, eu fazia uma reunião imaginária do Conselho com esse grupo, a quem chamava de meus Conselheiros Imaginários.

Funcionava assim: à noite, logo antes de ir dormir, eu fechava os olhos e visualizava esse grupo de homens sentado comigo em volta da minha Mesa do Conselho. Ali eu tinha não só uma oportunidade de me sentar entre aqueles que considerava grandes, mas de fato conduzia a reunião ao ocupar o lugar de presidente.

Antes de alguém estranhar, deixe-me garantir que eu tinha um OBJETIVO PRECISO ao me deixar levar toda noite a essas reuniões pela minha imaginação. Meu objetivo era reconstruir meu temperamento de modo que este se tornasse uma mistura dos temperamentos de meus conselheiros imaginários. Ao me dar conta, bem cedo na vida, de que precisava superar a dificuldade de haver nascido num ambiente de ignorância e superstição, eu me atribuí voluntariamente a tarefa de um renascimento voluntário pelos métodos aqui descritos.[2]

A construção do caráter pela autossugestão

Por ser um ávido estudante de psicologia, eu naturalmente sabia que todas as pessoas tinham se tornado quem são por causa de seus PENSAMENTOS E DESEJOS PREDOMINANTES. Sabia que todo desejo profundamente enraizado tem o efeito de fazer a pessoa buscar uma expressão externa pela qual esse desejo possa ser transmutado em realidade. Sabia que a autossugestão é um fator poderoso na construção do caráter e que ela é, na verdade, o único princípio pelo qual o caráter se constrói.

Com esse conhecimento dos princípios do funcionamento da mente, eu estava razoavelmente bem armado com o equipamento necessário para reconstruir meu caráter. Nas reuniões imaginárias do Conselho, recorria aos membros do meu Gabinete em busca do conhecimento que desejava que cada um transmitisse, dirigindo-me a cada um deles com palavras como as que se seguem:

"Sr. Emerson, desejo obter do senhor a maravilhosa compreensão da Natureza que caracterizou sua vida. Peço-lhe que grave na minha mente subconsciente uma impressão de quaisquer qualidades que o senhor tinha que lhe permitissem compreender e se adaptar às leis da Natureza. Peço-lhe que me ajude a alcançar e mobilizar quaisquer fontes de conhecimento disponíveis nesse sentido."

"Sr. Burbank, solicito-lhe que me transmita o conhecimento que lhe permitiu harmonizar de tal forma as leis da Natureza a ponto de fazer um cacto se livrar dos espinhos e se tornar um alimento comestível. Dê-me acesso ao conhecimento que lhe permitiu fazer duas folhas de grama brotarem onde antes só brotava uma e que o ajudou a mesclar o colorido das flores com mais esplendor e harmonia, pois somente o senhor conseguiu 'dourar o lírio.'"

"Napoleão, desejo obter do senhor, por imitação, sua maravilhosa capacidade de inspirar homens e mulheres e instigar neles um espírito de ação mais forte e mais determinado. Desejo também adquirir o espírito de FÉ duradoura que lhe permitiu transformar a derrota em vitória e superar obstáculos estonteantes. Imperador do Destino, Rei do Acaso, Homem da Sina, eu o saúdo!"

"Sr. Paine, desejo obter do senhor a liberdade de pensamento, a coragem e a clareza com as quais expressar as convicções que tanto o distinguiram!"

"Sr. Darwin, desejo obter sua maravilhosa paciência e a capacidade para estudar causa e efeito, sem parcialidade ou preconceito, tão bem exemplificadas pelo senhor na área das ciências naturais."

"Sr. Lincoln, desejo construir no meu caráter as características que o distinguiram: o aguçado senso de justiça, o incansável espírito de paciência, o senso de humor, a compreensão humana e a tolerância."

"Sr. Carnegie, já lhe sou devedor pela escolha do trabalho de uma vida, trabalho esse que me proporcionou grande felicidade e paz de espírito. Desejo obter uma compreensão integral dos princípios do *esforço organizado* que o senhor usou de modo tão eficiente para construir um grande empreendimento industrial."

"Sr. Ford, o senhor esteve entre as pessoas mais prestativas a terem me proporcionado grande parte do material essencial ao meu trabalho. Desejo adquirir seu espírito de persistência, a determinação, a atitude e a autoconfiança que lhe permitiram derrotar a pobreza e organizar, unificar e simplificar o esforço humano, de modo a poder ajudar outros a seguirem seus passos."

"Sr. Edison, eu o pus sentado mais perto de mim, à minha direita, por causa da sua cooperação pessoal comigo durante minhas pesquisas sobre as causas do sucesso e do fracasso. Desejo obter do senhor o maravilhoso espírito de FÉ que lhe permitiu desvendar tantos dos segredos da Natureza e o espírito de labuta incansável com o qual o senhor tantas vezes extraiu a vitória da derrota."

Meu método de me dirigir aos membros do Gabinete imaginário variava conforme os traços de caráter que eu estava no momento mais interessado em adquirir. Estudei com um cuidado meticuloso os registros sobre a vida de cada um. Após alguns meses desse ritual diário, fiquei abismado ao constatar que esses personagens imaginários tinham se tornado aparentemente reais.

Cada um desses nove homens desenvolveu características individuais que me deixaram surpreso. Lincoln, por exemplo, desenvolveu o hábito de chegar sempre atrasado, depois o de ficar andando numa solene procissão. Ao chegar, caminhava bem devagar, com as mãos unidas nas costas, e de vez em quando parava ao passar e pousava a mão no meu ombro por um breve instante. Exibia sempre uma expressão séria no rosto. Eu raramente o via sorrir. As preocupações com um país dividido o tornavam grave.

O mesmo não se podia dizer dos outros. Burbank e Paine muitas vezes se permitiam comentários espirituosos, que às vezes pareciam chocar os outros membros do Gabinete. Certa noite, Paine sugeriu que eu preparasse uma palestra sobre "A Idade da Razão" e que a declamasse do púlpito de uma igreja que costumava frequentar. Muitos em volta da mesa riram a valer da sugestão. No entanto, Napoleão não riu! Ele curvou os cantos da boca para baixo e grunhiu tão alto que todos se viraram para encará-lo, assombrados. Para ele, a igreja não passava de um peão do Estado e não devia ser reformada, mas sim usada como uma conveniente incentivadora de atividades de massa no povo.

Em certa ocasião, Burbank se atrasou. Ao chegar, bem animado, explicou ter se atrasado por causa de um experimento que estava conduzindo e por meio do qual esperava conseguir fazer qualquer tipo de árvore dar maçãs. Paine ralhou com ele, lembrando que uma maçã dera início a todos os problemas entre o homem e a mulher. Darwin riu com gosto e sugeriu que Paine devia ficar atento a pequenas serpentes quando fosse à floresta colher maçãs, pois elas tinham o hábito de crescer e virar grandes cobras. Emerson observou "Sem serpentes, não há maçãs" e Napoleão emendou: "Sem maçãs, não há Estado!"

Lincoln desenvolveu o hábito de ser sempre o último a sair da mesa depois de cada reunião. Em certa ocasião, inclinou-se por cima da borda da mesa, de braços cruzados, e permaneceu vários minutos nessa posição. Não fiz nada para incomodá-lo. Por fim, ele ergueu a cabeça devagar, pôs-se de pé e foi até a porta, então se virou de novo, voltou, pousou a mão no meu ombro e disse: "Meu garoto, você vai precisar de muita coragem para permanecer firme na busca de seu objetivo na vida. Mas lembre-se, quando as dificuldades o subjugarem, de que o povo comum tem bom senso. A adversidade vai desenvolvê-lo."

Certa noite, Edison chegou antes de todos os outros. Aproximou-se, sentou-se à minha esquerda, onde Emerson costumava se sentar, e disse: "Você está fadado a testemunhar a descoberta do segredo da vida. Quando chegar o momento, vai observar que a vida consiste em grandes enxames de energia ou entidades, cada uma delas tão inteligente quanto os seres humanos *pensam* que são. Essas unidades de vida se reagrupam como colmeias de abelhas e permanecem juntas até se desintegrarem *pela falta de harmonia*. Essas unidades, como os seres humanos, têm diferenças de opinião e, muitas vezes, brigam entre si. Essas reuniões que você está conduzindo lhe serão muito úteis. Elas trarão em seu socorro algumas das mesmas unidades de vida que serviram aos membros do seu Gabinete durante suas vidas. Essas unidades são eternas. ELAS NUNCA MORREM! Seus pensamentos e DESEJOS funcionam como o ímã que atrai unidades de vida do grande oceano de vida que existe por aí. Apenas as unidades amigas são atraídas – aquelas que se harmonizam com a natureza dos seus DESEJOS."

Os outros membros do Gabinete começaram a entrar na sala. Edison se levantou e deu a volta lentamente à mesa até chegar a seu lugar. Edison ainda estava vivo quando isso aconteceu. Fiquei tão impressionado que o procurei para contar essa experiência. Ele abriu um largo sorriso e falou: "Seu sonho foi mais realidade do que você imagina." Não deu mais nenhuma explicação para tal afirmação.[3]

Essas reuniões foram ficando tão realistas que passei a temer suas consequências e as interrompi por vários meses. As experiências eram tão assustadoras que temi, caso continuasse, perder de vista o fato de que aquelas reuniões eram apenas *experiências da minha imaginação.*

Uns seis meses depois de eu parar com o hábito, fui despertado certa noite, ou pensei ter sido, e vi Lincoln parado junto à minha cama. Ele disse: "O mundo em breve precisará de seus serviços. Ele está prestes a atravessar um período caótico, que fará homens e mulheres perderem a fé e entrarem em pânico. Continue seu trabalho e complete sua filosofia. Essa é a sua missão na vida. Se você a deixar de lado, seja por que motivo for, será reduzido a um estado primitivo e obrigado a refazer os círculos pelos quais passou durante milhares de anos."

Na manhã seguinte, fui incapaz de saber se tinha sonhado aquilo ou se de fato estivera acordado, e nunca cheguei a descobrir o que aconteceu. Mas o que sei é que o sonho, se é que foi mesmo um sonho, ficou tão gravado na minha mente no dia seguinte que, quando a noite chegou, retomei as reuniões.

Em nosso encontro seguinte, os membros do meu Gabinete adentraram a sala todos ao mesmo tempo e foram se sentar em seus lugares habituais à Mesa do Conselho. Lincoln então ergueu um copo e disse: "Cavalheiros, um brinde a um amigo que voltou para junto dos seus."

Depois disso, comecei a acrescentar novos membros ao meu Gabinete até ele logo ultrapassar cinquenta pessoas, entre elas Jesus Cristo, São Paulo, Galileu, Copérnico, Aristóteles, Platão, Sócrates, Homero, Voltaire,

Espinoza, Kant, Schopenhauer, Newton, Confúcio, Elbert Hubbard, Woodrow Wilson e William James.

Pela primeira vez tenho coragem de mencionar isso por escrito. Até hoje, guardei silêncio em relação ao assunto, pois sabia por minha atitude em relação a tais questões que seria mal interpretado caso descrevesse essa experiência incomum. Tomei coragem para imprimir minha experiência no papel porque hoje me preocupo menos do que antigamente com aquilo que "dizem". Uma das bênçãos da maturidade é que ela, às vezes, nos dá mais coragem para ser verdadeiros, independentemente do que aqueles que não entendem possam pensar ou dizer.

Para não ser mal compreendido, desejo afirmar aqui, com toda a ênfase possível, que ainda considero minhas reuniões do Gabinete como puramente imaginárias, mas me sinto no direito de sugerir que, embora os membros do meu Gabinete possam ser puramente fictícios e as reuniões existirem apenas na minha imaginação, eles me guiaram em gloriosos caminhos de aventura, reacenderam uma valorização da verdadeira grandeza, incentivaram esforços criativos e me deram coragem para a expressão de pensamentos honestos.

Em algum lugar da estrutura celular do cérebro humano existe uma área que recebe vibrações de pensamento – comumente chamadas de intuições. Até hoje a ciência não descobriu onde se localiza o Sexto Sentido, mas isso não importa. O fato é que os seres humanos realmente recebem conhecimentos precisos de outras fontes que não os cinco sentidos físicos. Esses conhecimentos em geral são recebidos quando a mente está sob a influência de estímulos extraordinários. Qualquer emergência que desperte as emoções e faça o coração bater mais depressa do que o normal pode levar o Sexto Sentido a agir, e, em geral, o faz. Qualquer um que tenha quase chegado a sofrer um acidente de carro sabe que, nessas ocasiões, o Sexto Sentido vem em nosso socorro e ajuda, por uma fração de segundo, a evitar o desastre.

Menciono esses fatos antes de uma afirmação que agora farei. Durante minhas reuniões com os Conselheiros Invisíveis, constatei que minha mente ficava muito receptiva a ideias, pensamentos e conhecimentos que chegavam até mim pelo Sexto Sentido. Posso dizer que realmente devo a meus Conselheiros Invisíveis o crédito integral por essas ideias, fatos ou conhecimentos que recebi através da inspiração.

Em dezenas de ocasiões em que precisei enfrentar emergências, algumas delas tão graves que ameaçaram minha vida, fui milagrosamente guiado pela influência de meus Conselheiros Invisíveis para superar essas dificuldades.

Meu propósito original ao fazer reuniões do Conselho com seres imaginários foi apenas o de imprimir na minha mente subconsciente, através do princípio da autossugestão, determinadas características que desejava adquirir. Em anos mais recentes, minhas experimentações assumiram um viés totalmente diferente. Hoje, levo a meus conselheiros imaginários todo problema difícil com o qual me deparo. Os resultados são muitas vezes espantosos, embora eu não dependa exclusivamente desse tipo de conselho.

Você naturalmente reconheceu que este capítulo trata de um assunto com o qual a maioria das pessoas não está familiarizada. O Sexto Sentido é um tema que despertará interesse e trará vantagens a alguém que tenha o objetivo de acumular imensa riqueza ou obter um grande sucesso de qualquer tipo, mas não precisa atrair a atenção daqueles com desejos mais modestos.

Henry Ford sem dúvida compreendeu e fez uso prático do Sexto Sentido. Suas imensas operações nos negócios e nas finanças tornavam necessário que ele o compreendesse e usasse. Thomas Edison compreendeu e usou o Sexto Sentido no desenvolvimento de invenções, em especial as que envolviam patentes básicas nas quais ele não dispunha de experiência humana ou conhecimento acumulado para guiá-lo, como foi o caso quando estava trabalhando no fonógrafo e no projetor de filmes.

Praticamente todos os grandes líderes, como Napoleão, Bismarck, Joana d'Arc, Jesus Cristo, Buda, Confúcio e Maomé, compreenderam e fizeram uso do Sexto Sentido de forma quase contínua. A maior parcela da grandeza desses líderes consistia no seu conhecimento desse princípio.

O Sexto Sentido não é algo que se possa vestir e tirar quando se quer. A capacidade de usar esse grande poder vem devagar, por meio da aplicação dos outros princípios enumerados neste livro. É raro alguém ter um conhecimento aplicável do Sexto Sentido antes dos 40 anos de idade. O mais frequente é esse conhecimento só estar disponível quando já se passou muito dos 50, pois as forças espirituais com as quais o Sexto Sentido está tão intimamente relacionado só amadurecem e se tornam utilizáveis após anos de meditação, autoanálise e reflexão séria.

Não importa quem você seja e qual o seu propósito ao ler este livro, você poderá tirar proveito dele mesmo sem compreender o princípio descrito neste capítulo. Isso é especialmente verdadeiro se seu propósito for a acumulação de riqueza ou outras coisas materiais.

Este capítulo sobre Sexto Sentido entrou neste livro porque o texto foi pensado para apresentar uma filosofia completa, que, sem dar margem a equívocos, guiasse os indivíduos a obter qualquer coisa que pedissem à vida. O ponto de partida de todo sucesso é o DESEJO. O ponto de chegada é aquele tipo de CONHECIMENTO que conduz à compreensão – compreensão de si, dos outros, das leis da Natureza, e compreensão e reconhecimento da FELICIDADE.

Esse tipo de compreensão só desabrocha plenamente por meio da familiaridade e do uso do Sexto Sentido, daí a necessidade de incluir esse princípio como parte desta filosofia em benefício daqueles que demandam mais do que dinheiro.

Depois de concluir a leitura deste capítulo, você deve ter observado que, ao lê-lo, foi alçado a um nível alto de estímulo mental. Maravilha! Volte outra vez a este capítulo daqui a um mês, releia-o e observe que sua mente se elevará até um nível de estímulo mais alto ainda. Repita essa experiência de tanto em tanto tempo, sem se importar com quanto ou quão pouco aprender na ocasião, e acabará percebendo ter um poder que lhe permitirá se livrar do desânimo, dominar o medo, superar a procrastinação e usar livremente sua imaginação. Você terá então sentido a presença daquele algo desconhecido que é o impulso propulsor de todos os verdadeiramente grandes pensadores, líderes, artistas, músicos, escritores, cientistas e políticos. Estará então em condições de transmutar seus DESEJOS na sua contrapartida física ou financeira com a mesma facilidade com que poderia virar as costas e desistir ao primeiro sinal de oposição.

Fé *versus* medo

Os capítulos anteriores descreveram como desenvolver a FÉ por meio da autossugestão, do desejo e da mente subconsciente. As páginas finais deste livro apresentarão instruções detalhadas para o domínio do MEDO.

Ali há uma descrição completa dos seis medos que são a causa de todo desânimo, timidez, procrastinação, indiferença, indecisão e da falta de ambição, de autoconfiança, de inciativa, de autocontrole e de entusiasmo. Avalie-se cuidadosamente enquanto estiver estudando esses seis inimigos, pois eles podem existir apenas na sua mente subconsciente, onde a presença deles será difícil de detectar. Lembre-se também, quando estiver analisando os Seis Fantasmas do Medo, de que eles não passam de fantasmas, pois existem apenas na mente de cada um. Lembre-se também de que os fantasmas – criações de uma imaginação descontrolada – foram a causa da maioria dos danos que as pessoas infligiram às próprias mentes; assim, os fantasmas podem ser tão perigosos quanto se estivessem vivos e caminhando pelo mundo em corpos físicos.[4]

*Sem dúvida, a fraqueza mais
comum de todos os seres humanos é
o hábito de deixar a mente aberta
à influência negativa dos outros.*

EPÍLOGO

Como Derrotar os Seis Fantasmas do Medo

*Examine-se enquanto estiver lendo isto
e descubra quantos fantasmas estão no seu caminho*

Antes de você poder usar com sucesso qualquer parte da filosofia Pense e Enriqueça, precisa estar preparado para recebê-la. A preparação não é difícil. Começa com estudo, análise e uma compreensão dos três inimigos que você terá de expulsar.

São eles: a INDECISÃO, a DÚVIDA e o MEDO!

O Sexto Sentido nunca vai funcionar enquanto essas três ou alguma dessas negativas ainda existirem na sua mente. Os membros dessa tríade infernal estão intimamente interligados. Quando um deles é encontrado, os outros dois estão por perto.

A INDECISÃO é a semente do MEDO! E lembre-se disso quando estiver lendo. A indecisão cristaliza a DÚVIDA e ambas se misturam para se transformar em MEDO! Esse processo de mistura em geral é lento. Esse é um dos motivos que tornam esses três inimigos tão perigosos. Eles germinam e crescem *sem que a sua presença seja notada*.

O restante deste capítulo descreve um fim a se alcançar para que a filosofia Pense e Enriqueça possa, como um todo, ser posta em prática.[1] Ele analisa também uma condição que reduziu uma grande quantidade de pessoas à pobreza e afirma uma verdade que precisa ser compreendida por todos aqueles desejosos de acumular riqueza, tanto em termos monetários quanto em um estado de espírito bem mais valioso do que o dinheiro.

Voltemos nossa atenção para a causa e a cura dos seis medos fundamentais. Antes de podermos derrotar um inimigo, precisamos conhecer seu nome, seus hábitos e o lugar onde ele mora. Enquanto estiver lendo, examine-se cuidadosamente e determine se e qual dos seis medos comuns se prendeu a você. Não se deixe enganar pelos hábitos desses inimigos sutis. Às vezes eles permanecem escondidos na mente subconsciente, onde são difíceis de localizar e mais difíceis ainda de erradicar.

Os seis medos fundamentais

Existem seis medos fundamentais, e todo ser humano em algum momento padece de alguma combinação deles. A maioria tem sorte se não sofrer de todos os seis. Enumerados segundo a ordem da frequência de sua aparição, são eles:

- O medo da POBREZA (centro das preocupações da maioria das pessoas)
- O medo da CRÍTICA
- O medo da MÁ SAÚDE
- O medo da PERDA DO AMOR
- O medo da VELHICE
- O medo da MORTE

Todos os outros medos são menos importantes. Eles podem ser reagrupados nessas seis categorias.

A prevalência desses medos vai e vem, como uma maldição para o mundo. Por quase seis anos, durante a Grande Depressão, nós lutamos contra o ciclo do MEDO DA POBREZA. Durante a Primeira Guerra Mundial, estávamos no ciclo do MEDO DA MORTE. Logo após a guerra, estávamos no ciclo do MEDO DA MÁ SAÚDE, conforme indicado pela epidemia que se alastrou pelo mundo todo.[2]

Medos não passam de estados de espírito. Conforme demonstrado repetidamente nos capítulos deste livro, o estado de espírito de uma pessoa está sujeito a ser controlado e direcionado.[3]

Um indivíduo não pode criar nada que não tenha primeiro *concebido* na forma de um impulso de pensamento. Junto com essa afirmação vem outra mais importante ainda: OS IMPULSOS DE PENSAMENTO COMEÇAM IMEDIATAMENTE A SE TRADUZIR NO SEU EQUIVALENTE FÍSICO, QUER ESSES PENSAMENTOS SEJAM VOLUNTÁRIOS OU INVOLUNTÁRIOS. Impulsos de pensamento obtidos por puro acaso de fontes externas à mente da pessoa (pensamentos criados em outras mentes) podem determinar o destino financeiro, profissional ou social de alguém de modo tão seguro quanto os impulsos de pensamento que a pessoa cria pela própria intenção e vontade.

Estamos estabelecendo aqui as bases da apresentação de um fato muito importante para quem não compreende por que algumas pessoas aparentemente têm sorte, enquanto outras, de habilidade, formação, experiência e capacidade intelectual equivalente ou superior, parecem fadadas ao infortúnio. Isso pode ser explicado pela afirmação de que *todos os seres humanos têm a capacidade de controle completo da própria mente*. Com esse controle, obviamente, todos os indivíduos podem abrir sua mente aos impulsos de pensamento "vadios" saídos das mentes alheias ou então fechar as portas com firmeza e só deixar entrar impulsos da sua própria escolha.

A natureza dotou os seres humanos com um controle absoluto sobre uma só coisa: O PENSAMENTO. Isso – aliado ao fato adicional de que tudo que os seres humanos criam começa na forma de um *pensamento*, de uma IDEIA – conduz até bem perto do princípio pelo qual é possível dominar O MEDO.

Se é verdade que TODO PENSAMENTO TENDE A SE REVESTIR COM SEU EQUIVALENTE FÍSICO (e quanto a isso não paira qualquer dúvida), é verdade também que impulsos de pensamento de medo e pobreza não podem se traduzir em coragem e ganho financeiro.

O povo americano começou a pensar em pobreza após a quebra da Bolsa de Nova York, em 1929. De forma lenta porém segura, esse pensamento de massa se cristalizou no seu equivalente físico, conhecido como depressão. Isso tinha que acontecer. Está em conformidade com as leis da Natureza.

O medo da pobreza

Não pode haver acordo entre POBREZA e RIQUEZA! As estradas que conduzem à pobreza e à riqueza seguem em direções opostas. Se você quiser riqueza, precisa se recusar a aceitar qualquer circunstância que conduza à pobreza. (A palavra "riqueza" é empregada aqui no seu sentido mais amplo e se refere a estados financeiros, espirituais, mentais e materiais.) O ponto de partida do caminho que conduz à riqueza é o DESEJO. No Capítulo 1, você recebeu instruções completas para o uso adequado do DESEJO. Agora, nesta discussão final sobre o MEDO, receberá instruções completas sobre como preparar sua mente para fazer uso prático do DESEJO.

Aqui, portanto, é o lugar onde você vai se desafiar para determinar com precisão quanto desta filosofia absorveu até agora. Este é o ponto em que você pode se transformar em profeta e prever exatamente o que o futuro lhe reserva. Se depois de ter lido o que se segue você estiver disposto a aceitar a pobreza, é melhor decidir receber a pobreza. Essa é uma decisão que não poderá evitar.

Se você exigir riqueza, determine que tipo de riqueza e quanto dela será necessário para satisfazê-lo. A esta altura você já deve conhecer o caminho que conduz à riqueza. Recebeu um mapa que, caso seguido, o manterá nesse caminho. Se você deixar de começar ou parar antes de chegar, a culpa não será de ninguém exceto SUA. A responsabilidade é sua. Nenhum álibi vai salvá-lo de aceitar essa responsabilidade. Se você agora deixar ou se recusar a exigir riqueza da vida, será devido a uma coisa apenas – a única coisa que você pode de fato controlar: um ESTADO DE ESPÍRITO. E um estado de espírito é algo que a pessoa *adota*. Ele não pode ser comprado. Precisa ser *criado*.

O medo da pobreza é um estado de espírito, nada além disso! Mas é o bastante para destruir as chances da pessoa de ter sucesso em qualquer empreitada, verdade essa que se torna dolorosamente evidente durante qualquer período de dificuldade e incerteza econômicas.

O medo da pobreza paralisa a faculdade da razão, destrói a da imaginação, mata a autossuficiência, mina o entusiasmo, desencoraja a iniciativa, conduz à incerteza de propósito, incentiva a procrastinação, elimina o entusiasmo e torna o autocontrole impossível. Ele tira o charme da pessoa, destrói a possibilidade de um pensamento correto, desvia a concentração do esforço, mata a persistência, reduz a força de vontade a nada, destrói a ambição, anuvia a memória e convida o fracasso em todas as formas imagináveis. Ele mata o amor e assassina as emoções mais sutis do coração, desencoraja a amizade, convida o desastre em uma centena de formas diferentes, conduz à insônia, ao desânimo e à infelicidade – e tudo isso apesar da verdade evidente de que vivemos num mundo onde há uma superabundância de tudo que o coração poderia desejar e que nada nos separa de nossos desejos a não ser a *falta de propósito preciso e dos planos que dele derivam.*

O medo da pobreza é sem dúvida o mais destrutivo dos seis medos fundamentais. Ele foi posto no alto da lista porque, de todos eles, é o mais difícil de dominar. É preciso ter uma coragem considerável para afirmar a verdade em relação à origem desse medo, e uma coragem maior ainda para aceitar a verdade depois que ela estiver estabelecida. O medo da pobreza nasceu da tendência hereditária do ser humano de DESPOJAR OS OUTROS ECONOMICAMENTE. Quase todos os animais são motivados pelo instinto, mas sua capacidade de pensar é limitada; assim, eles saqueiam fisicamente uns aos outros. Com sua noção superior de intuição e sua capacidade de pensar e raciocinar, os seres humanos não devoram outros humanos no sentido literal da palavra – eles derivam mais satisfação do ato de "devorá-los" FINANCEIRAMENTE. Os seres humanos são por natureza tão avarentos que todas as leis concebíveis foram aprovadas para protegê-los uns dos outros.

De todas as épocas do mundo sobre as quais sabemos alguma coisa, o momento que vivemos agora parece ser aquele mais caracterizado pela "loucura do dinheiro". As pessoas são praticamente consideradas sem valor nenhum a menos que tenham uma gorda conta bancária. Mas, se tiverem dinheiro – POUCO IMPORTANDO COMO CONSEGUIRAM OBTÊ-LO –, são "membros da realeza" ou "figurões". Parecem estar acima da lei, mandam na política, dominam os negócios, e o mundo inteiro à sua volta se curva por respeito quando elas passam.

Nada traz tanto sofrimento e humilhação quanto a POBREZA! Só quem a vivenciou é capaz de entender seu verdadeiro significado.

Não é de espantar que as pessoas temam a pobreza. Por uma extensa linhagem de experiências herdadas, as pessoas com certeza aprenderam que alguns indivíduos não merecem confiança quando se trata de dinheiro e bens materiais. Esse é um fato duro, porém verdadeiro.

A maioria dos casamentos continua a ser motivada pela riqueza de um ou ambos os parceiros. Não é de espantar, portanto, que os tribunais de divórcio mantenham seu movimento. As pessoas ficam tão ávidas por riqueza que tentam adquiri-la de qualquer maneira possível – por métodos legais, de preferência, mas também por outros modos quando isso se faz necessário ou é mais fácil.

Uma autoanálise pode revelar fraquezas que não gostamos de reconhecer. Essa forma de exame é essencial para todos que exigem da vida mais do que mediocridade e pobreza. Lembre-se, quando fizer um autoexame ponto por ponto, de que você é ao mesmo tempo o tribunal e o júri, o advogado de acusação e o advogado de defesa, o requerente e o réu – e quem está sendo julgado é VOCÊ. Encare os fatos de frente. Faça a si mesmo perguntas claras e exija respostas diretas. Terminado seu exame, você saberá mais sobre si. Se não se sentir capaz de ser um juiz imparcial nesse autoexame, recorra a alguém que o conheça bem para fazer as vezes de juiz enquanto você interroga a si mesmo. O que você busca é a verdade. *Obtenha a verdade custe o que custar, embora ela possa temporariamente deixá-lo constrangido!*

A maioria das pessoas, se perguntada sobre o que mais teme, responderia: "Não tenho medo de nada." Essa resposta seria inexata, pois poucos se dão conta de que estão presos, tolhidos, exauridos espiritual e fisicamente por algum tipo de medo. A emoção do medo é tão sutil, tão profundamente enraizada, que é possível passar a vida carregando esse fardo sem jamais reconhecer sua presença. Apenas uma análise corajosa revelará a presença desse inimigo universal. Quando você iniciar essa análise, vasculhe profundamente seu caráter. Eis uma lista dos sintomas que deve procurar:

Sintomas do medo da pobreza

- INDIFERENÇA. Comumente expressada por: falta de ambição; disposição para tolerar a pobreza; aceitação sem reclamar de qualquer compensação que a vida possa oferecer; preguiça mental e física; falta de iniciativa, imaginação, entusiasmo e autocontrole.

- INDECISÃO. O hábito de permitir aos outros pensarem no seu lugar. Ficar em cima do muro.
- DÚVIDA. Expressada em geral por álibis e desculpas criados para acobertar, explicar ou se isentar dos próprios fracassos, às vezes revelada na forma de inveja daqueles que têm sucesso ou críticas a eles.
- PREOCUPAÇÃO. Em geral expressada ao apontar defeitos nos outros; por uma tendência a gastar mais do que se tem; pelo desleixo com a própria aparência; pelo semblante fechado e cenho franzido; destempero no uso do álcool, às vezes no uso de narcóticos; nervosismo, falta de tranquilidade, constrangimento e falta de confiança em si.
- EXCESSO DE CAUTELA. O hábito de procurar o lado negativo em qualquer circunstância, de pensar e falar sobre um fracasso possível em vez de se concentrar nos meios para obter sucesso. Conhecer todos os caminhos para o desastre, mas nunca buscar projetos que evitem o fracasso. Esperar o "momento certo" para começar a pôr ideias e planos em ação, até a espera se transformar num hábito permanente. Recordar aqueles que fracassaram e esquecer os que tiveram sucesso. Ver o buraco da rosquinha, mas não prestar atenção na rosquinha em si. Pessimismo que conduz a indigestão, autointoxicação, mau hálito e indisposição.
- PROCRASTINAÇÃO. O hábito de adiar para amanhã aquilo que poderia ter sido feito no ano passado. Passar tempo demais criando álibis e pretextos para não ter feito o trabalho. Esse sintoma está intimamente relacionado com excesso de cautela, dúvida e preocupação. Recusa em aceitar responsabilidade quando esta pode ser evitada. Disposição para aceitar um meio-termo em vez de travar uma luta dura. Aceitar dificuldades em vez de canalizá-las e usá-las como plataformas para o avanço. Implorar à vida por centavos em vez de exigir prosperidade, opulência, riqueza, contentamento e felicidade. Planejar o que fazer SE E QUANDO FOR DOMINADO PELO FRACASSO EM VEZ DE QUEIMAR TODAS AS PONTES E TORNAR IMPOSSÍVEL O RECUO. Fraqueza e, com frequência, total falta de autoconfiança, clareza de propósito, autocontrole, iniciativa, entusiasmo, ambição, prudência e capacidade sólida de raciocínio. ESPERAR A POBREZA EM VEZ DE EXIGIR RIQUEZA. Associação com

aqueles que aceitam a pobreza em vez de buscar a companhia dos que exigem e recebem riqueza.

Sobre dinheiro

Haverá quem pergunte: "Por que você escreveu um livro sobre como enriquecer? Por que medir a riqueza apenas em termos financeiros?" Alguns acreditarão, e com razão, que existem outras formas de riqueza que não podem ser medidas em termos de dinheiro, mas existem milhões de pessoas que dirão: "Dê-me todo o dinheiro de que preciso e eu encontrarei tudo mais que quiser."

O principal motivo pelo qual escrevi este livro sobre como ganhar dinheiro é o fato de o mundo ter passado recentemente por uma experiência que deixou milhões de homens e mulheres paralisados pelo MEDO DA POBREZA. O que esse tipo de medo faz a alguém foi bem descrito por Westbrook Pegler no *New York World-Telegram*.[4]

O dinheiro não passa de conchas de mariscos ou discos de metal ou pedaços de papel, e existem tesouros do coração e da alma que ele não pode comprar, mas a maioria das pessoas, por estar sem dinheiro, não consegue se lembrar disso e manter o ânimo. Quando um homem caminha pelas ruas, abatido, sem conseguir arrumar um emprego, algo acontece com seu espírito – e isso pode ser observado nos ombros caídos, na posição do chapéu, no seu andar e na sua postura. Ele não consegue evitar um sentimento de inferioridade em meio a pessoas com empregos fixos, embora saiba que elas definitivamente não se comparam com ele em matéria de caráter, inteligência ou habilidade.

Essas pessoas – seus amigos, até – têm por sua vez um sentimento de superioridade e o consideram, talvez de modo inconsciente, uma baixa de guerra. Ele pode pedir emprestado por um tempo, mas não o suficiente para manter seu padrão de vida habitual, e não pode continuar pedindo emprestado por muito tempo. Mas pedir emprestado em si, quando um homem está fazendo isso para viver, é uma experiência deprimente, e esse dinheiro não tem o poder de reavivar seu ânimo como o dinheiro que foi ganho. Nada disso, é claro, se aplica aos vagabundos ou preguiçosos habituais, mas apenas a homens de ambição e respeito próprio normais.

Mulheres na mesma situação devem ser diferentes. Por algum motivo, nunca pensamos nas mulheres quando estamos considerando os destituídos. Elas não são reconhecíveis nas multidões pelos mesmos sinais claros que identificam os homens derrotados. Não estou me referindo, é claro, às bruxas que se arrastam pelas ruas da cidade e são o equivalente dos vagabundos homens consumados. Estou me referindo a mulheres razoavelmente jovens, decentes e inteligentes. Deve haver muitas, mas seu desespero não é aparente...

Quando um homem se vê destituído, tem tempo de sobra para lamentar a própria sorte. É capaz de percorrer quilômetros para falar com alguém sobre um emprego, para descobrir que a vaga foi preenchida ou que é um daqueles empregos sem salário-base, só com uma comissão pela venda de alguma bugiganga inútil que ninguém nunca iria comprar... Ao recusar o trabalho, ele se vê novamente na rua, sem ter para onde ir a não ser qualquer lugar. Então sai andando. Vê nas vitrines das lojas luxos que não são para o seu bico, sente-se inferior e cede passagem para as pessoas, que param para olhá-lo com interesse. Caminha sem rumo até a estação ferroviária ou então entra na biblioteca para descansar as pernas e se aquecer um pouco, mas, como isso não constitui procura de emprego, torna a sair e recomeça a andar. Pode não saber disso, mas sua falta de rumo iria denunciá-lo mesmo que os próprios contornos de sua figura não o fizessem. Ele pode estar bem-vestido com as roupas que sobraram da época em que tinha emprego fixo, mas não consegue disfarçar sua postura caída...

Ele vê milhares de outras pessoas, contadores, funcionários de escritório ou de farmácia ocupados com seus trabalhos, e uma inveja deles lhe brota do fundo da alma. Eles têm independência, têm respeito por si mesmos e têm sua masculinidade, enquanto ele simplesmente não consegue se convencer de que também é um bom homem, embora teça argumentos e chegue a um veredito favorável repetidas vezes.

O que faz essa diferença nele é só o dinheiro. Com um pouco de dinheiro, ele voltaria a ser ele mesmo outra vez.[5]

O medo da crítica

Ninguém pode dizer exatamente como a humanidade começou a ter esse medo, mas uma coisa é certa: as pessoas o têm numa forma altamente desenvolvida. Sinto-me inclinado a atribuir o medo fundamental das críticas àquela parte da natureza humana que leva as pessoas não apenas a pegarem os bens e objetos alheios, mas a justificar seus atos por CRÍTICAS ao caráter de suas vítimas. É um fato conhecido que ladrões criticarão aqueles de quem roubam e que políticos buscam cargos não exibindo as próprias virtudes e qualificações, mas sim tentando sujar seus oponentes.

O medo da crítica assume muitas formas, a maioria mesquinha e trivial.[6] Os astutos fabricantes de roupas não demoraram a capitalizar esse medo fundamental com o qual toda a humanidade foi amaldiçoada. A cada temporada, o estilo de muitos artigos de vestuário muda. Quem define esses estilos? Com certeza não os compradores das roupas, mas os fabricantes. Por que eles mudam o estilo com tanta frequência? A resposta é evidente. Eles mudam o estilo para vender mais roupas.

Pelo mesmo motivo, os fabricantes de automóveis (com raras e muito sensatas exceções) mudam o estilo dos modelos a cada temporada. Ninguém quer dirigir um carro que não seja do último modelo, embora o modelo antigo possa, na verdade, ser melhor.

Descrevemos até agora o modo como as pessoas se comportam sob a influência do medo da crítica aplicado às coisas pequenas e sem importância da vida. Examinemos agora o comportamento humano quando esse medo afeta pessoas quanto aos mais importantes acontecimentos do relacionamento humano. Considere, por exemplo, alguém que tenha alcançado a idade da maturidade mental (de 35 a 40 anos de idade, como média geral). Se você pudesse ler os pensamentos secretos dessa pessoa encontraria uma descrença muito firme na maioria das fábulas ensinadas pela maioria dos dogmáticos e teólogos algumas décadas atrás.

Não é frequente, porém, encontrar um indivíduo que tenha a coragem de afirmar sua crença em relação a esse assunto. A maioria das pessoas, quando suficientemente pressionada, preferirá mentir a reconhecer que não acredita em todas as histórias associadas a uma religião, em especial se a sua religião (ou seita) for uma daquelas de dogmas rígidos e intolerantes quanto aos questionamentos.

Por que a pessoa mediana, mesmo na nossa época esclarecida, evita negar sua crença nos aspectos do dogma religioso que são quase com certeza "fabulosos" ou fruto de fábulas? A resposta é "o medo da crítica". Homens e mulheres foram queimados na fogueira por ousarem expressar sua descrença em fantasmas. Não é de espantar que tenhamos herdado uma consciência que nos faz temer as críticas. Houve um tempo, e não tão distante assim, em que a crítica acarretava punições severas – e em muitos países isso ainda acontece.

O medo da crítica priva as pessoas de sua iniciativa, destrói seu poder de imaginação, limita sua individualidade, retira sua autoconfiança e lhes causa centenas de outras formas de dano. Os pais muitas vezes causam danos irreparáveis aos filhos ao criticá-los. A mãe de um de meus amigos de infância costumava castigá-lo com uma vara quase diariamente, completando a sova com a frase: "Você vai acabar na penitenciária antes dos 20 anos." Ele foi mandado para um reformatório aos 17.

As críticas são uma forma de "serviço" que todo mundo tem em excesso. Todo mundo tem um estoque de críticas que é recebido de graça, tendo sido solicitado ou não. Os culpados em geral são os parentes mais próximos. Deveria ser reconhecido como crime (na realidade, é um crime da pior natureza) qualquer pai ou mãe criar um complexo de inferioridade na mente de uma criança por meio de críticas desnecessárias. Empregadores que compreendem a natureza humana conseguem o melhor que seus empregados podem dar não por meio de críticas, mas de sugestões construtivas. Pais podem obter o mesmo resultado com os filhos. Críticas plantam MEDO ou ressentimento no coração humano, mas não geram amor nem afeto.

Sintomas do medo da crítica

Esse medo é quase tão universal quanto o medo da pobreza, e seus efeitos, igualmente fatais para o sucesso pessoal, sobretudo porque esse temor destrói a iniciativa e desencoraja o uso da imaginação. Os principais sintomas desse medo são:
- CONSTRANGIMENTO. Em geral expressado por meio de nervosismo,

timidez nas conversas e ao conhecer estranhos, movimentos canhestros das mãos e membros, olhar esquivo.
- FALTA DE TRANQUILIDADE. Expressada por meio de falta de controle da voz, nervosismo na presença de outras pessoas, má postura corporal, memória ruim.
- PERSONALIDADE FRACA. Falta de firmeza nas decisões, falta de charme pessoal e falta de capacidade para expressar opiniões com firmeza. O hábito de rodear as questões em vez de enfrentá-las diretamente. Concordar com os outros sem examinar cuidadosamente suas opiniões.
- COMPLEXO DE INFERIORIDADE. O hábito de expressar aprovação a si mesmo, pelo boca a boca e por ações, como uma forma de disfarçar um sentimento de inferioridade. Usar palavras de efeito para impressionar os outros (muitas vezes sem conhecer seu verdadeiro significado). Imitar os outros no vestir, no falar e no modo de se comportar. Gabar-se de sucessos imaginários. Isso às vezes transmite a imagem superficial de um sentimento de superioridade.
- EXTRAVAGÂNCIA. O hábito de tentar sempre se equiparar aos outros, gastando mais do que se ganha.
- FALTA DE INICIATIVA. Não aproveitar oportunidades para progredir, medo de expressar opiniões, falta de confiança nas próprias ideias, dar respostas evasivas a perguntas feitas por superiores, hesitar no modo de se comportar e de falar, enganar tanto em palavras quanto em ações.
- FALTA DE AMBIÇÃO. Preguiça mental e física, falta de assertividade, lentidão para tomar decisões, tendência a ser influenciado pelos outros, hábito de criticar os outros por trás e lisonjeá-los pela frente, hábito de aceitar a derrota sem protestar, desistir de uma empreitada ao enfrentar oposição alheia, desconfiar dos outros sem motivo, falta de tato no modo de se comportar e de falar, não disposição para aceitar a culpa pelos próprios erros.

O medo da má saúde

Esse medo pode ser atribuído a uma hereditariedade tanto física quanto social. Com relação à origem, ele está intimamente relacionado com as causas do medo da velhice e do medo da morte, pois leva até bem perto da fronteira de mundos terríveis que não conhecemos, mas sobre os quais nos ensinaram algumas histórias perturbadoras. Além do mais, algumas pessoas sem ética dedicadas ao ofício de "vender saúde" tiveram muito a ver com manter vivo o medo da má saúde.

De modo geral, tememos a doença devido às imagens terríveis que foram plantadas na nossa mente do que pode acontecer se a morte nos alcançar. Nós a tememos também devido ao custo econômico que pode ter.

Um médico de boa reputação estimou que 75% de todos aqueles que procuram médicos em busca de seus serviços profissionais sofrem de hipocondria (doenças imaginárias). Demonstrou-se de forma muito convincente que o medo da doença, mesmo quando não há o menor motivo para temer, geralmente produz os sintomas físicos da doença temida.

A mente humana é mesmo poderosa e influente! É capaz de criar ou destruir.

Aproveitando-se dessa fraqueza frequente do medo da má saúde, os fornecedores de remédios populares acumularam fortunas.[7] Essa forma de se aproveitar da humanidade crédula se tornou tão prevalente alguns anos atrás que a *Collier's Weekly Magazine* fez uma campanha acirrada contra alguns dos piores infratores no ramo dos remédios populares.[8]

Por meio de uma série de experimentos conduzidos alguns anos atrás, demonstrou-se que as pessoas podem adoecer pela simples sugestão. Conduzimos uma experiência fazendo três conhecidos visitarem as "vítimas". Cada visitante fez a pergunta: "O que você tem? Parece muito doente." O primeiro a fazer a pergunta em geral provocava na vítima um sorriso e um despreocupado: "Ah, nada, eu estou bem." O segundo em geral recebia como resposta a afirmação: "Não sei muito bem, mas estou me sentindo mal mesmo." O terceiro a perguntar em geral recebia como resposta a franca admissão de que a vítima estava mesmo se sentindo adoentada. Tente fazer isso com algum conhecido caso duvide que ele venha a se sentir mal, mas não leve o experimento longe demais, pois algumas pessoas podem de fato desenvolver sintomas físicos sérios em reação à sugestão. (Existe uma determinada seita religiosa cujos membros se vingam dos inimigos pelo método da "bruxaria". Eles chamam isso de lançar um feitiço sobre a vítima e há relatos confiáveis de que alguns indivíduos realmente morreram após serem alvos de bruxarias.)

Existem indícios acachapantes de que a doença às vezes começa como um impulso de pensamento negativo. Esse impulso pode ser passado de uma mente para outra, por sugestão, ou então pode ser criado pelo indivíduo na própria mente.

Um homem, abençoado com mais sabedoria do que esse incidente poderia levar a crer, certa vez falou: "Quando alguém me pergunta como estou me sentindo, minha vontade é sempre responder derrubando a pessoa no chão."

Os médicos às vezes mandam os pacientes tratar da saúde em climas diferentes porque é preciso uma mudança de atitude mental. A semente do medo da má saúde vive em toda mente humana. Preocupação, medo, desânimo e decepção amorosa e profissional fazem essa semente germinar e crescer. Toda forma de pensamento negativo pode prejudicar a saúde. Um rapaz teve uma decepção amorosa devastadora que o levou a ser hospitalizado. Ele passou meses sofrendo de uma depressão debilitante. Um psicoterapeuta foi chamado. O psicoterapeuta[9] mudou a enfermagem e pôs o paciente sob os cuidados de uma *jovem muito encantadora* que começou (após combinar previamente com o terapeuta) a mimá-lo e cobri-lo de afeto desde o primeiro dia de trabalho. Em três semanas, o paciente teve alta do hospital, ainda sofrendo, mas agora de um mal inteiramente diferente. ELE ESTAVA APAIXONADO OUTRA VEZ. O remédio foi uma farsa, mas o paciente e a enfermeira acabaram se casando. Ambos gozam de boa saúde no momento em que escrevo.

Sintomas do medo da má saúde

Os sintomas desse medo quase universal são:
- AUTOSSUGESTÃO INADEQUADA. O hábito de usar negativamente a autossugestão procurando e esperando encontrar os sintomas de todo tipo de doença. "Gostar" de ter doenças imaginárias e fa-

lar nelas como se fossem reais. O hábito de experimentar todos os modismos e "manias" recomendados pelos outros como se tivessem valor terapêutico. Demorar-se em detalhes sobre cirurgias, acidentes e outras formas de doença. Experimentar dietas, exercícios físicos e regimes redutores de peso sem orientação profissional. Confiar excessivamente na experimentação com remédios caseiros, remédios populares e poções de charlatães.

- HIPOCONDRIA. O hábito de falar sobre doenças, concentrar a mente no tema das doenças e esperar sua aparição até algum sintoma nervoso ocorrer. Nada que venha em frascos é capaz de curar esse mal. Ele é causado por pensamentos negativos, e apenas o pensamento positivo pode trazer a cura. Dizem que a hipocondria (um termo médico que significa doenças imaginárias) causa tanto mal quanto a doença que se teme vir a causá-lo. A maioria das chamadas doenças nervosas advém de males imaginários.
- FALTA DE EXERCÍCIO. O medo da má saúde muitas vezes interfere na prática adequada de exercícios e resulta no excesso de peso por fazer a pessoa evitar a vida ao ar livre.
- SUSCETIBILIDADE A DOENÇAS. O medo da má saúde diminui a resistência natural do corpo e cria uma condição favorável para qualquer forma de doença com a qual se possa ter contato. O medo da má saúde está com frequência relacionado ao medo da pobreza, principalmente no caso do hipocondríaco que vive constantemente preocupado com a possibilidade de ter que pagar honorários médicos, contas de hospital, etc. Esse tipo de pessoa passa muito tempo se preparando para a doença, falando na morte, poupando dinheiro para comprar jazigos, para despesas funerárias etc.[10]
- SUPERPROTEGER A SI MESMO. O hábito de tentar obter a empatia alheia usando uma doença imaginária como isca. (As pessoas com frequência recorrem a esse truque para evitar trabalhar.) O hábito de se passar por doente para disfarçar a simples preguiça ou como álibi para a falta de ambição.
- DESTEMPERO. O hábito de fazer uso de álcool ou narcóticos para anestesiar dores como cefaleias, neuralgias, etc. em vez de eliminar sua causa. O hábito de ler sobre doenças e se preocupar com a pos-

sibilidade de ser acometido por elas. O hábito de ler, escutar ou ver anúncios de remédios populares.

O medo da perda do amor

A fonte original desse medo inerente não precisa de muita descrição. Ele evidentemente (do lado masculino) nasceu da ancestral e, pelo visto, inerente natureza polígama dos machos da espécie humana e de sua propensão a roubar as parceiras dos outros. Ele também deriva (do lado feminino) dos instintos maternais das mulheres e da sua necessidade de proteção durante os períodos da gravidez e dos cuidados com o recém--nascido. Tanto homens quanto mulheres, portanto, têm uma base biológica e comportamental para temer a perda do amor ou da "companhia de um parceiro".

O ciúme e outras formas semelhantes de neurose nascem, portanto, do medo hereditário dos seres humanos da perda de segurança representada pela perda do amor e da companhia de outra pessoa. Esse medo é o mais doloroso dos seis medos fundamentais. Ele provoca mais caos no corpo e na mente do que qualquer um dos outros medos fundamentais, e pode levar a problemas mentais graves.

Como indicado anteriormente, o medo da perda do amor provavelmente remonta à Idade da Pedra, quando machos roubavam fêmeas por meio da força bruta. Eles continuam a fazê-lo nas civilizações modernas, só que agora com outra técnica. Em vez da força, hoje usam o atrativo do convencimento romântico, a promessa de belas roupas, carros e joias caras, o acesso ao poder econômico, entre outras iscas bem mais eficazes do que a força física. Os hábitos masculinos não mudaram desde os primórdios da civilização, mas são demonstrados de outra forma.

Uma análise cuidadosa mostrou que as mulheres em geral são mais suscetíveis do que os homens ao medo da perda do amor. Esse fato é fácil de explicar. Mulheres de todas as épocas aprenderam por experiência que os homens, considerados em grupo, são polígamos por natureza e não merecem confiança nas mãos de rivais.

Sintomas do medo da perda do amor

Os sintomas típicos desse medo são:
- CIÚME. O hábito de desconfiar de amigos e pessoas queridas sem qualquer indício razoável. (O ciúme é uma forma de neurose que às vezes se torna violenta sem a menor causa.) O hábito de acusar marido ou mulher de infidelidade sem fundamento. Desconfiança generalizada de todos, confiança em absolutamente ninguém.
- ENCONTRAR DEFEITOS. O hábito de encontrar defeitos em amigos, parentes, colaboradores profissionais e pessoas queridas diante da menor provocação ou sem qualquer motivo.
- JOGO. O hábito de jogar, roubar, trapacear e correr outras formas de risco de modo a conseguir dinheiro para pessoas queridas na crença de que o amor pode ser comprado. O hábito de gastar mais do que se ganha ou de se endividar para dar presentes a pessoas queridas com o objetivo de causar boa impressão. Insônia, nervosismo, falta de persistência, força de vontade fraca, falta de autocontrole, falta de autoconfiança, mau humor.

O medo da velhice

Esse medo vem sobretudo de duas fontes: primeiro, da ideia de que a velhice pode trazer consigo a POBREZA. A segunda origem, e de longe a mais comum, são pensamentos oriundos de ensinamentos falsos e cruéis do passado, que foram misturados bem demais com o temor do inferno e outros "bichos-papões" astutamente criados para escravizar as pessoas por meio do medo.

No medo fundamental da velhice, as pessoas têm dois motivos muito sólidos para sua apreensão: um originado pela desconfiança de que os outros possam se apossar de quaisquer de seus bens mundanos. O outro, pelas terríveis imagens do "mundo inferior" plantadas em suas mentes pela "hereditariedade social" desde antes que tivessem pleno domínio sobre seus poderes de raciocínio.

A possibilidade de adoecer, que se torna mais frequente conforme as pessoas envelhecem, também é uma causa que contribui para o medo da velhice. Como ninguém aprecia a ideia de uma diminuição do poder de atração e da atividade sexual, outra causa do medo da velhice é a libido.

A causa mais comum do medo da velhice está ligada à possibilidade da pobreza. "Asilo" – e tudo aquilo que a palavra transmite – não é uma palavra bonita. Ela causa um arrepio na mente de todos aqueles que precisam enfrentar a possibilidade de ter que passar seus últimos anos empobrecidos e constantemente preocupados com os custos da vida cotidiana quanto às necessidades especiais da velhice.[11]

Outra causa que contribui para o medo da velhice é a possiblidade de perder a liberdade e a independência, já que a idade avançada pode trazer consigo a perda tanto da liberdade física quanto da econômica.

Sintomas do medo da velhice

Os sintomas mais comuns desse medo são:
- TENDÊNCIA A DIMINUIR O RITMO e desenvolver um complexo de inferioridade na idade da maturidade mental, por volta dos 50 anos, acreditando equivocadamente que se está "declinando" por causa da idade. (A verdade é que os anos mais úteis de uma pessoa, tanto do ponto de vista mental quanto espiritual, são aqueles compreendidos entre os 50 e os 60.)
- O HÁBITO DE FALAR PEDINDO DESCULPAS por ser velho apenas porque se chegou aos 60 ou 70 anos em vez de inverter a regra e expressar gratidão por ter alcançado a idade da sabedoria e da compreensão.
- O HÁBITO DE MATAR A INICIATIVA, a imaginação e a autoconfiança acreditando equivocadamente que se é velho demais para exercer essas qualidades. O hábito do homem ou da mulher de 50 ou 60 anos de se vestir com o objetivo de parecer bem mais novo e exibir trejeitos da juventude, o que o/a levará a ser ridicularizado/a, tanto por parte de amigos quanto por desconhecidos.

O medo da morte

Para algumas pessoas, esse é o mais cruel de todos os medos fundamentais. A razão para isso é óbvia. Na maioria dos casos, as terríveis pontadas de medo associadas à ideia da morte podem ser postas diretamente na conta do fanatismo religioso. Os chamados "pagãos" têm menos medo de morrer do que os mais civilizados. Durante milhares de anos, os seres humanos vêm fazendo as mesmas perguntas ainda sem resposta: "Quando?", "Para onde?" e "De onde vim e para onde irei?".

Durante as épocas mais obscuras da história, os mais astutos e habilidosos não demoraram a oferecer respostas a essas perguntas – POR UM PREÇO. Veja agora a principal origem do MEDO DA MORTE:

"Venha à minha tenda, abrace minha fé, aceite meus dogmas e eu lhe darei uma passagem que lhe permitirá entrar direto no paraíso quando morrer", brada um líder do sectarismo. "Fique fora da minha tenda", diz esse mesmo líder, "e o diabo vai levá-lo embora e você vai arder em chamas por toda a eternidade."

ETERNIDADE é muito tempo. FOGO é uma coisa terrível. A ideia de um castigo eterno pelo fogo não só faz as pessoas temerem a morte como frequentemente as faz perder a razão. Ela pode destruir o interesse pela vida e tornar a felicidade impossível.

Durante minhas pesquisas, examinei um livro intitulado *Um catálogo de deuses*, no qual eram listados os 30 mil deuses que a humanidade venerou ao longo dos tempos. Imagine isso! Trinta mil deuses representados por todo tipo de coisa, de um camarão de água doce até um ser humano. Não é de espantar que as pessoas tenham passado a temer a chegada da morte.

Embora os líderes religiosos não consigam conceder um salvo-conduto para o paraíso nem tampouco, na falta deste, obrigar os desafortunados a descerem para o inferno, essa última possibilidade parece tão terrível que sua simples ideia se apodera da imaginação de modo tão realista que paralisa a razão e cria o medo da morte.

Na verdade, NINGUÉM SABE ao certo como são o paraíso ou o inferno nem se qualquer um deles existe. É justamente essa falta de conhecimento positivo que abre a porta da imaginação das pessoas para os charlatães, possibilitando-lhes entrar e controlar essas mentes com seu arsenal de truques e modalidades diversas de fraude e engambelação religiosa.

O medo da MORTE não é tão comum hoje quanto na época em que as grandes faculdades e universidades não existiam. Os cientistas acenderam sobre o mundo a luz da verdade e essa verdade está rapidamente libertando homens e mulheres desse terrível medo da MORTE. Os rapazes e moças que frequentam nossas faculdades e universidades não são mais tão facilmente impressionáveis pelo "medo do inferno". Graças ao auxílio da biologia, da astronomia, da geologia e de outras ciências correlatas, os temores da Idade das Trevas que dominavam a mente humana e destruíam a razão das pessoas foram dissipados.

Os manicômios ficaram lotados de gente enlouquecida por MEDO DA MORTE.

Esse medo é inútil. A morte virá, pouco importando o que qualquer um possa pensar a respeito. Aceite isso como uma necessidade e tire esse pensamento da cabeça. A morte faz parte da vida, caso contrário não chegaria para todos. Talvez ela não seja tão ruim quanto se tem retratado.

O mundo inteiro é feito de dois elementos apenas: ENERGIA e MATÉRIA. Na física elementar, aprendemos que nem a matéria nem a energia (as duas únicas realidades conhecidas) podem ser criadas ou destruídas. Tanto a matéria quanto a energia podem ser transformadas, mas nenhuma pode ser destruída.

A vida é energia. Se nem a energia nem a matéria podem ser destruídas, então a vida não pode ser verdadeiramente destruída. Assim como outras formas de energia, ela pode passar por vários processos de transição ou de mudança, mas não pode ser destruída. A morte é apenas uma transição.

Mas, se a morte *não* for uma mera mudança ou transição, nada vem depois dela a não ser um sono longo, eterno e tranquilo, e não há nada a temer do sono. Seja como for, você desse modo pode eliminar para sempre o medo da morte.

Sintomas do medo da morte

O sintoma geral desse medo é o hábito de PENSAR em morrer em vez de aproveitar ao máximo a VIDA, um hábito que se deve em geral à falta de propósito ou à falta de uma ocupação adequada. Esse medo é mais prevalente entre os idosos, mas às vezes os mais jovens padecem dele.

O maior de todos os remédios para o medo da morte é UM DESEJO ARDENTE DE SUCESSO sustentado por um serviço útil prestado aos outros. Pessoas ocupadas raramente têm tempo para pensar em morrer. Elas acham a vida empolgante demais para pensar na morte. Às vezes o medo da morte está intimamente ligado ao medo da pobreza, quando a morte da pessoa faria seus próximos serem atingidos pela pobreza. Em outros casos, o medo da morte é causado pela doença e pela consequente destruição da resistência física do corpo. As causas mais comuns do medo da morte são saúde ruim, pobreza, falta de ocupação adequada, decepção amorosa, insanidade e fanatismo religioso.

A preocupação

A preocupação é um estado mental que tem por base o medo. Ela age de forma lenta porém persistente. É insidiosa e sutil. Passo a passo, vai penetrando até paralisar a faculdade racional da pessoa e destruir sua autoconfiança e sua iniciativa. A preocupação é uma forma de medo constante causada pela indecisão e, portanto, um estado mental passível de ser controlado.

Uma mente inquieta não tem remédio. O que gera uma mente inquieta é a indecisão. A maioria das pessoas carece da força de vontade necessária para tomar decisões depressa e de mantê-las depois que elas foram tomadas, mesmo em condições profissionais normais. Em períodos economicamente conturbados (como aquele que o mundo acaba de atravessar), os indivíduos são prejudicados não apenas por sua natureza inerente de serem lentos para tomar decisões, mas pela influência da *indecisão de outros à sua volta*, que criou uma situação de indecisão em massa.

Durante uma recessão econômica internacional, a atmosfera do mundo inteiro pode ser ocupada pela "gripe do medo" e pela "preocupacionite", dois germes de doenças mentais que podem se propagar rapidamente. Só existe um antídoto conhecido para esses germes: o hábito da DECISÃO rápida e firme. Além do mais, esse é um antídoto que todo indivíduo deve administrar por conta própria.

Quando tomamos a decisão de seguir uma *linha de ação clara*, não nos preocupamos com as condições. Certa vez entrevistei um homem que seria eletrocutado dali a duas horas.[12] O condenado era o mais calmo dos cerca de oito homens que se encontravam no corredor da morte junto com ele. Essa tranquilidade me levou a lhe perguntar qual era a sensação de saber que dali a pouco tempo ele partiria rumo à eternidade. Com um sorriso confiante no rosto, ele respondeu: "É uma sensação boa. Pense só, irmão, meus problemas em breve vão acabar. Eu nunca tive nada na vida, exceto problemas. Foi difícil conseguir comida e roupas. Em breve não vou precisar mais dessas coisas. Sinto-me bem desde que tive CERTEZA de que vou morrer. Nessa hora decidi aceitar meu destino num estado de espírito positivo."

Enquanto falava, ele devorava um jantar de quantidade suficiente para três pessoas, comendo cada garfada do prato que tinham lhe trazido e parecendo saborear a refeição tanto quanto se nenhum desastre o aguardasse. O que permitiu a esse homem se resignar ao próprio destino foi a DECISÃO! A decisão também pode evitar que a pessoa aceite circunstâncias indesejadas.

Por meio da indecisão, os seis medos fundamentais se traduzem num estado de preocupação e ansiedade. Livre-se *para sempre* do medo da morte tomando a decisão de aceitá-la como um acontecimento inevitável. Elimine o medo da pobreza tomando a decisão de se virar com qualquer riqueza que conseguir acumular SEM PREOCUPAÇÃO. Imobilize o medo da crítica tomando a decisão de NÃO SE PREOCUPAR com o que os outros pensam, fazem ou dizem. Elimine o medo da velhice tomando a decisão de aceitá-la não como uma limitação, mas como uma grande bênção que traz consigo uma sabedoria, um autocontrole e uma compreensão desconhecidos para você. Reconcilie-se com o medo da má saúde tomando a decisão de esquecer os sintomas. Controle o medo da perda do amor tomando a decisão de viver sem amor se for preciso.

Mate o hábito de se preocupar de todas as maneiras possíveis tomando uma decisão geral e abrangente de que nada que a vida tenha a oferecer vale o preço da preocupação. Essa decisão trará equilíbrio, paz de espírito e tranquilizará seus pensamentos, o que oferecerá felicidade.

Aqueles cujas mentes estão tomadas pelo medo não só destroem as próprias chances de agir de modo inteligente, mas também transmitem essas vibrações destrutivas para as mentes de todos aqueles que entram em contato com eles, destruindo suas chances também.

Até mesmo um cachorro ou um cavalo sabe quando falta coragem ao seu dono. Além do mais, um cachorro ou um cavalo vai captar as vibrações de medo irradiadas pelo dono e se comportar de modo condizente.

Se descermos a escala de inteligência do reino animal, encontraremos a mesma capacidade de captar as vibrações do medo. As vibrações do medo são transmitidas de uma mente para outra de modo tão veloz e seguro quanto o som da voz humana passa da estação transmissora para o aparelho receptor de um rádio.[13]

A pessoa que, ao falar, dá expressão a pensamentos negativos ou destrutivos está praticamente fadada a vivenciar os resultados dessas palavras na forma de uma reação destrutiva. A liberação de impulsos de pensamento destrutivos por si só, sem o auxílio de palavras, também produz uma reação em mais de um formato. Em primeiro lugar, talvez o mais importante a ser lembrado é que a pessoa que libera pensamentos de natureza destrutiva terá prejuízos pela destruição da faculdade da Imaginação Criativa. Em segundo lugar, a presença na mente de qualquer emoção destrutiva desenvolve uma personalidade negativa que repele os outros e, muitas vezes, os transforma em antagonistas. A terceira fonte de danos para a pessoa que abriga ou libera pensamentos negativos é o seguinte fato significativo: os impulsos de pensamento negativos não causam apenas danos aos outros, mas também SE ALOJAM NA MENTE SUBCONSCIENTE DE QUEM OS LIBERA, tornando-se assim parte da sua personalidade.

Um pensamento não se encerra pelo simples fato de ser liberado. Quando um pensamento é liberado, ele se espalha em todas as direções, mas também se aloja permanentemente na mente subconsciente de quem o libera.

Presumo que sua missão na vida seja alcançar o sucesso. Para ter sucesso, você precisa de paz de espírito, adquirir as necessidades materiais da vida e, acima de tudo, alcançar a FELICIDADE. Todos esses indícios de sucesso começam na forma de impulsos de pensamento.

Você pode controlar sua mente. Você tem o poder de alimentá-la com quaisquer impulsos de pensamento que escolher. Junto com esse privilégio vem também a responsabilidade de usá-lo de modo construtivo. Você é senhor do seu destino aqui na Terra, com tanta certeza quanto tem o poder de controlar os próprios pensamentos. Pode influenciar, direcionar e eventualmente controlar seu ambiente, tornando sua vida o que quiser que ela seja – ou pode deixar de exercer seu privilégio de moldar a própria vida, atirando-se assim no vasto "mar das circunstâncias", onde será arremessado de um lado para outro feito um pedaço de madeira nas ondas do oceano.

A OFICINA DO DIABO
O sétimo mal fundamental

Além dos seis medos fundamentais, existe um outro mal do qual as pessoas padecem. Ele constitui um solo rico no qual as sementes do fracasso crescem em profusão. De tão sutil, sua presença raramente é detectada. Esse mal não pode ser classificado propriamente como medo. ELE ESTÁ ENRAIZADO MAIS PROFUNDAMENTE E, COM FREQUÊNCIA, É MAIS LETAL DO QUE TODOS OS SEIS MEDOS. Na falta de um nome melhor, vamos chamar esse mal de SUSCETIBILIDADE A INFLUÊNCIAS NEGATIVAS.

Os indivíduos que acumulam grande riqueza sempre se protegem contra esse mal! Aqueles assolados pela pobreza nunca o fazem! Quem tem sucesso em qualquer área precisa preparar a mente para resistir a esse mal. Se você estiver lendo esta filosofia com o propósito de acumular riqueza, seja de que forma for, deve examinar com muito cuidado a si mesmo para determinar se é suscetível a influências negativas. Se deixar de lado essa autoanálise, estará abrindo mão do seu direito de alcançar o objeto de seus desejos.

Faça uma análise profunda. Depois de ler as perguntas preparadas para essa autoanálise, atenha-se nas suas respostas a uma rígida sinceridade. Aborde essa tarefa com o mesmo cuidado que usaria para examinar qualquer inimigo que soubesse estar à sua espera numa emboscada e lide com seus defeitos do mesmo modo que faria com um inimigo mais tangível.

Você pode facilmente se proteger de ladrões, porque a lei fornece uma cooperação organizada de que você pode dispor, mas o "sétimo mal fundamental" é mais difícil de dominar, pois ele ataca quando você não tem consciência da sua presença, tanto quando está dormindo quanto quando está desperto. Além do mais, sua arma é intangível, pois consiste apenas num ESTADO DE ESPÍRITO. Esse mal também é um perigo porque ataca de formas tão variadas quanto as experiências humanas. Às vezes ele entra na mente pelas palavras bem-intencionadas de nossos parentes.

Em outras ocasiões, vem de dentro, por meio da nossa própria atitude mental. Embora possa não matar tão depressa, é sempre tão mortal quanto veneno.

Como se proteger das influências negativas

Para se proteger das influências negativas, sejam elas de sua lavra ou resultado de atividades e pensamentos de pessoas negativas ao seu redor, reconheça que você tem FORÇA DE VONTADE. Lance mão dessa força de vontade constantemente, até que ela construa dentro da sua mente um muro de imunidade contra as influências negativas.

Reconheça o fato de que você e todos os outros seres humanos são por natureza preguiçosos, indiferentes e suscetíveis a todas as sugestões que estejam em harmonia com as suas fraquezas.

Reconheça que você é, por natureza, suscetível a todos os seis medos fundamentais e estabeleça hábitos com o propósito de neutralizar todos esses medos.

Reconheça que as influências negativas muitas vezes agem em você por meio da sua mente subconsciente, portanto são difíceis de detectar. Mantenha sua mente fechada para todas as pessoas que o deixam deprimido ou que o desestimulam seja de que modo for.

Limpe sua caixa de remédios, jogue fora os frascos de comprimidos e pare de se render a resfriados, dores, incômodos e doenças imaginárias.

Busque deliberadamente a companhia de pessoas que influenciem você a PENSAR E a AGIR POR CONTA PRÓPRIA.

Não ESPERE problemas, pois eles têm tendência a não decepcionar.

Sem dúvida, a fraqueza mais comum em todos os seres humanos é o hábito de deixar a mente aberta para as influências negativas. Essa fraqueza é mais nociva ainda porque a maioria das pessoas não reconhece ser amaldiçoada por ela, e muitas das que a reconhecem deixam de ou se negam a corrigir o mal até ele se tornar uma parte incontrolável de seus hábitos diários.

Para ajudar quem deseja ver a si mesmo como realmente é, preparei a lista de perguntas a seguir. Leia as perguntas e diga suas respostas em voz alta, de modo a poder escutar a própria voz. Isso tornará mais fácil ser honesto consigo mesmo.

Perguntas do teste de autoanálise

- Você reclama com frequência de se sentir mal? Em caso positivo, por quê?
- Você encontra defeitos nos outros diante da menor provocação?
- Você comete erros com frequência no trabalho? Se sim, por quê?
- Você é sarcástico e ofensivo ao conversar?
- Você evita deliberadamente se relacionar com alguém? Por quê?
- Você padece com frequência de indigestão? Se sim, por quê?
- A vida lhe parece fútil e o futuro sem esperança? Se sim, por quê?
- Você gosta da sua ocupação? Se não, por quê?
- Você sente pena de si mesmo com frequência? Se sim, por quê?
- Você sente inveja de quem é melhor do que você?
- A qual dessas coisas você dedica mais tempo: pensar no SUCESSO ou no FRACASSO?
- Você está ficando mais ou menos autoconfiante à medida que envelhece?
- Você aprende algo de valor com todos os erros?
- Você está permitindo que algum parente ou conhecido lhe cause preocupação? Se sim, por quê?
- Você às vezes fica "nas nuvens" e outras vezes "no fundo do poço" da infelicidade?
- Quem tem sobre você a influência mais inspiradora? Por quê?
- Você tolera influências negativas ou desencorajadoras que poderia evitar?
- Você é desleixado com sua aparência pessoal? Se sim, quando e por quê?
- Você aprendeu a afogar seus problemas mantendo-se ocupado demais para que eles o incomodem?
- Você se consideraria um "fraco covarde" se permitisse aos outros que decidissem em seu lugar?

- Você deixa de lado a limpeza interior até a autointoxicação o deixar mal-humorado e irritadiço?[14]
- Quantas perturbações evitáveis o incomodam e por que você as tolera?
- Você recorre a bebida, remédios, narcóticos ou cigarros para acalmar seus nervos? Se sim, por que não tenta substituí-los por força de vontade?
- Alguém o importuna? Se sim, por quê?
- Você tem um OBJETIVO PRINCIPAL PRECISO NA VIDA? Se sim, qual é e qual seu plano para alcançá-lo?
- Você padece de algum dos seis medos fundamentais? Se sim, quais?
- Você tem um método com o qual se proteger da influência negativa dos outros?
- Você faz uso deliberado da autossugestão para tornar sua mente positiva?
- O que você valoriza mais: seus bens materiais ou seu privilégio de controlar os próprios pensamentos?
- Você é influenciado pelos outros, contrariando o próprio julgamento?
- O dia de hoje acrescentou algo de valor ao seu arsenal de conhecimento ou estado de espírito?
- Você encara as circunstâncias que o tornam infeliz ou se exime da responsabilidade?
- Você analisa todos os erros e fracassos e tenta tirar proveito deles ou assume a atitude de que isso não lhe cabe?
- Você é capaz de citar três das suas fraquezas mais nocivas? O que está fazendo para corrigi-las?
- Você incentiva os outros a lhe trazerem suas preocupações para obter empatia?
- Você escolhe, entre as suas experiências diárias, lições ou influências que ajudam no seu desenvolvimento pessoal?
- Sua presença habitualmente tem influência negativa sobre os outros?
- Que hábitos dos outros mais o irritam?
- Você forma as próprias opiniões ou se deixa influenciar pelos outros?
- Você aprendeu a criar um estado de espírito com o qual possa se proteger das influências desencorajadoras?
- Sua ocupação inspira você com fé e esperança?

- Você tem consciência de ter forças espirituais suficientemente poderosas para lhe possibilitar liberar a mente de qualquer tipo de MEDO?
- Sua religião ajuda você a manter uma mente positiva?
- Você sente que é seu dever compartilhar as preocupações dos outros? Se sim, por quê?
- Se você acredita que pássaros de uma mesma espécie voam juntos, o que aprendeu sobre si mesmo estudando os amigos que você atrai?
- Que conexão, se é que há, você vê entre as pessoas com as quais se relaciona de modo mais próximo e qualquer infelicidade que você possa experimentar?
- Seria possível alguém que você considera amigo ser na realidade seu pior inimigo por causa da influência negativa que tem sobre sua mente?
- Por que regras você julga quem lhe é útil e quem lhe é nocivo?
- Seus colegas mais próximos são mentalmente superiores ou inferiores a você?
- Quanto tempo a cada 24 horas você dedica a:
    a. sua ocupação
    b. sono
    c. entretenimento e relaxamento
    d. aquisição de conhecimento útil
    e. simples desperdício
- Quem, entre os seus conhecidos:
    a. mais incentiva você
    b. mais adverte você
    c. mais desencoraja você
    d. mais ajuda você de outras formas
- Qual sua maior preocupação? Por que você a tolera?
- Quando outros lhe oferecem conselhos gratuitos e não solicitados, você aceita sem questionar ou analisa seus motivos?
- O que você DESEJA acima de tudo? Pretende obter isso? Está disposto a subordinar todos os outros desejos a esse? Quanto tempo por dia você dedica a isso?
- Você muda de opinião com frequência? Se sim, por quê?
- Você em geral termina tudo que começa?

- Você se deixa impressionar facilmente por negócios ou títulos profissionais, diplomas ou riqueza dos outros? É facilmente influenciado pelo que os outros pensam ou dizem sobre você?
- Você adula pessoas por causa de seu status social ou financeiro?
- Quem você considera ser a maior pessoa viva? Em que aspectos essa pessoa é superior a você?
- Quanto tempo você dedicou a estudar e responder a estas perguntas? (É necessário no mínimo um dia para analisar com cuidado e responder de forma completa a lista inteira.)

Se você respondeu honestamente a todas essas perguntas, sabe mais sobre si mesmo do que a maioria. Estude cuidadosamente as perguntas, volte a elas semanalmente ao longo de vários meses e assombre-se com a quantidade de conhecimento suplementar de grande valor que terá obtido graças ao método simples de responder honestamente às perguntas. Se não tiver certeza das respostas para algumas delas, aconselhe-se com pessoas que o conhecem bem, principalmente aquelas que não têm motivos para adulá-lo, e veja-se através dos olhos delas. Será uma experiência espantosa.

Você só tem CONTROLE ABSOLUTO sobre uma coisa: seus pensamentos. Esse é o mais importante e mais inspirador de todos os fatos conhecidos! Ele reflete a natureza divina da humanidade. Essa prerrogativa divina é a única forma de você controlar o próprio destino. Se você não controlar sua mente, pode ter certeza de que não vai controlar mais nada.

Se precisar ser descuidado com seus bens, que seja em relação às coisas materiais. *Sua mente é seu território espiritual!* Proteja-a e use-a com o mesmo cuidado ao qual têm direito os membros da realeza. Foi por esse motivo que lhe foi dada FORÇA DE VONTADE.

Infelizmente, não existe proteção jurídica contra aqueles que, seja de propósito ou por ignorância, envenenam a mente alheia com sugestões negativas. Essa forma de destruição deveria acarretar penalidades severas da lei, pois pode destruir, e muitas vezes de fato destrói, as chances de a pessoa adquirir bens materiais que são protegidos por lei.

Pessoas com mentes negativas tentaram convencer Thomas Edison de que ele não seria capaz de construir uma máquina capaz de gravar e reproduzir a voz humana, "porque", disseram elas, "nenhuma outra pessoa nunca produziu uma máquina assim". Edison não acreditou nessas pessoas. Ele sabia que A MENTE PODE PRODUZIR QUALQUER COISA QUE SEJA CAPAZ DE CONCEBER E NA QUAL SEJA CAPAZ DE ACREDITAR.[15] E foi esse conhecimento que alçou o grande Edison acima das pessoas comuns.

Pessoas com mentes negativas disseram a F. W. Woolworth que ele iria se arruinar se tentasse ter uma loja que só vendesse artigos por 5 e 10 centavos. Ele não acreditou nelas.

Sabia que poderia fazer qualquer coisa dentro dos limites da razão, contanto que seus planos estivessem sustentados pela FÉ. Exercendo seu direito de manter as sugestões negativas dos outros fora da sua mente, ele acumulou uma fortuna de mais de 100 milhões de dólares.

Pessoas com mentes negativas disseram a George Washington que ele não tinha a menor chance de vencer as forças muito superiores dos britânicos, mas ele exerceu seu direito divino de ACREDITAR; assim, este livro foi publicado sob a proteção da bandeira norte-americana, ao passo que o nome de lorde Cornwallis foi praticamente esquecido.

Vários "Sãos Tomés" duvidaram e desdenharam de Henry Ford quando ele testou seu primeiro automóvel, um protótipo grosseiramente montado, nas ruas de Detroit. Houve quem dissesse que aquela engenhoca jamais se tornaria prática. Outros disseram que ninguém pagaria por uma geringonça daquelas. FORD DISSE: "EU VOU POVOAR A TERRA COM CARROS A MOTOR CONFIÁVEIS", E ASSIM O FEZ! Sua decisão de confiar no próprio julgamento acumulou uma fortuna muito maior do que gerações de descendentes seus conseguiram desperdiçar. Para quem estiver buscando acumular riqueza, é bom lembrar que praticamente a única diferença entre Henry Ford e a maioria das mais de 100 mil pessoas que trabalhavam para ele é a seguinte: FORD TINHA UMA MENTE E A CONTROLAVA, ENQUANTO OS OUTROS TINHAM MENTES QUE NÃO TENTAVAM CONTROLAR.[16]

O controle da mente é resultado de autodisciplina e hábito. Ou você controla sua mente, ou ela controla você. Não existe meio-termo. O mais prático de todos os métodos para controlar a mente é o hábito de mantê-la ocupada com um propósito definido sustentado por um plano preciso. Estude o histórico de qualquer indivíduo que obteve um sucesso notável e observará que ele tem controle sobre a própria mente e, mais do que isso, que exerce esse controle e o direciona para a conquista de objetivos claros. Sem esse controle, o sucesso não é possível.

57 álibis famosos
De autoria do velho SE

Pessoas que não alcançam o sucesso têm um traço característico em comum. Elas conhecem *todos os motivos para o fracasso* e têm o que acreditam ser álibis perfeitos para explicar a própria falta de sucesso.

Alguns desses álibis são inteligentes e poucos se justificam por fatos. Mas álibis não podem ser usados como dinheiro. O mundo só quer saber uma coisa: VOCÊ ALCANÇOU O SUCESSO?

Um analista de personalidade compilou uma lista dos álibis mais comumente usados. À medida que a ler, examine cuidadosamente a si mesmo e determine quantos desses álibis você usa, se é que usa algum. Lembre também que a filosofia apresentada neste livro torna todos eles obsoletos:

- SE eu não tivesse uma esposa (um marido) e uma família...
- SE eu tivesse "ímpeto" suficiente...
- SE eu tivesse dinheiro...
- SE eu tivesse uma boa educação...
- SE eu conseguisse arrumar um emprego...
- SE eu tivesse boa saúde...
- SE ao menos eu tivesse tempo...
- SE os tempos fossem melhores...
- SE os outros me compreendessem...
- SE ao menos as condições à minha volta fossem diferentes...
- SE eu pudesse viver minha vida outra vez...
- SE eu não tivesse medo do que "ELES" vão dizer...
- SE tivessem me dado uma chance...
- SE eu tivesse uma chance agora...
- SE os outros não implicassem comigo...
- SE nada acontecer para me impedir...
- SE eu fosse mais jovem...
- SE eu pudesse fazer o que eu quero...

- SE eu tivesse nascido rico...
- SE eu pudesse conhecer as pessoas certas...
- SE eu tivesse o talento que algumas pessoas têm...
- SE eu ousasse me impor...
- SE ao menos eu tivesse aproveitado oportunidades passadas...
- SE as pessoas não me dessem nos nervos...
- SE eu não precisasse cuidar da casa e das crianças...
- SE eu conseguisse poupar dinheiro...
- SE ao menos o patrão me valorizasse...
- SE ao menos eu tivesse alguém para me ajudar...
- SE minha família me entendesse...
- SE eu morasse numa cidade grande...
- SE ao menos eu conseguisse começar...
- SE ao menos eu fosse livre...
- SE eu tivesse a personalidade de algumas pessoas...
- SE eu não fosse tão gordo...
- SE meus talentos fossem conhecidos...
- SE ao menos eu conseguisse descansar...
- SE ao menos eu conseguisse saldar minhas dívidas...
- SE eu não tivesse fracassado...
- SE ao menos eu soubesse como...
- SE todo mundo não ficasse contra mim...
- SE eu não tivesse tantas preocupações...
- SE eu pudesse me casar com a pessoa certa...
- SE as pessoas não fossem tão burras...
- SE minha família não fosse tão extravagante...
- SE eu fosse mais autoconfiante...
- SE a sorte não estivesse contra mim...
- SE eu não tivesse nascido sob a estrela errada...
- SE não fosse verdade que "o que tiver que ser, será"...
- SE eu não precisasse trabalhar tão duro...
- SE eu não tivesse perdido meu dinheiro...
- SE eu morasse em outro bairro...
- SE eu não tivesse um "passado"...
- SE ao menos eu tivesse meu próprio negócio...

- SE os outros ao menos me escutassem...
- SE – e esse é o maior de todos – eu tivesse coragem para ver a mim mesmo como realmente sou, iria *descobrir o que há de errado comigo e corrigir.* Talvez então eu pudesse ter uma chance de tirar proveito dos meus erros e aprender algo com a experiência dos outros, pois sei que há algo ERRADO comigo, caso contrário eu agora estaria aonde PODERIA TER CHEGADO se tivesse passado mais tempo analisando minhas fraquezas e menos tempo criando álibis para escondê-las.

Criar álibis para explicar o fracasso é um passatempo comum. O hábito é tão antigo quanto a espécie humana, e fatal para o sucesso! Por que as pessoas se apegam a seus álibis de estimação? A resposta é óbvia. Elas defendem seus álibis porque ELAS OS CRIAM! Um álibi é filho da imaginação da própria pessoa. É da natureza humana defender o fruto do próprio cérebro.

Criar álibis é um hábito profundamente enraizado. Hábitos são difíceis de romper, principalmente quando proporcionam justificativa para algo que fazemos. Platão tinha essa verdade em mente quando disse: "A primeira e melhor vitória é a conquista de si. Ser conquistado por si mesmo é, entre todas as coisas, a mais vergonhosa e vil."

Outro filósofo tinha em mente o mesmo pensamento quando afirmou: "Foi uma grande surpresa quando descobri que a maior parte da feiura que eu via nos outros não passava do reflexo da minha própria natureza."

"Para mim sempre foi um mistério", disse Elbert Hubbard, "por que as pessoas passam tanto tempo enganando deliberadamente a si mesmas ao criar álibis para encobrir as próprias fraquezas. Se usado de outra forma, esse mesmo tempo seria suficiente para curar essas fraquezas e, nesse caso, não seria preciso álibi nenhum."

Por fim, lembre-se: "A vida é um jogo, e o adversário que está jogando contra você é o TEMPO. Se você hesitar antes de fazer um movimento ou deixar de se mover de modo pensado e decidido, suas peças serão varridas do tabuleiro pelo TEMPO. Você está jogando contra um adversário que não vai tolerar INDECISÃO!"

Antes você talvez tivesse uma desculpa lógica para não ter forçado a vida a lhe dar o que estava pedindo, mas esse álibi hoje está obsoleto, porque você agora tem a Chave Mestra que destranca a porta da abundante riqueza da vida.

A Chave Mestra é intangível, mas poderosa! Ela consiste no privilégio de criar, *na sua mente*, um DESEJO ARDENTE de uma forma clara de riqueza. Não existe penalidade para o uso da chave, mas há um preço a pagar caso você não a use. Esse preço é O FRACASSO. Há uma recompensa de tamanho colossal se você fizer uso da Chave. Trata-se da satisfação que acomete todos *aqueles que conquistam a si mesmos e forçam a vida a pagar o que estiver sendo pedido.*

A recompensa vale o seu esforço. Você está pronto para dar o pontapé inicial e ser convencido?

"Se tivermos afinidade, nós vamos nos encontrar", disse o imortal Emerson. Como conclusão, permito-me parafraseá-lo: "Se tivermos afinidade, por meio destas páginas nós já nos encontramos."

FIM

APÊNDICE A

Um espírito elevado

Segundo seu biógrafo oficial, Napoleon Hill nasceu em 26 de outubro de 1883 numa cabana de troncos com dois cômodos nas montanhas de Wise County, no sudoeste da Virgínia, nos Estados Unidos, filho de James Monroe e Sara Sylvania Blair Hill. Morreu aos 87 anos em 8 de novembro de 1970, no lar para idosos em Paris Mountain, perto de Greenville, na Carolina do Sul, onde passou os últimos 13 anos de vida. Estava com saúde relativamente boa até a morte súbita e fizera pouco tempo antes uma operação de catarata bem-sucedida para lhe permitir que continuasse com o hábito de ler, pesquisar e refletir sobre os princípios do sucesso. Ele morreu um dia antes de Charles De Gaulle, da França, o importante personagem mundial com que, sem dúvida, Hill adoraria ter conversado sobre a vida, a filosofia e o caminho pessoal para o sucesso.

O Dr. Hill deixou a esposa, Annie Lou N. Hill, natural da Carolina do Sul; três filhos, James H. Hill e Blair H. Hill, de Lumberport, na Virgínia Ocidental, e David H. Hill, de Clarksburg, na Virgínia Ocidental; dois irmãos, Vivian O. Hill, de Washington, e o Dr. Paul Hill, de Harrisburg, na Virgínia; e uma irmã, a Sra. Willie Wise, de Wise, na Virgínia. A edição de 12 de novembro de 1970 do jornal *The Greenville (S. C.) News* publicou o seguinte editorial sobre sua morte:

Napoleon Hill escolheu se instalar em Greenville há uns 18 [sic; deveria ser 13] anos, depois de uma vida ativa na qual conheceu muitas pessoas entre as mais famosas dos Estados Unidos. Ele mesmo ficou famoso com os livros que publicou após mudar-se para cá.

Suas obras sobre o poder do pensamento atingiram o patamar de best-sellers e foram publicadas depois que o autor chegou a uma idade em que a maioria das pessoas já se aposentou.

O Sr. Hill adquiriu um imenso volume de sabedoria e informações que foi capaz de sintetizar em uma forma fácil de entender nos livros que escreveu. Ele teve a capacidade entusiasmante de continuar crescendo e permanecer socialmente ativo apesar do passar dos anos.

Foi um dos maiores expoentes do poder do pensamento positivo, atributo de que o mundo precisa numa época em que o pensamento negativo parece ganhar popularidade. Greenville e a nação perderam um cidadão precioso quando Napoleon Hill morreu recentemente com 87 anos.

Hoje, Napoleon e Annie Lou Hill estão sepultados lado a lado no cemitério Frederick Memorial Gardens, localizado na estrada panorâmica Cherokee Foothills, perto da Interstate 85 e a cerca de dois quilômetros e meio dos limites da cidade de Gaffney, na Carolina do Sul. Se passar por lá, e se Napoleon Hill foi importante para você, uma visita ao Memorial Gardens será uma experiência memorável.

Os túmulos de Napoleon e de sua amada Annie Lou, que morreu em 21 de dezembro de 1984, com 90 anos, ficam na seção B-1, lote 16, à sombra de um majestoso bordo da Flórida. Uma lápide de bronze, de 120cm por 40cm, ornamentada por flores de corniso gravadas, descansa acima das lápides individuais do casal. A placa principal diz, simplesmente, "Napoleon Hill – Escritor". Aos poucos, as raízes expostas do velho bordo abriram caminho pela superfície do solo e, aparentemente, quase chegaram ao túmulo do próprio Hill – uma metáfora viva de como a obra de sua vida ofereceu e continua a oferecer sustento, inspiração e energia à vida de tanta gente durante todos esses anos.

Um segundo aspecto da paisagem do Frederick Memorial Gardens constitui, de forma igualmente fortuita, outra afirmativa metafórica do que a vida e a obra de Napoleon Hill significaram para o mundo. No outro lado da curva da rua do cemitério, diante do túmulo de Hill, fica um monumento projetado por John Erwin Ramsay, arquiteto de Salisbury, na Carolina do Norte. É um monumento cristão e cheio de simbolismo à suprema inutilidade do esforço humano – um *"trylon"*, monólito triangular (uma haste alta e triangular, que forma uma ponta) que representa a Santíssima Trindade; a água na base representa a "água da vida"; e assim por diante. Também há um elevado arco de concreto diante do *trylon*, como a trajetória parabólica acentuada de um rojão congelada no tempo – um Gateway Arch de St. Louis em pequena escala. Simboliza o nascimento, a morte e a necessidade que a humanidade tem de relacionamento com Deus, mas, de um jeito inesperado, a "elevação" acentuada e drástica dessa parábola – e a inscrição relativa a seu ímpeto para o céu – traz à mente a filosofia Pense e Enriqueça de Napoleon Hill e sua crença no poder dos indivíduos de configurar o próprio destino. Uma parte da inscrição diz:

"Da Terra, o homem, *por esforço próprio*, se eleva em busca da vida eterna..."

APÊNDICE B

Tributos ao autor*

de grandes líderes americanos

Eis o que alguns líderes americanos no campo das finanças, da educação e da política disseram sobre a pesquisa e os textos de Napoleon Hill a respeito dos princípios do sucesso:

Suprema Corte dos Estados Unidos
Washington, D. C.

Caro Sr. Hill:

[...] Desejo exprimir meu reconhecimento pelo trabalho esplêndido que o senhor fez na organização dessa filosofia.

Seria útil se todos os políticos do país assimilassem a aplicassem os [...] princípios nos quais se baseiam suas lições. Eles contêm material muito bom que todos os líderes de todas as áreas da vida deveriam compreender.

---

* Adaptado da edição de 1937 de *Pense e enriqueça*.

Fico satisfeito por ter o privilégio de lhe prestar uma pequena medida de ajuda na organização desse curso esplêndido de filosofia do "senso comum".

Atenciosamente,

William H. Taft
(ex-presidente da República e ex-juiz presidente
da Suprema Corte dos Estados Unidos)

"Permita-me expressar meu reconhecimento pelo cumprimento que o senhor me fez ao me enviar o manuscrito original [...] Posso ver que o senhor dedicou muito tempo e pensamento à sua preparação. Sua filosofia é sólida, e o senhor precisa ser parabenizado por se ater à sua obra por tantos anos. Seus alunos serão amplamente recompensados pelo trabalho."

– Thomas A. Edison,
inventor e empresário

"Seu trabalho e o meu têm uma semelhança peculiar. Ajudo as leis da Natureza a criar espécimes mais perfeitos na vegetação, enquanto o senhor usa essas mesmas leis [...] para construir espécimes de pensadores mais perfeitos."

– Luther Burbank,
pai do melhoramento genético vegetal

"Sem dúvida lhe fornecerei as informações que me pede. Considero isso não só um dever como também um prazer. O senhor trabalha em nome das pessoas que não têm tempo nem inclinação para esquadrinhar as causas do fracasso e do sucesso."

– Theodore Roosevelt,
ex-presidente dos Estados Unidos

"Se eu tivesse um filho jovem, insistiria que lesse cada palavra [...] de Napoleon Hill, [um dos dois] escritores mais inspiradores do mundo. Sei que seus [...] fundamentos do sucesso são sólidos porque os aplico em minha empresa há mais de trinta anos."

– John Wanamaker,
fundador de loja de departamentos

"Toda a nossa política empresarial, na administração de nossos hotéis, se baseia em [seus fundamentos do sucesso], dos quais sou estudante."

– E. M. Statler,
magnata hoteleiro

"Sinto-me muito agradecido pelo privilégio de ler sua filosofia da lei do sucesso. Se eu tivesse isso 50 anos atrás, acho que teria realizado tudo que fiz em menos da metade do tempo. Espero sinceramente que o mundo o descubra e o recompense."

– Robert Dollar,
magnata da Marinha mercante

"Napoleon Hill produziu o que acredito que seja a primeira filosofia prática do êxito. Sua principal característica distintiva é a simplicidade com que foi apresentada."

– David Starr Jordan,
ex-reitor da Universidade de Stanford

"O Sr. Curtis [...] construiu uma das maiores empresas editoriais do mundo aplicando os princípios dessa filosofia."
– Edward Bok, editor da *Ladies' Home Journal*, falando sobre Cyrus H. K. Curtis, fundador da Curtis Publishing Company, editora das revistas *Ladies' Home Journal* e *The Saturday Evening Post*

"O senhor pode dizer pelo Sr. Rockefeller que ele endossa os [...] princípios do sucesso do Sr. Hill e que os recomenda a quem busca o melhor caminho para o êxito."

– Secretário de John D. Rockefeller,
fundador da Standard Oil Co.

"Com a aplicação de muitos [...] fundamentos da filosofia da lei do sucesso, construímos uma grande cadeia de lojas de sucesso. Presumo que não seria exagero dizer que o Woolworth Building pode, corretamente, ser chamado de monumento à solidez desses princípios."

– F. W. Woolworth,
fundador da cadeia de lojas de departamentos Woolworth

"O domínio da filosofia da lei do sucesso equivale a uma apólice de seguro contra o fracasso."

– Samuel Gompers,
líder trabalhista americano

"Permita-me congratulá-lo pela persistência. Qualquer homem que dedique tanto tempo [...] tem, por necessidade, de fazer descobertas de grande valor para os outros. Estou profundamente impressionado com sua interpretação dos princípios da 'Mente Mestra', que o senhor descreveu com tanta clareza."

– Woodrow Wilson,
ex-presidente dos Estados Unidos

"Sei que o senhor está fazendo um bem imenso [...] não me daria ao trabalho de atribuir um valor monetário a esse treinamento porque ele traz ao aluno qualidades que não podem ser medidas só pelo dinheiro."

– George Eastman,
fundador da Eastman-Kodak Co.

"Todo sucesso que posso ter obtido devo, inteiramente, à aplicação de seus [...] princípios fundamentais da lei do sucesso. Acredito que tenho a honra de ser seu primeiro aluno."

– William Wrigley Jr.,
fundador da William Wrigley Jr. Company,
maior fabricante mundial de chiclete

PROVAS QUE O DINHEIRO NÃO PODERIA COMPRAR

O que você acaba de ler são provas e elogios raramente concedidos a algum curso de formação. O dinheiro não poderia comprar essas cartas de apoio de pessoas que são ou foram líderes de nosso tempo.

Pense e enriqueça é um livro libertador que irradia poder e configurará seu destino, enriquecerá seu futuro e transformará seus sonhos e esperanças em realidades sólidas e bem-sucedidas.

Não desperdice preciosos anos de sua vida buscando às cegas o caminho oculto para o alto. Aproveite a experiência duramente conquistada dos líderes dos Estados Unidos. Mais de 500 grandes americanos importantes foram minuciosamente analisados – seus métodos, motivos, estratégias – para descobrir os segredos que os levaram ao topo.

Não importa se você é rico ou pobre. Você tem um patrimônio tão grande quanto o da pessoa mais rica do planeta: o TEMPO. Mas, a cada sol poente, você fica um dia mais velho e tem *um dia a menos* para atingir o sucesso e a riqueza que deseja. Milhares de pessoas perceberam essa poderosa verdade e buscaram a sabedoria clara e inspiradora difundida por Napoleon Hill.

Você não pode se dar ao luxo de deixar um dia atrás de outro desaparecerem na eternidade sem tomar posse dos princípios do sucesso. E lucrará muito com as lições de *Pense e enriqueça*. O custo é insignificante. Os benefícios são tremendos.

APÊNDICE C

Prefácio do editor original*

Este livro transmite a experiência de mais de 500 indivíduos ricos que começaram do nada, sem ter o que dar em troca de riquezas além de PENSAMENTOS, IDEIAS e PLANOS ORGANIZADOS.

Aqui você tem toda a filosofia de como ganhar dinheiro, exatamente como foi organizada a partir das conquistas reais dos indivíduos mais bem-sucedidos que o povo americano conheceu na primeira parte do século XX. O livro descreve O QUE FAZER e também COMO FAZER!

O livro apresenta instruções completas para VENDER SEUS SERVIÇOS PESSOAIS.

A obra oferece um sistema perfeito de autoanálise que prontamente revelará o que esteve entre você e a "dinheirama" no passado.

Descreve a famosa fórmula de realização pessoal de Andrew Carnegie, com a qual ele acumulou para si centenas de milhões de dólares e, entre as pessoas a quem ensinou seu segredo, fez nada menos que 20 milionários.

Talvez você não precise de tudo o que se encontra no livro – nenhuma das 500 pessoas cujas experiências este livro descreve precisou –, mas UMA IDEIA, PLANO OU SUGESTÃO pode ser o necessário para você partir rumo à sua meta. Em algum ponto da obra, você encontrará esse estímulo necessário.

O livro foi inspirado por Andrew Carnegie depois que ele ganhou seus milhões e se aposentou. Foi escrito pelo homem a quem Carnegie revelou

---

* Adaptado da edição de 1937 de *Pense e enriqueça*.

o segredo espantoso de sua riqueza – o mesmo a quem os 500 indivíduos ricos revelaram a fonte de suas riquezas.

Neste volume serão encontrados os 13 passos para a riqueza, essenciais a todos que acumulam dinheiro suficiente para garantir a independência financeira. Estima-se que a pesquisa que levou à preparação deste livro, que durou mais de 25 anos de esforço contínuo, não possa ser feita novamente por um custo abaixo de 1 milhão de dólares.

Além disso, o conhecimento contido na obra nunca será duplicado por custo nenhum, pela razão de que mais da metade das 500 pessoas que forneceram as informações nele contidas já faleceu.

A riqueza nem sempre pode ser medida em termos monetários!

O dinheiro e as coisas materiais são essenciais para a liberdade do corpo e da mente, mas alguns sentirão que a maior de todas as riquezas só pode ser avaliada em termos de amizades duradouras, relações familiares harmoniosas, solidariedade e compreensão entre sócios e harmonia introspectiva, que nos traz paz de espírito só mensurável em valores espirituais!

Todos que lerem, entenderem e aplicarem essa filosofia estarão mais preparados para atrair e apreciar essas propriedades mais elevadas que sempre foram e sempre serão negadas a todos, a não ser aos que *estão prontos para elas*. Portanto, esteja preparado, quando se expuser à influência desta filosofia, para vivenciar uma MUDANÇA DE VIDA que pode ajudá-lo não só a abrir seu caminho com harmonia e compreensão, mas também a prepará-lo para a acumulação de riqueza material em abundância.

APÊNDICE D

Este exército permanente está a seu serviço*

Ele lhe trará fama, fortuna, paz de espírito ou o que você quiser da vida!

Nesta imagem, você vê o exército mais poderoso da Terra.

Observe a ênfase na palavra PODEROSO. Este exército está de prontidão, prestes a obedecer a qualquer pessoa que o comande. É o SEU exército se você assumir o controle.

Esses soldados se chamam OBJETIVO PRINCIPAL DEFINIDO... HÁBITO DE POUPAR... AUTOCONFIANÇA... IMAGINAÇÃO... INICIATIVA...

---

* Adaptado da versão de 1937 de *Pense e enriqueça*.

LIDERANÇA... ENTUSIASMO... AUTOCONTROLE... FAZER MAIS DO QUE LHE PAGAM... PERSONALIDADE AGRADÁVEL... PENSAMENTO PRECISO... CONCENTRAÇÃO... COOPERAÇÃO... FRACASSO... TOLERÂNCIA... REGRA DE OURO... MENTE MESTRA.

Um estudo longo e penetrante da vida de 500 grandes homens e mulheres americanos, com o endosso real de líderes conhecidos em todo o país, prova que esses são os *princípios básicos* sobre os quais se constrói todo sucesso verdadeiro e duradouro.

O PODER vem do esforço organizado. Você vê nessa imagem, nesses "soldados", as forças que entram em todo esforço organizado. Domine essas dezesseis forças ou qualidades pessoais *e você pode ter tudo que quiser na vida.*

NAPOLEON HILL ESCREVEU PARA VOCÊ UM CURSO SOBRE SUCESSO!

Pense e enriqueça apresenta, pela primeira vez na história do mundo, a verdadeira filosofia sobre a qual se constrói todo sucesso duradouro. Quando traduzidas num plano de ação inteligente, as ideias são o começo de toda conquista bem-sucedida. Assim, *Pense e enriqueça* lhe mostra como criar ideias práticas para cada necessidade humana. E o faz em passos fáceis de entender.

Napoleon Hill dedicou boa parte de 25 anos de sua vida a aperfeiçoar essa filosofia de sucesso. Durante os longos anos em que trabalhou nela, algumas partes foram revistas e elogiadas por muitos dos americanos mais bem-sucedidos de nosso tempo.

Entre eles há quatro presidentes dos Estados Unidos, Theodore Roosevelt, Woodrow Wilson, Warren G. Harding e William H. Taft; além disso, Thomas Edison, Luther Burbank, William J. Wrigley, Alexander Graham Bell, o juiz E. H. Gary, Cyrus H. K. Curtis, Edward Bok, E. M. Statler – e dezenas de outros nomes brilhantes da política, das finanças, da educação e da invenção.

ANDREW CARNEGIE COMEÇOU TUDO

Há mais de 25 anos, Napoleon Hill, então um jovem repórter especial de uma conhecida revista de negócios nacional, foi encarregado de entrevistar Andrew Carnegie. Durante a entrevista, Carnegie espertamente soltou uma insinuação de que se utilizava de uma determinada força – uma lei mágica da mente humana, um princípio psicológico pouco conhecido – que era incrivelmente poderosa.

Carnegie sugeriu a Hill que, em cima desse princípio, ele poderia construir a filosofia de todo sucesso pessoal, medido em termos de dinheiro, poder, posição, prestígio, influência ou acúmulo de riqueza.

Essa parte da entrevista nunca foi para a revista de Hill. Mas lançou o jovem escritor em mais de vinte anos de pesquisa. E hoje revelamos a VOCÊ a descoberta e os métodos da força revolucionária que Carnegie discretamente insinuou.

No rastro das lições de sucesso encontradas em *Pense e enriqueça* vêm realizações, não mero entretenimento e diversão para matar o tempo. Vêm empresas maiores; contas bancárias maiores; contracheques mais gordos; pequenas empresas em dificuldades que recebem nova vida e poder para crescer; e funcionários mal pagos aos quais se mostrou como progredir aos trancos e barrancos.

APÊNDICE E

O que mais você quer?*

Dinheiro, fama, poder, contentamento, personalidade, paz de espírito, felicidade?

Os 13 passos para a riqueza descritos neste livro oferecem a mais sucinta e confiável filosofia de realização pessoal já apresentada a favor do homem ou da mulher que busque um objetivo definido na vida.

Antes de começar a leitura, você terá grande vantagem se reconhecer o fato de que *este livro não foi escrito para entreter*. Não se pode digerir o conteúdo adequadamente numa semana ou num mês.

Depois de ler o livro atentamente, o Dr. Miller Reese Hutchison, engenheiro de renome nacional e sócio há muito tempo de Thomas A. Edison, disse:

Este não é um romance. É um livro-texto sobre a realização individual que veio diretamente da experiência de centenas das pessoas de maior sucesso nos Estados Unidos. Deveria ser estudado, digerido e meditado. Não se deve ler mais de um capítulo numa única noite. Os leitores deveriam sublinhar as frases que mais os impressionaram e, mais tarde, voltar a elas e relê-las. Um verdadeiro estudante não lerá meramente este livro, mas absorverá seu conteúdo e o tornará seu. Este livro deveria ser adotado por todas as escolas superiores e nenhum jovem deveria se formar sem ter sido satisfatoriamente aprovado numa prova sobre seu conteúdo. Esta filosofia não ocupará o lugar das cadeiras ensinadas nas escolas, mas permitirá

---

* Adaptado da edição original de 1937 de *Pense e enriqueça*.

organizar e aplicar *o conhecimento adquirido e convertê-lo em serviço útil e compensação adequada sem desperdício de tempo.*

Depois de ler o livro, o Dr. John R. Turner, decano da Universidade da Cidade de Nova York, escreveu a Napoleon Hill: "O melhor exemplo da solidez dessa filosofia é seu filho Blair, cuja história dramática o senhor contou no capítulo sobre o Desejo."

O Dr. Turner fazia referência ao filho do autor que, nascido sem audição normal, não só evitou se tornar surdo-mudo como realmente converteu sua deficiência num patrimônio inestimável aplicando a filosofia aqui descrita. Depois de ler a história de Blair, você perceberá que está prestes a entrar na posse de uma filosofia que pode ser transmutada em riqueza material ou tão prontamente servir para lhe trazer paz de espírito, compreensão, harmonia espiritual e, em alguns casos, como no do filho do autor, ajudá-lo a dominar sofrimentos físicos.

A forma mais lucrativa de usar este livro

O autor descobriu, pela análise pessoal de centenas de homens e mulheres bem-sucedidos, que *todos* eles seguiram o hábito de trocar ideias em *conferências*. Quando tinham problemas a resolver, sentavam-se juntos e falavam livremente até descobrirem, pela contribuição conjunta das ideias, um plano que servisse a seu propósito.

Você que lê este livro aproveitará isso ao máximo pondo em prática o princípio da Mente Mestra aqui descrito. Isso você pode fazer (como outros estão fazendo com tanto sucesso) criando um grupo de estudos formado por pessoas amigáveis e harmoniosas. O grupo deve fazer reuniões regulares, ao menos uma vez por semana, para a leitura de um capítulo do livro em cada encontro, com discussão livre do conteúdo. Cada participante deve fazer anotações e escrever TODAS AS IDEIAS PRÓPRIAS inspiradas pela discussão. Todo membro deve ler e analisar cuidadosamente cada capítulo vários dias antes da leitura aberta e da discussão conjunta no grupo. A leitura no grupo de estudos deve ser feita por alguém que leia bem em voz alta e entenda como dar cor e sentimento às frases.

Seguindo esse plano, os leitores vão obter de suas páginas não apenas a soma total do melhor conhecimento organizado a partir da experiência de centenas de pessoas de sucesso, mas, muito mais importante, *aproveitarão novas fontes de conhecimento na própria mente, além de adquirir conhecimento de valor inestimável* DE TODAS AS OUTRAS PESSOAS PRESENTES.

Se seguir esse plano *com persistência*, é quase certo que você descobrirá e se apropriará da fórmula secreta com a qual Andrew Carnegie adquiriu sua imensa fortuna, como citado na introdução do autor.

APÊNDICE F
Primeiras fontes

Napoleon Hill não escreveu no vácuo. O fim do século XIX e o início do século XX assistiram à publicação de uma imensa variedade de livros, revistas e artigos motivacionais "voltados para o sucesso". Sem dúvida, Hill aproveitou muitos deles em sua pesquisa e leitura pessoais para escrever *Pense e enriqueça*.

Os trechos a seguir, de um pequeno livro de bolso de 332 páginas publicado em 1896 por Louis Klopsch (Nova York), são instrutivos. Assim como se encontram ecos de Napoleon Hill em todos os livros sobre "sucesso" ou em outros recursos sobre "como conquistar" produzidos desde a década de 1950, podem-se achar, em livros pré-*Pense e enriqueça*, vislumbres da retórica e de outras técnicas que Hill usaria em sua obra fundamental.

No trecho a seguir, observe o uso de citações inspiradoras de indivíduos famosos. Observe a linguagem enfática e enérgica ("Muito bem, *serei rei!*"). Observe a ênfase na fé como fonte de empoderamento, a discussão sobre "determinação obstinada", persistência diante de obstáculos difíceis e "vontade invencível". Aqui, Napoleão Bonaparte é citado por dizer: "*Impossível* é uma palavra que só se encontra no dicionário dos tolos." Em *Pense e enriqueça*, Hill conta que, certa vez, pegou um dicionário e, imediatamente, recortou a palavra "impossível". Sem dúvida, ideias e técnicas como essas prenunciam *Pense e enriqueça*. A genialidade de Hill está em misturar e integrar artisticamente essas técnicas retóricas e narrativas a princípios de sucesso muito práticos e aplicáveis, o "como fazer" que ele desenvolveu durante seus mais de vinte anos de pesquisa.

O trecho a seguir é do Capítulo XV, "Força de vontade", de *How to Succeed; or Stepping-Stones to Fame and Fortune* (Como ter sucesso; ou os passos do caminho da fama e da fortuna), do Dr. Orison Swett Marden.

CAPÍTULO XV
Força de vontade

No mundo moral, não há nada impossível se pudermos aplicar uma profunda vontade ao fazer. – W. HUMBOLDT

É a firmeza que traz os deuses para o nosso lado. – VOLTAIRE

Não falta força às pessoas, falta vontade. – VICTOR HUGO

O impulso e a certeza perpétuos enfraquecem a dificuldade e fazem o obstáculo aparente ceder. – JEREMY COLLIER

Quando se reconhece um espírito firme e decidido, é curioso ver como tudo se abre em torno do homem e o deixa com espaço e liberdade. – JOHN FOSTER

"Sabe", perguntou o pai de Balzac, "que na literatura o homem tem de ser rei ou mendigo?" "Muito bem", respondeu o filho, "eu *serei um rei.*" Depois de 10 anos de luta contra a pobreza e a adversidade, ele conquistou o sucesso como escritor.

"Por que repara o banco daquele magistrado com tanto cuidado?", perguntou uma pessoa a um carpinteiro que fazia um esforço acima do normal. "Porque desejo facilitar tudo para quando chegar a hora em que eu mesmo me sente nele", respondeu o outro. E realmente ele se sentou naquele banco como magistrado alguns anos depois.

"*Serei marechal da França e um grande general*", exclamou um jovem oficial francês que andava de um lado para outro no quarto, as mãos fortemente entrelaçadas. Ele se tornou um general de sucesso e um marechal da França.

"Há tanto poder na fé", diz [Edward] Bulwer[-Lyton],* "mesmo quando a fé é aplicada somente a coisas humanas e terrenas; caso um homem esteja firmemente convencido daquilo que nasceu para fazer, que, no momento, parece impossível, pode-se apostar a 50 para um que ele o fará antes de morrer."

Há praticamente tanta probabilidade de a ociosidade e a incapacidade conquistarem sucesso real ou uma elevada posição na vida como haveria em produzir um *Paraíso perdido* sacudindo aleatoriamente as palavras isoladas do *Webster's Dictionary* e deixando-as cair ao acaso no chão. A fortuna sorri para os que arregaçam as mangas e se entregam à tarefa; para os homens que não têm medo da labuta enfadonha, seca, exasperante, homens de coragem e garra que não dão as costas à sujeira e aos detalhes.

"Há alguém que desanime diante das dificuldades?", perguntou John Hunter. "Ele pouco fará. Há alguém que vencerá? Esse tipo de homem nunca falha."

"As circunstâncias", diz Milton, "raramente favoreceram os homens famosos. Eles lutaram para abrir o caminho do triunfo através de todos os obstáculos contrários..."

A simples verdade é que uma vontade tão forte que mantenha o homem lutando continuamente por coisas não inteiramente acima de seus poderes o levará, com o tempo, bem longe e na direção da meta que escolheu.

Com 19 anos, Bayard Taylor andou 30 milhas até Filadélfia em busca de um editor que publicasse 15 poemas seus. Ele queria vê-los em livro, mas nenhum editor quis se comprometer. Mesmo assim, ele retornou ao lar assoviando e mostrou que nem seu ânimo nem sua determinação haviam sido abalados.

Na Europa, muitas vezes, a penúria levou Taylor a viver semanas com 20 centavos por dia, tendo voltado para Londres com apenas 30 centavos no bolso. Tentou vender um poema de 1.200 versos que tinha na mochila, mas nenhum editor o quis. Sobre essa época, escreveu: "Minha situação era tão desesperançada quanto é possível conceber." Mas sua força de vontade desafiou as circunstâncias e ele se ergueu acima delas...

---

* Dramaturgo, romancista e político inglês (1803-1873).

Conta-se de um jovem inventor de Nova York que, cerca de 20 anos atrás, gastou todos os dólares que tinha numa experiência que, se bem-sucedida, tornaria sua invenção popular, asseguraria sua fortuna e, o que ele mais valorizava, sua utilidade. Na manhã seguinte, os jornais diários implacavelmente o tacharam de ridículo. A esperança no futuro parecia vã. Ele olhou a sala desmazelada onde a esposa, uma mulher delicada, preparava o desjejum. Estava sem tostão. Parecia um tolo aos próprios olhos; todos aqueles anos de tanto trabalho desperdiçados. Ele entrou no quarto, sentou-se e enterrou o rosto nas mãos.

Finalmente, com um calor fogoso percorrendo o corpo, ele se levantou. "*Será* um sucesso!", disse, cerrando os dentes. A esposa chorava, lendo os jornais, quando ele voltou. "Eles são muito cruéis", disse ela. "Não entendem." "Eu os farei entender", respondeu o marido alegremente. "Foi uma luta de seis anos", disse ele depois. "Pobreza, doença e desprezo me seguiam. Nada me restava além da *determinação obstinada* de que teria sucesso." E teve. A invenção foi grande e útil. Hoje, o inventor é um homem próspero e feliz.

Napoleão foi um exemplo tremendo do que o poder da vontade consegue realizar. Ele sempre lançou toda a força de seu corpo e de sua mente diretamente no trabalho. Governantes imbecis e as nações que governavam caíram diante dele sucessivamente. Disseram-lhe que os Alpes estavam no caminho de seus exércitos. "Não haverá Alpes", afirmou, e a estrada pelo Simplon* foi construída passando por uma região antes quase inacessível. "Impossível", disse ele, "é uma palavra só encontrada no dicionário dos tolos." Napoleão era um homem que trabalhava exaustivamente, às vezes empregando e esgotando quatro secretários ao mesmo tempo. Não poupava ninguém, nem a si mesmo. Sua influência inspirou outros homens e lhes deu nova vida. "Do barro fiz meus generais", disse.

Quando alguém pensa que é capaz já está quase sendo capaz; determinar uma realização frequentemente é a própria realização. Portanto, muitas vezes

---

* O Passo do Simplon fica a 2.009 metros de altitude nos Alpes Lepontinos, no sul da Suíça. Napoleão fez seus soldados construírem lá a estrada do Simplon, entre 1800 e 1806, como via de entrada na Itália. O Passo tem sido uma importante rota comercial entre o sul e o norte da Europa desde o século XIII.

uma determinação séria aparenta ter traços de onipotência. A força do personagem de Suwarrow* está em seu poder de querer e, como a maioria das pessoas decididas, ele pregava essa força como se fosse um sistema. [...]

O que o acaso já fez no mundo? Construiu alguma cidade? Inventou algum telefone ou telégrafo? Construiu algum navio a vapor, fundou alguma universidade, algum asilo, algum hospital? Houve algum acaso quando César atravessou o Rubicão? O que o acaso teve a ver com a carreira de Napoleão, de Wellington ou de Grant? Toda batalha foi ganha antes de começar. O que teve a sorte a ver com as Termópilas, com Trafalgar, com Gettysburg? Nossos sucessos, atribuímos a nós; os fracassos, ao destino.

Na corrida da vida, o homem vacilante, independentemente de suas habilidades, é invariavelmente expulso da pista por uma vontade determinada. Quem resolve ter sucesso e, a cada novo revés, recomeça resoluto, atinge o objetivo. As praias da fortuna estão cobertas com os restos dos naufrágios de homens de capacidade brilhante, mas aos quais faltou coragem, fé e decisão, e que, portanto, pereceram diante de aventureiros mais decididos, porém menos capazes, que conseguiram chegar ao porto. Centenas de homens vão para o túmulo na obscuridade, e só foram obscuros porque lhes faltava a gana do primeiro esforço; se tivessem resolvido começar, espantariam o mundo com suas realizações e seu sucesso. O fato, como bem disse Sydney Smith,** é que, para fazer qualquer coisa que valha a pena neste mundo, não devemos ficar à margem, tremendo, pensando no frio e no perigo, mas pular e nos desdobrarmos para atravessar da melhor maneira possível.

Não será um grande privilégio do homem, do homem imortal, que, embora não seja capaz de mover um dedo e embora possa ser esmagado como uma traça, ele se eleve, meramente pela vontade genuína, acima das estrelas e assim crie tanto bem no universo que o universo não possa aniquilar, um

---

* O russo Aleksandr V. Suvorov (1729-1800) foi um dos maiores comandantes militares de todos os tempos, no nível de Alexandre, o Grande, Aníbal e George Patton. Alguns o chamaram de açougueiro, mais interessado em destruir do que em derrotar os inimigos. Seus registros contabilizam 63 vitórias e nenhuma derrota, muitas vezes contra inimigos em superioridade numérica.
** Smith (1771-1845) foi um clérigo, ensaísta e professor inglês considerado por muitos o homem mais sagaz de sua época. Fundou a revista literária *Edinburgh Review*.

bem que desafia a extinção, ainda que todas as energias criadas, da inteligência ou da matéria, se combinem contra ele?

O homem cuja natureza moral é ascendente não é súdito, mas senhor das circunstâncias. Ele é livre; não, mais do que isso, ele é rei; e, embora essa soberania seja conquistada com muitas batalhas desesperadas, uma vez no trono, o cetro seguro na mão firme, ele tem uma realeza da qual nem o tempo nem os acidentes podem privá-lo.

O que fazer com um homem que tem em si um objetivo invencível; que nunca sabe quando foi vencido; e que, quando as pernas lhe são arrancadas, luta sobre os tocos? As dificuldades e a oposição não o amedrontam. Ele prospera com a perseguição; ela só lhe estimula o empenho mais determinado. *O mundo sempre dá ouvidos ao homem que tem a vontade dentro de si.* Desdenhar homens como Bismarck e Grant equivale a desdenhar o Sol.

A esperança ataca o castelo do desespero; ela dá coragem quando o desânimo abandonaria a batalha da vida. O melhor médico é aquele que consegue implantar *esperança* e coragem na alma humana. Assim, o maior homem é aquele que consegue nos inspirar para as mais grandiosas realizações.

Em nós mesmos é que se encontra o remédio
 Que ao céu atribuímos em intermédio,
Esse céu que nos deu a liberdade
 E só nos segura quando a lerdeza nos invade.
Ah, quanto eu faria se pelo menos tentasse!

APÊNDICE G

Principais obras de Napoleon Hill

(Em ordem cronológica)

As regras de ouro de Napoleon Hill, revista (1919-1920)
A revista de Napoleon Hill (1921-1923)
A lei do triunfo (1928, 1979)
Os degraus da fortuna (1930)
A revista de Inspiração (1931)
Pense e enriqueça (1937, 1960)
Dinamite mental (1941) – livro-texto em 16 volumes
Como aumentar o seu próprio salário (1953)
A ciência do sucesso (1953) – seis volumes (livros-texto)
AMP (Atitude Mental Positiva) – A ciência do sucesso (1956)
Atitude mental positiva (1960, 1977), com W. Clement Stone
Você tem o direito de ser rico (1961, 1990) – Guia de estudo interativo
A chave mestra para a riqueza (1965)
Paz de espírito, riqueza e felicidade (1967)
Sucesso e riqueza pela persuasão (1970), com E. Harold Keown
Você pode realizar seus próprios milagres – Como se condicionar para o sucesso (1971)

APÊNDICE H
"Não dá para fazer"

Um dos poemas favoritos de Annie Lou Hill (Sra. Napoleon Hill) era "Não dá para fazer", escrito por Edgar Guest em 1914. Com ênfase na atitude mental positiva, no espírito de que é possível, no entusiasmo, na perseverança e na recusa em permitir que pessoas escarnecedoras e questionadoras venham a nos dissuadir dos sonhos e do desejo de obter êxito, esses versos deliciosos registram em forma poética a essência da filosofia Pense e Enriqueça de Napoleon Hill.

"Não dá para fazer"

Alguém disse que não dá para fazer,
   Mas ele afirmou com um risinho
Que "talvez não dê", mas, sem saber,
   Ele queria tentar um pouquinho.
E assim ele pôs mãos à obra
   O rosto alegre, sem sisudez.
Começou a cantar e encetou a manobra
   Que não se podia fazer e ele fez.

Alguém zombou: "Não vais conseguir;
   Isso daí ninguém alcançou";
Mas ele tirou o casaco, o chapéu a seguir,

E, sem nem notarmos, já começou.
Com o queixo erguido, um riso no olhar,
   Sem dúvida, sem contar até três,
Ele trabalhou e se pôs a cantar
   E o que não se podia fazer ele fez.

Mil lhe dirão que não dá para fazer,
   Mil outros anunciarão seu fracasso;
Mil dirão que é melhor se abster,
   Que é inútil, que só traz cansaço.
Mas basta querer e pôr mãos à obra,
   Tirar o casaco e se dedicar;
Comece a cantar com alegria de sobra
   E o que "não dá para fazer" se fará.

Edgar Guest (1881-1959) era um imigrante inglês que chegou a Detroit em 1891. Para sustentar a família, começou a trabalhar como contínuo num jornal antes de se tornar jornalista e personalidade do rádio, tendo escrito mais de 20 volumes de poesia. Quando morreu, foi pranteado como "o poeta do povo" por escrever poemas sentimentais populares sobre valores e vida familiar cotidiana. Compôs cerca de 11 mil poemas durante sua carreira.

Um sobrinho de Hill encontrou "Não dá para fazer" marcado a lápis num livro intitulado *It Can Be Done: Poems of Motivation and Inspiration* (Dá para fazer: poemas de motivação e inspiração) mais de 50 anos depois de ter sido dado a Annie Lou Hill, em 1923, pela irmã Mary.

Agradecimentos

Esta nova edição de *Pense e enriqueça* foi possibilitada pela ajuda e pelo apoio de muitas pessoas em muitos lugares. Quero agradecer a meu sócio Del Gurley e a sua mulher (minha irmã), Barbara Cornwell Gurley. Del, um símbolo da filosofia Pense e Enriqueça, acreditou neste projeto tanto quanto eu e o apoiou de maneiras numerosas demais para serem citadas. Sou imensamente grato pelas muitas horas de Grupo de Mentes Mestras durante as quais os Gurleys e eu debatemos o projeto, trocamos ideias e sonhamos tornar *Pense e enriqueça* mais relevante e mais compreensível para as futuras gerações de pessoas altamente bem-sucedidas.

Tenho mais gratidão do que sou capaz de expressar pelos sábios conselhos e serviços impecáveis de Nigel Yorwerth, o melhor agente literário e consultor editorial que conheci, e sua mui competente sócia Patricia Spadaro. Sou grato também a Keith Pearson, Ryab Ratliff e a "The Voice" da Aventine Press, que publicou a primeira edição deste livro.

Agradecimentos também são devidos à Dra. Caron St. John, ex-diretora do Spiro Center for Entrepeneurial Leadership da Universidade de Clemson. Sua consultoria inteligente e seus conselhos sensatos, sobretudo no "estágio da proposta [do livro]", foram valiosos e muito apreciados.

Uma empreitada incomum como esta demanda os serviços de um advogado de direitos autorais de primeira linha. Encontrei-o na pessoa de Jim Bagarazzi, do escritório de advocacia Dority & Manning, que nos ajudou a evitar as armadilhas e atravessar os campos minados das questões de *copyright*, negociações contratuais e direito de marcas. Obrigado, Jim, por nos ajudar a proteger o enorme investimento que fizemos neste projeto.

Tonya Fleming teve um desempenho magnífico ao ajudar a digitar o manuscrito, enquanto Patsy Melsheimer fez um trabalho maravilhoso no copidesque, e, para não deixar o organizador ficar com cara de bobo. Beth Moore, da Gurley Management, garantiu que as contas fossem pagas no prazo, compartilhou generosamente seus recursos digitais e estava sempre a postos com seu maravilhoso sorriso para fazer o sol brilhar em muitos dias nublados no escritório. A Elaine Payne e Lynn Whitfield, fundadoras da Low Carb Connoisseur, obrigado por serem uma fonte de "inspiração on-line" e ideias, por sugestões úteis quanto a alternativas de publicação e por outros serviços de valor incalculável.

Muitos amigos e conhecidos me apoiaram enquanto eu buscava concluir este trabalho. Eles se mostravam sempre interessados e sempre perguntavam como estavam indo as coisas, sem nunca deixar de oferecer incentivos ao longo do caminho. Entre esses numerosos fiéis destacam-se os falecidos Don Bolt e Marietta (irmão e cunhada inigualáveis), David Bryan Martin, Jim e Sally Richardson, o falecido Bobby Adams e a mulher, Alice Gene, John e Joyce Geer, e Sonny e Gervais Emanuel. Um agradecimento especial é devido ao Dr. Jerry e Sally Trapnell por suas muitas gentilezas.

Obrigado também ao historiador Dr. Don McKale, ao professor de inglês Bill Koon, à autora de livros infantis Betsy Byars e a Jim e Kate Palmer, da Warbranch Press, por seus conselhos sobre editores e o uso de agentes literários. Obrigado também a Rives "Boo" Cheney, por uma colaboração precoce graças à qual tive meu primeiro contato com *Pense e enriqueça*.

Eu estaria em falta se não expressasse minha gratidão para com Bob Proctor, Paul Martinelli e todos os consultores da LifeSuccess treinados por eles ao redor do mundo. Seu apoio a este livro e seu trabalho na criação e expansão dos Grupos de Estudo de Mentes Mestras no mundo inteiro são um excelente serviço. Embora este projeto não esteja associado nem afiliado à Fundação Napoleon Hill, eu estaria me omitindo caso não expressasse agradecimento a três indivíduos com um longo histórico de vínculo com a fundação: seu falecido presidente, W. Clement Stone, por não ter vetado meus serviços nos três anos em que fui o primeiro diretor executivo da *Think and Grow Rich Newsletter* (e por ter escrito uma coluna mensal na *newsletter*); Michael J. Ritt Jr., diretor executivo aposentado da fundação, pelos ensinamentos sobre Napoleon Hill e seu trabalho transmitidos em jantares e durante muitas outras conversas; e Dr. Charles Johnson, sobrinho de Hill e atual presidente da fundação, por compartilhar anedotas e observações pessoais sobre o tio e permitir que eu me sentasse na escrivaninha de carvalho (hoje em Conway, Carolina do Sul) na qual Hill escreveu muitos de seus livros.

Ao abraçar um projeto de pesquisa como este, logo se passa a compreender as virtudes e o valor de bons bibliotecários pesquisadores. Devo um obrigado a muitos deles por seus dedicados esforços para me ajudar a localizar algum fato desconhecido, minúcias biográficas ou detalhes misteriosos. Um obrigado especial a: Lois Sill e Jan Comfort, da Biblioteca Robert Muldrow Cooper da Universidade de Clemson; Pamela Gibson, da Eaton Florida History Room na Biblioteca Central de Manatee County (Flórida); Sharon Sumpter, arquivista assistente do Departamento de Arquivos, e Hector Escobar, da Biblioteca Theodore M. Hesburgh da Universidade de Notre Dame; Rose Donoway e Debby Bennett, da Biblioteca Pública de Caroline County (Maryland); Leslie Litoff, da Biblioteca Pública de Wilmette (Illinois); e Rick Stringer, da Biblioteca de Negócios Schreyer da Universidade Penn State. Essas pessoas saíram do seu caminho para me auxiliar com pesquisas genéricas sobre Napoleon Hill e sobre *Pense e enriqueça*, e com pesquisas específicas sobre gente como Edwin C. Barnes, Stuart Austin Wier, Dan Halpin e o misterioso R. U. Darby – sem contar várias outras pessoas e questões numerosas demais para enumerar.

De grande valor foram também o gentil auxílio de Lois Carroll, Aimee Duncan e da gerente Felicia Hardy, da Filial Rourk da Biblioteca de Brunswick County em Shallotte, Carolina do Norte, onde passei muitas horas produtivas ocupado com as primeiras tarefas de marketing para o livro; a pesquisa genealógica conduzida tão graciosamente por Ronda Darbie (sem parentesco com R. U., conforme se descobriu); e o breve esboço biográfico, incluído nas notas finais, que Dan D. Halpin escreveu para mim sobre o pai, que teve uma ligação fascinante com a família Hill e foi um exemplo de sucesso de *Pense e enriqueça*. Obrigado também a Joseph Isaac Valenzuela, de Fullerton, Califórnia, por ter assinalado um erro de citação agora corrigido e que nos faz chegar mais perto do sempre esquivo objetivo de um manuscrito perfeito. (Um aparte: nem eu nem qualquer um dos meus amigos bibliotecários conseguiu encontrar qualquer informação biográfica sobre o misterioso R. U. Darby, que aparece de forma tão destacada em duas das principais anedotas de Napoleon Hill. Torço para algum leitor ou leitora deste livro saber exatamente quem foi Darby e o que ele fez mais tarde na vida, e para que ele ou ela entre em contato comigo de modo que eu possa incluir a informação numa edição posterior.)

Tenho um profundo sentimento de gratidão por meus falecidos pais, John e Vivian Cornwell, que tiveram uma enorme influência positiva na minha vida, na minha atitude e na minha personalidade. Eles cultivaram minha curiosidade, criaram em mim o amor pela leitura e sempre acreditaram em mim. Também tenho uma imensa dívida com o falecido David Martin e sua finada mulher, Thelma, por terem compartilhado seu amor e seus valores e me permitido desposar sua filha mais de quatro décadas atrás.

Há quatro pessoas especiais a quem também desejo agradecer em conjunto, se é que palavras escritas podem algum dia servir de recompensa pela generosidade compartilhada e pelo conhecimento ensinado. Ao meu professor de inglês do décimo ano na Escola Anderson de Ensino Médio para Meninos, D. Oliver Bowman, o primeiro a me fazer tomar consciência do que significa "literatura". Ao Dr. Rob Roy McGregor, também da Anderson, meu professor de francês, latim, russo e vida do ensino médio, que demonstrou um interesse especial por mim como aluno e me transmitiu uma sede insaciável pelo aprendizado e pelo sucesso pessoal. Ao professor Charles Cornwell (talvez um parente distante), que compartilhou comigo um amor longevo pela escrita, pelas viagens, pelas tiradas inteligentes e pelas boas leituras. E ao professor Tony Abbott, assim como Charlie, docente na Davidson College, o melhor e mais inspirado professor que se poderia imaginar, e o único a ter sido aplaudido de pé não apenas uma, mas duas vezes, depois de proferir palestras às quais tive a sorte de assistir. Bons professores são tesouros que devem sempre ser honrados e lembrados.

Por fim, gostaria de agradecer a três pessoas cujo amor e apoio significaram tudo para mim e que foram minha inspiração para empreender meu trabalho neste livro: minha mulher Betty, pela paciência durante o "calvário" de terminar o livro; minha primogênita, Johannah, firme apoiadora que se tornou o tipo de história de sucesso sobre o qual Napoleon Hill teria adorado escrever; e minha igualmente talentosa filha e xará Anne-Ross. "Yushannah" e "Ursa Menor", vocês acreditaram totalmente neste livro e sua atitude positiva e seu incentivo me deram um motivo para concluir o trabalho.

Ross Cornwell
Janeiro de 2015

Sentido horário, a partir do alto à esquerda:
Retrato de Napoleon Hill quando jovem, publicado na capa da revista *Inspirator International Magazine*; Hill mais velho; Hill com o inventor Thomas Edison; Andrew Carnegie, mentor e apoiador de Hill, na época o homem mais rico do mundo.

Sobre o Autor

Oliver Napoleon Hill nasceu no dia 26 de outubro de 1883, numa cabana de madeira de dois cômodos nas montanhas de Wise County, na Virgínia, região marcada pelo analfabetismo e pela pobreza opressiva. Uma máquina de escrever presenteada por sua madrasta quando ele tinha 12 anos o conduziu a uma carreira de escritor, primeiro como "repórter de interior" para jornais de cidades pequenas, depois como repórter na revista *Bob Taylor's Magazine*, para a qual ele entrevistou e escreveu "perfis de sucesso" de pessoas famosas. Foi em 1908, numa pauta dessas, que Hill conheceu o magnata da indústria Andrew Carnegie, um dos homens mais ricos do mundo. Esse encontro – e os quase 30 anos de pesquisas subsequentes de Hill, sugeridas e informalmente patrocinadas por Carnegie – levou à publicação em 1937 do livro *Pense e enriqueça*, um dos maiores sucessos de vendas de todos os tempos. A filosofia Pense e Enriqueça e as fórmulas de sucesso desenvolvidas por Hill em suas pesquisas e no livro ajudaram inúmeras pessoas mundo afora a alcançar sucesso notável em todos os aspectos da vida. Hill tornou-se consultor informal de dois presidentes norte-americanos, Woodrow Wilson e Franklin D. Roosevelt. Posteriormente, publicou mais de 30 livros e manuais, entre eles *Atitude Mental Positiva*, escrito em parceria com W. Clement Stone, que iniciou uma colaboração de uma década com Hill quando este contava 69 anos. Hill foi presença constante no circuito de palestras motivacionais e um prolífico criador de manuais, guias de estudo e outros materiais de sucesso. Fundou três revistas: *Hill's Golden Rule*, em 1919, *Napoleon Hill's Magazine*, em 1921, e *Inspiration Magazine*, em 1931. Juntos, ele e Stone fundaram a revista *Success Unlimited* em 1954. O Dr. Hill morreu em 8 de novembro de 1970 na casa em que tinha ido morar após se aposentar em Paris Mountain, perto de Greenville, Carolina do Sul, onde passou seus últimos 13 anos de vida.

Notas

Prefácio do Autor

[1] Com 25 anos, Hill era jornalista autônomo e tentava juntar dinheiro para cursar a faculdade de Direito da Universidade de Georgetown quando ocorreu a famosa entrevista com o industrial. Carnegie (1835-1919) estava no meio de seus anos filantrópicos, ocupado em distribuir 350 milhões de dólares (mais de 6,5 bilhões de dólares de hoje) de sua vasta fortuna para a caridade. Era outono de 1908 e Hill visitou Carnegie a fim de entrevistá-lo para a *Bob Taylor's Magazine*. A relação que se desenvolveu entre o velho industrial e o jovem jornalista resultou não só numa entrevista de três horas, mas numa maratona de três dias e três noites de discussão (com pausas para comer e dormir) na qual Carnegie explicou com entusiasmo e detalhes os princípios que seguiu e os passos práticos que deu para acumular uma das maiores fortunas dos Estados Unidos e do mundo.

O velho escocês foi um personagem fascinante. Emigrou da Escócia para os Estados Unidos com 13 anos e se instalou com a família em Allegheny, na Pensilvânia. Pobre, com pouca instrução formal, foi trabalhar primeiro numa fábrica de algodão, depois (como Thomas Edison) num posto do telégrafo e, em seguida, na Estrada de Ferro da Pensilvânia. Em 1859, com 24 anos, ele era chefe da divisão oeste da ferrovia.

Fica claro, pelo avanço rápido, que Carnegie tinha um poder de observação precisa, iniciativa pessoal e uma compreensão quase instintiva dos princípios do sucesso. Ele usou todas essas características, mais a enorme capacidade de trabalho, para criar uma próspera empresa siderúrgica depois de largar a ferrovia em 1865. Em 1899, tinha consolidado várias participações acionárias na Carnegie Steel Company. Em 1901, vendeu a empresa a um grupo encabeçado pelo financista industrial J. P. Morgan por cerca de 400 milhões de dólares (7,4 bilhões de dólares de hoje).

Carnegie dedicou o resto da vida a causas filantrópicas. Abriu cerca de 2.500 bibliotecas públicas, fundou o Carnegie Institute of Technology (mais tarde Universidade Carnegie-Mellon) e, em 1911, criou sua maior obra filantrópica, a Carnegie

Foundation, para promover "o avanço e a difusão do conhecimento". Uma de suas realizações mais significativas, ainda que menos divulgada e reconhecida, foi, é claro, pôr o jovem Napoleon Hill na jornada que levou às entrevistas do jornalista com alguns dos maiores realizadores do mundo – e ao desenvolvimento sistemático dos princípios de sucesso e da filosofia Pense e Enriqueça, que Carnegie desejava tornar disponíveis a todos, não obstante a origem ou as circunstâncias pessoais.

2 Arthur Nash (1870-1927) foi pastor (Discípulos de Cristo) e trocou o púlpito pela carreira no setor de vestuário. Depois de apenas sete anos no negócio, fundou a Arthur Nash Company, empresa de alfaiataria por atacado em Cincinnati. O Plano Nash, pelo qual os operários também eram donos da empresa, foi uma de suas inovações administrativas. Nash é o autor de *The Golden Rule of Business* (A regra de ouro dos negócios), livro popular de administração no início da década de 1920.

3 Stuart Austin Wier (1894-1959) foi advogado, engenheiro, inventor, professor e escritor prolífico. De acordo com Michael J. Ritt, biógrafo oficial de Hill (*A Lifetime of Riches* [A vida dos ricos], escrito com Kirk Landers, 1995), Hill conheceu Wier num poço de petróleo no Texas, e Wier se tornou seu confidente e amigo mais íntimo pelo resto da vida. Wier nasceu em Avoyelles Parish, na Louisiana, e estudou na Louisiana State Normal College, no Rice Institute, na Universidade de Chicago, na Universidade Metodista Sulista, na Universidade Cornell e na Universidade George Washington. Serviu no Corpo de Engenharia do Exército americano na Primeira Guerra Mundial e, de 1917 a 1920, foi engenheiro civil em Dallas, Wichita Falls (Texas) e Chicago. Depois da Primeira Guerra Mundial, fez palestras públicas com apoio da Chicago Welfare League e de jornais de Chicago. Wier e Hill eram famosos no circuito de palestras. Em 1925, depois de se formar em Direito, Wier se tornou advogado de patentes e ele mesmo chegou a ter 40 patentes americanas e estrangeiras. Era um escritor com interesse variado e publicou livros sobre Direito, Shakespeare, um intitulado *How to Remember* (Como se lembrar) e dois que, sem dúvida, tiveram grande interesse para Hill: *The Art and Science of Selling* (A arte e a ciência das vendas) e *The Science and Art of Influence* (A ciência e a arte de influenciar).

4 Jesse Grant Chapline (1870-1937) foi educador e escritor especializado em vendas e tópicos comerciais. Em 1908, fundou a Universidade de Extensão LaSalle, que oferecia cursos por correspondência em nível profissional em campos como contabilidade, direito, administração e outros. Nas décadas de 1950 e 1960, os anúncios da Universidade de Extensão LaSalle foram onipresentes na vida doméstica americana. A LaSalle foi comprada pela editora Crowell-Collier em 1961. Originalmente sediada em Chicago, na Dearborn Street, mais tarde a escola se mudou para Wilmette, um subúrbio a uns 25 quilômetros da cidade.

5 De acordo com pelo menos um relato, Hill e Wilson se conheceram quando este era reitor da Universidade de Princeton. Hill foi entrevistá-lo levando uma das cartas de apresentação de Andrew Carnegie. Segundo o biógrafo de Hill, quando os Esta-

dos Unidos entraram na Primeira Guerra Mundial, ele escreveu ao presidente Wilson para oferecer seus serviços e foi designado assessor voluntário de informações e relações públicas do gabinete presidencial. Não está completamente claro a que Hill se referia aqui sobre o treinamento dos soldados e do esforço para obter recursos para a guerra. No entanto, Wilson ficou obviamente impressionado com o trabalho de Hill. Anos depois, o presidente lhe escreveria: "Permita-me congratulá-lo pela persistência. Qualquer homem que dedique tanto tempo [ao estudo do sucesso] tem, por necessidade, de fazer descobertas de grande valor para os outros. Estou profundamente impressionado com sua interpretação dos princípios da 'Mente Mestra', que o senhor descreveu com tanta clareza."

6 Desde a primeira edição, de 1937, *Pense e enriqueça* teve um efeito profundo, embora raramente divulgado, sobre muitas empresas e líderes públicos do mundo inteiro. Manuel L. Quezon (1878-1944) é um dos primeiros exemplos no cenário internacional. Foi eleito presidente da Comunidade das Filipinas em 1935, ano em que ela foi criada para preparar aquele país para a independência política e econômica dos Estados Unidos. Em 1909, foi nomeado Comissário Residente das Filipinas, com poder de falar, mas não de votar, na Câmara dos Deputados dos Estados Unidos. Quando houve a ocupação japonesa na Segunda Guerra Mundial, ele encabeçou o governo filipino no exílio, nos Estados Unidos, e foi durante sua estada nesse país que teve contato com *Pense e enriqueça*. Quezon morreu de tuberculose em 1944, dois anos antes que seu sonho de independência total das Filipinas se realizasse.

7 As portas que Carnegie abriu para Napoleon Hill levariam este último a mais de duas décadas de estudo e discussões pessoais com uma série quase inacreditável de líderes empresariais, profissionais e públicos, filantropos e quatro presidentes dos Estados Unidos. Todos são pessoas fascinantes por direito próprio, mas alguns talvez sejam um tanto obscuros para os leitores de hoje. Portanto, nesta e nas notas que se seguem, há detalhes biográficos adicionais sobre muitos desses indivíduos para destacar a magnitude e a exclusividade de suas realizações, lançar luz (ainda que indiretamente) sobre um princípio ou uma questão do sucesso ou "soprar alguma vida" nesses personagens históricos que há muito saíram do palco. Oferecer esses detalhes talvez também ajude a recapturar parte daquela sensação de entusiasmo e empolgação que Napoleon Hill claramente teve ao sondar a vida e a mente desses realizadores inigualáveis.

Com 13 anos, William J. Wrigley Jr. (1861-1932) era caixeiro-viajante da fábrica de sabão do pai. Em 1891, vendia sabão e oferecia fermento em pó como promoção. Em 1892, como atividade paralela, começou a vender fermento em pó com chiclete como promoção. A resposta foi tão boa que ele largou o sabão e o fermento para se concentrar exclusivamente na venda de chiclete, acabando por fazer de "Wrigley's" um nome conhecido em todas as esquinas americanas. Foi pioneiro no uso de incentivos às vendas, e oferecia aos lojistas prêmios como relógios, moedores de café e equipamento de pesca. Em 1893, lançou o Wrigley's Spearmint Gum. Em 1908, as vendas da empresa chegaram a 1 milhão de dólares por ano.

A loja de John Wanamaker (1838-1922) era de um novo tipo. Em 1875, ele comprou um depósito de carga da Estrada de Ferro da Pensilvânia para instalar sua nova operação de vendas, com várias lojas especializadas sob o mesmo teto. Para vender essa ideia de loja de "departamentos", ele foi um dos primeiros varejistas a contratar uma agência de publicidade. Além dos interesses comerciais, Wanamaker também foi diretor-geral dos Correios dos Estados Unidos no governo do presidente Benjamin Harrison.

Com 16 anos, incentivado pelo irmão mais velho Charles, George S. Parker (1867-1953) abriu sua editora de jogos de tabuleiro. George era um jogador inveterado que inventou e vendeu quase 500 caixas de um jogo chamado Banking. Em 1888, Charles entrou na empresa e assim se criou a Parker Brothers. (O irmão mais velho Edward entrou na empresa em 1898.) George escreveu as regras de todos os jogos que produziram (29 até o fim da década de 1880) e foi responsável por publicar anúncios dos jogos em revistas e jornais, prática inovadora na época. Além dos jogos de tabuleiro, a Parker Brothers produzia jogos de cartas como Flinch e Rook e, em 1935, dois anos antes de Napoleon Hill publicar *Pense e enriqueça*, a empresa lançou um dos jogos mais populares de todos os tempos – Monopoly (Banco imobiliário). No total, George Parker inventou mais de cem jogos.

Os hotéis de E. M. Statler (1863-1928) foram os primeiros a ter água corrente e banheiros privados em todos os quartos. Em meados da década de 1920, as propriedades de Statler eram as maiores dos Estados Unidos nas mãos de um único indivíduo. O lema da empresa se tornou um princípio universal nos negócios: "O cliente tem sempre razão".

Em 1910, Henry Doherty (1870-1939) organizou e se tornou presidente da Cities Services Company, uma *holding* de mais de cem petrolíferas e empresas de serviços públicos, com um patrimônio total que excedia 1 bilhão de dólares (17 bilhões de dólares de hoje). Foi um líder do movimento de economia de petróleo e obteve numerosas patentes de processos de combustão e de equipamentos ligados ao setor de gás manufaturado.

Em 1876, Cyrus H. K. Curtis (1850-1933) fundou, na Filadélfia, a revista *Tribune and Farmer* com a esposa Louise Knapp Curtis, encarregada da coluna feminina. Esta última ficou tão popular que, em 1883, Curtis a expandiu, lançando a revista *Ladies' Home Journal*. Ele abriu a Curtis Publishing Company em 1890 e, sete anos depois, comprou a revista *The Saturday Evening Post* pela quantia de 1.000 dólares. Com seu talento para o marketing, as duas revistas se tornaram grandes histórias de sucesso do setor de periódicos: em 1893, *Ladies' Home Journal* chegou a 1 milhão de exemplares em circulação e em 1909 foi a vez de *The Saturday Evening Post*.

Em 1924, George Eastman (1854-1932), cuja câmera Kodak portátil e a Câmera Brownie de 1 dólar para crianças massificaram a fotografia, doou metade de sua fortuna, cerca de 75 milhões de dólares (mais de 790 milhões de dólares de hoje), a instituições como a Universidade de Rochester e o Massachusetts Institute of Technology (MIT). Ele foi o primeiro fabricante de produtos em grande escala a instituir a participação nos lucros como benefício para os funcionários.

Natural da Virgínia, como Napoleon Hill, John W. Davis (1873-1955) foi advogado-geral dos Estados Unidos, embaixador americano na Grã-Bretanha e assessor de Woodrow Wilson na Conferência de Paz de Paris. Sofreu uma derrota fragorosa para Coolidge na corrida à presidência. Em 1952, ganhou um processo importantíssimo na Suprema Corte quando convenceu o tribunal de que o presidente Harry Truman excedera seus poderes constitucionais na nacionalização das siderúrgicas.

Wilbur Wright (1867-1912) teve a ideia do famoso projeto de avião que construiu com o irmão Orville depois de observar o voo dos urubus. Enquanto observava os arcos graciosos que as aves faziam durante o voo, ele percebeu, repentinamente, que, para voar, o avião teria de ser capaz de se mover em três eixos – rolar, mover-se para cima e para baixo e guinar para a direita e para a esquerda.

William Jennings Bryan (1860-1925) foi um orador talentosíssimo com carisma tremendo, embora insuficiente para conquistar a Casa Branca em três tentativas. Foi o promotor do famoso julgamento de Scopes, centrado na teoria da evolução, contra o lendário advogado de defesa Clarence Darrow.

David Starr Jordan (1851-1931) era a maior autoridade mundial em peixes. Batizou mais de 2.500 espécies dessas criaturas aquáticas. Mais tarde, depois do período como reitor de Stanford, foi diretor-chefe da World Peace Foundation.

Além de suas responsabilidades ferroviárias, Daniel Willard (1861-1942) serviu no Quadro de Supervisores da Academia Naval dos Estados Unidos e foi presidente da Agência da Indústria Bélica em 1917.

Numa de suas viagens como caixeiro-viajante de ferragens, King Camp Gillette (1855-1932) foi aconselhado por algum brincalhão a inventar "algo que pudesse ser usado e jogado fora". Essa ideia – uma lâmina de aço fina com fio duplo presa a um cabo em forma de T – passou por sua mente enquanto ele afiava uma navalha permanente de fio reto. Em 1903, ele vendeu 51 barbeadores e 168 lâminas. No fim de 1904, sua American Safety Razor Company (mais tarde Gillette Company) tinha vendido 90 mil barbeadores e 12,4 milhões de lâminas.

A Standard Oil Company de John D. Rockefeller (1839-1937) dominou o setor petrolífero e foi o primeiro grande truste industrial dos Estados Unidos. Seu quase monopólio do petróleo levou diretamente à aprovação da Lei Sherman antitruste de 1890. Em 1910, a fortuna de Rockefeller correspondia a cerca de 2,5% de toda a economia americana – algo em torno de 250 bilhões de dólares de hoje. Em 1911, os tribunais dividiram a Standard Oil em várias empresas imensas – Standard Oil of New Jersey (Esso, depois EXXON), Standard Oil of New York (Socony, depois Mobil), Standard Oil of California (Chevron), Standard Oil of Indiana (Amoco, depois parte da BP) e Standard Oil of Ohio. Suas doações possibilitaram a fundação da Universidade de Chicago, da Universidade Rockefeller e da Fundação Rockefeller. Em vida, Rockfeller doou 500 milhões de dólares a causas filantrópicas, e o total de suas doações para caridade, juntamente com as do filho John D. Jr., chegou a 2,5 bilhões de dólares em 1955 (cerca de 17 bilhões de dólares de hoje).

Frank A. Vanderlip (1864-1937) foi repórter e editor de Economia do *Chicago Tribune* antes de se tornar banqueiro. Ele também presidiu o Comitê de Economia de Guerra, que coordenou a venda de certificados de poupança de guerra na Primeira Guerra Mundial, e foi curador da Fundação Carnegie.

Franklin W. Woolworth (1852-1919) abriu sua primeira loja de miudezas vendidas por 5 a 10 centavos em 1879, na cidade de Lancaster, na Pensilvânia. No fim de 1904, ele operava 120 lojas em 21 estados americanos; quando morreu, a empresa tinha mais de mil lojas. Ele foi pioneiro na compra em grandes volumes e na exibição artística das mercadorias no balcão. O império de Woolworth acabou chegando à Grã-Bretanha, à Irlanda e a vários outros países, mas no fim da década de 1990 a cadeia perdeu uma longa batalha contra as grandes lojas de descontos e, em 1997, a Woolworth Corporation anunciou que fecharia suas últimas quatrocentas lojas F. W. Woolworth, com 9 mil funcionários, pondo fim a um negócio respeitado que simplesmente deixou de ser lucrativo.

O coronel Robert A. Dollar (1844-1932) nasceu em Falkirk, na Escócia, em 1844. Emigrou com a família para os Estados Unidos em 1856. Com 13 anos, trabalhava num acampamento canadense de lenhadores. Mais tarde, foi para São Francisco e desenvolveu vários negócios de madeira e comércio exterior; no processo, tornou-se um dos maiores operadores de navios oceânicos do mundo. Antes de morrer, em 1932, ele recebeu as chaves das cidades de Falkirk, Boston, Nova York e Xangai.

Com o irmão Lincoln (1865-1957), Edward A. Filene (1860-1937) tornou mundialmente famosa a loja de departamentos Filene's, em Boston. Conhecida pelo vestuário de alta qualidade que vendia, a empresa é mais famosa pelo Automatic Bargain Basement ("porão de pechinchas automáticas"), aberto em 1909. O Basement vendia mercadorias com defeito a preço baixo, automaticamente reduzido 25% depois de 12 dias de venda, mais 25% após 18 dias, mais 25% passados 24 dias. Depois de 30 dias, as roupas eram doadas para caridade. A Filene's foi pioneira do sistema de *charge plates* (plaquinhas metálicas precursoras dos cartões de crédito), do ciclo de faturamento e da operação com filiais. Em 1929, a empresa se uniu à F. & R. Lazarus and Company e à Abraham and Strauss para formar a Federated Department Stores, Inc. Edward Filene também foi um dos inventores do equipamento de tradução simultânea usado nos julgamentos de crimes de guerra em Nuremberg e, mais tarde, nas sessões das Nações Unidas. Devido à cruzada de 30 anos para criar cooperativas de crédito nos Estados Unidos, hoje Filene é conhecido como o "pai do movimento americano de cooperativas de crédito".

Em seu tempo, Arthur Brisbane (1864-1936) foi o editor de jornais mais bem pago dos Estados Unidos e um dos editorialistas mais lidos do mundo, como editor administrativo do *The New York Evening Journal*, de William Randolph Hearst. Era conhecido como o mestre do sensacionalismo e escreveu a coluna *Today*, publicada por jornais do país inteiro, de 1917 até o dia de sua morte, em 1936. Embora fosse famoso pelas manchetes gritantes e pelas reportagens sobre atrocidades, ele também fez campanha por escolas melhores, legislação trabalhista e reforma penitenciária e contra a pena de morte, a criminalidade e a Lei Seca.

Durante sua carreira de horticultor ao longo de 55 anos, Luther Burbank (1849-1926) desenvolveu mais de 800 variedades e cepas de plantas. Entre elas, havia mais de duzentas variedades de fruta (como o pêssego Freestone), vários legumes, cereais, nozes e uma série de plantas ornamentais. Burbank ficou mundialmente famoso como um dos cientistas mais inovadores e prolíficos no melhoramento de vegetais. Em 1871, desenvolveu a batata Burbank, usada na Irlanda na batalha contra a devastação da epidemia de ferrugem da batata. Foi amigo de Thomas Edison e de Henry Ford. Seu legado inspirou a Rose Parade, desfile anual em sua memória na cidade de Santa Rosa, na Califórnia.

Edward W. Bok (1863-1930) editou a *Ladies' Home Journal* durante três décadas. Ele conquistou o cargo depois de desenvolver e comercializar, por meio de sua agência, a Bok Syndicate Press, uma página inteira com matérias de interesse feminino a ser usada por jornais. Foi um grande defensor do voto das mulheres, da conservação da vida selvagem, de cidades limpas e da eliminação de outdoors em estradas. Sua maior cruzada foi contra os excessos do setor de medicina patenteada, que, em 1906, levou à aprovação da Lei de Medicamentos e Alimentos Puros. *Ladies' Homes Journal* foi a primeira revista americana a mencionar as doenças venéreas, o que indica a força de sua convicção de que era preciso manter o público informado de questões que pudessem afetar as famílias. Bok, filho de imigrantes pobres dos Países Baixos, ganhou, em 1921, o prêmio Pulitzer pela autobiografia *The Americanization of Edward Bok*.

Frank A. Munsey (1854-1925) foi um mestre da consolidação e das fusões de meios de comunicação. Além da carreira de editor de jornais, ele publicou a primeira revista ilustrada de baixo custo dos Estados Unidos (10 centavos o exemplar), a *Munsey's Magazine*. Quando morreu, em 1925, deixou a maior parte de seus 40 milhões de dólares (mais de 412 milhões de dólares de hoje) para o Museu Metropolitano de Arte de Nova York.

Julius Rosenwald (1862-1932), comerciante de roupas em Nova York e Chicago, comprou um quarto das ações da Sears, Roebuck and Company, tornando-se seu presidente executivo em 1910 e presidente do conselho diretor em 1925. Sob sua liderança, a Sears lançou o costume inovador de fabricar os próprios produtos para venda. Ele também criou a política da Sears de "satisfação garantida ou seu dinheiro de volta", que logo ficaria famosa. Tornou-se um filantropo "desafiador". Ele fazia objeções à noção de "dotação perpétua", como as criadas por Andrew Carnegie, e defendia o conceito de "doação emparelhada". Um de seus legados levou à fundação de cinco mil escolas em quinze estados sulistas para a educação dos negros. Ele também fundou o Museu de Ciência e Indústria em Chicago e fez grandes doações à Universidade de Chicago.

Depois de passar nove anos como advogado de cidade pequena no estado de Ohio, Clarence S. Darrow (1857-1938) mudou-se para Chicago em busca de trabalho mais desafiador como advogado de defesa. Suas opiniões liberais o levaram a assumir alguns processos famosos no início do século XX, inclusive o caso Leopold-Loeb, em que salvou dois homens da pena de morte; o caso Sweet, em que conseguiu defender uma família negra de Detroit acusada de violência contra uma turba que queria forçá-la a sair de uma área branca; e o julgamento de Scopes, que envolveu o professor do Tennessee John T. Scopes, acusado de ensinar a evolução em vez do criacionismo. Seu principal adversário foi William Jennings Bryan, três vezes candidato ao cargo de presidente. Apesar da opinião generalizada de que Darrow ganhou a disputa, Scopes foi considerado culpado.

Em 1924, Jennings Randolph (1902-1998) se formou no Salem College. Quando jovem, ele, como Napoleon Hill, trabalhou algum tempo como jornalista. Cumpriu sete mandatos como deputado federal pela Virgínia Ocidental (de 1933 a 1947) e quatro mandatos completos como senador dos Estados Unidos (de 1958 a 1985). Carinhosamente recordado como "o último democrata do New Deal", ele ganhou renome como presidente da Comissão de Obras Públicas do Senado e foi o pai legislativo do National Air and Space Museum, em Washington. Depois de sua morte, Robert C. Byrd, seu colega no Senado, recordou o amor de Randolph pelo voo:

> *Em 6 de novembro de 1948, com um piloto profissional nos controles, Jennings [...] voou de Morgantown, na Virgínia Ocidental, até o Aeroporto Nacional de Washington num avião bimotor movido a gasolina feita de carvão. Isso era mesmo coisa de Jennings Randolph: sair por aí como pioneiro, não só no voo, mas também no uso naquele avião de combustível cuja fonte era a Virgínia Ocidental – o carvão. Sem dúvida, aquele projeto foi um ato de fé pelo qual muitos recordam o senador Randolph.*

Randolph foi o autor da 26ª Emenda à Constituição, que concedeu o direito de voto a maiores de 18 anos. Ele foi considerado o pai da Comissão Regional dos Apalaches e um de seus últimos grandes atos foi patrocinar leis que preservassem a região. Durante muitos anos, foi da diretoria da Fundação Napoleon Hill, fundada em 1962 por Hill e pela esposa Annie Lou. Randolph morreu de pneumonia numa casa de repouso de St. Louis em 8 de maio de 1998, com 96 anos, e foi sepultado no Cemitério Batista do Sétimo Dia, em Salem, na Virgínia Ocidental, cidade onde nasceu. Teve a distinção de ser o último sobrevivente (fora da família Hill) mencionado pelo nome na edição original (1937) de *Pense e enriqueça*.

⁸ As locomotivas a vapor realimentavam suas caldeiras parando periodicamente ao longo da ferrovia para "pegar água" em tanques de armazenamento.

INTRODUÇÃO
Poder da Mente: O homem que abriu caminho "pensando"

¹ É interessante que o título original do rascunho de Hill de *Pense e enriqueça* era *Os 13 passos para a riqueza*. Segundo uma história talvez apócrifa, Andrew Pelton, editor de Hill, queria que o livro se chamasse *Use Your Noodle to Win More Boodle* (Use seu macarrão – gíria para cérebro – para ganhar mais tutu – ou dinheiro). Embora talvez nunca fique clara a origem do título final, parece lógico que, no fim, pode ter sido sugerido por essa segunda frase da introdução.

² Se Hill se referia aos dólares de 1937, a quantia exata que o DESEJO de Barnes pode ter lhe rendido ficava entre 25 milhões e 37,5 milhões de dólares de hoje (corrigidos pelo Índice de Preços ao Consumidor).

³ A noção de "transmutação" – literalmente, o processo pelo qual um objeto muda para outra natureza, forma ou condição – é fundamental para o entendimento da filosofia do sucesso de Napoleon Hill. Ele usa a palavra para descrever o processo pelo qual o pensamento intangível é traduzido ou se traduz em atividade física que resulta numa mudança física no mundo. Ele também a usa para descrever o processo de converter um tipo de estado mental em outro. A melhor maneira de entender exatamente o que Hill quer dizer com "transmutado" é ler o livro completamente, deixando o sentido específico que ele dá à palavra se infiltrar na mente.

⁴ Edwin C. Barnes nasceu em 1876, em Jefferson City, em Wisconsin, e morreu com 78 anos em Bradentown (hoje Bradenton), na Flórida, em 1954. Seu relacionamento com a empresa Edison o tornou rico e independente, e em certa ocasião ele teve escritórios em Nova York, Indiana, Milwaukee e outras cidades, além de seu principal escritório na "Edison Voice Writer", em Chicago. Ele se mudou de Chicago para Bradentown na expansão imobiliária da década de 1920 e se tornou o principal incorporador do luxuoso distrito de Palma Sola Park. Uma reportagem da edição de 21 de agosto de 1924 do *Manatee River Journal-Herald* dá uma ideia da relação íntima que existia entre Barnes e Edison até a morte deste em 1931:

> *Outro dia, Edwin C. Barnes, de Bradentown e Chicago, "invadiu" a primeira página do* The New York Times *em companhia de Thomas Edison. O impecável Edwin demonstrou que conseguia chutar um chapéu seguro na altura do ombro e o Sr. Edison, que é cerca de trinta e cinco anos mais velho do que o Sr. Barnes, mostrou que conseguia fazer a mesma coisa [...] O Sr. Barnes, principal proprietário da Palma Sola Park Company, desta cidade, [...] foi ligado durante anos à empresa*

Edison, e ele e o "mago" são amigos íntimos. Os dois têm outro interesse em comum: o amor pela Flórida [...] O Sr. Edison tem uma casa em Fort Myers, onde passa os invernos, e o Sr. Barnes é dono das mais belas casas de Bradentown.

Barnes também foi amigo íntimo e duradouro de Napoleon Hill. Este dedicou seu livro *A lei do sucesso* a três pessoas: Andrew Carnegie, Henry Ford e Edwin C. Barnes. Sobre o último, escreveu na dedicatória: "sócio comercial de Thomas A. Edison, cuja relação pessoal íntima num período de mais de 15 anos serviu para ajudar o autor a 'continuar' diante da grande variedade de adversidades e derrotas muito temporárias sofridas na organização de [...] [*A lei do sucesso*]."

5 R. U. Darby é a única pessoa identificada pelo nome em *Pense e enriqueça* sobre quem o editor não conseguiu encontrar informações biográficas independentes.

6 William Rainey Harper (1856-1906) foi o primeiro reitor da Universidade de Chicago e deixou o cargo de professor de línguas semitas na Universidade Yale para assumir a reitoria. Ele foi um inovador que abriu cursos de extensão e estudos em disciplinas novas como psicologia e sociologia e também foi providencial na criação de cursos de pré-graduação (*junior colleges*).

7 Henry Ford (1863-1947), filho de imigrantes irlandeses, largou a escola. Com 15 anos, era aprendiz de maquinista em Detroit e, mais tarde, trabalhou na cidade como mecânico-chefe da Edison Company até 1899, quando ele e outros fundaram a Detroit Auto Company. Em 1903, sozinho, ele fundou a Ford Motor Company. Lançou o Modelo T em 1908, a produção em linha de montagem em 1913, o Modelo A em 1927 e o motor V-8 em 1932. Concorreu ao Senado americano e perdeu; certa vez, pensou em se candidatar à presidência.

8 Napoleon Hill teve interesse pela educação superior e pela educação pós-secundária em geral durante toda a vida adulta e se associou a várias instituições de ensino. Seu tema constante era que a educação não deveria se concentrar simplesmente em "transmitir conhecimento", mas em ensinar os alunos a organizar o conhecimento e a aplicá-lo para atingir objetivos específicos.

Depois de se formar na escola secundária, ele estudou Administração em Tazewell, na Virgínia, e Direito na Escola de Direito da Universidade de Georgetown, em Washington, mas largou o curso no primeiro ano por razões financeiras. Em 1913, começou a trabalhar no departamento de publicidade e vendas da Universidade de Extensão LaSalle, em Chicago, onde descobriu seu talento para motivar os alunos e ensiná-los a vender. Em 1916, criou o George Washington Institute para dar um curso de vendas por correspondência. Em 1923, tomou providências para comprar e operar a Metropolitan Business College, em Cleveland (nesse período, foi convidado para fazer o discurso de paraninfo da Salem College).

Em 1931, Hill criou a International Publishing Corporation of America e a International Success University, a ela ligada, para distribuir recursos de "sucesso", como a nova publicação que lançou, a *Success Magazine*. Em 1941, tornou-se professor residente de psicologia da Presbyterian College, em Clinton, na Carolina do Sul, e dava aulas sobre "a filosofia do êxito americano". Recebeu um doutorado honorário da Universidade Internacional do Pacífico no fim da década de 1940 e foi nomeado diretor do novo Departamento de Filosofia Industrial daquela universidade.

Em 1962, Hill e a esposa Annie Lou criaram a Fundação Napoleon Hill, entidade sem fins lucrativos profundamente mergulhada na missão educativa. A Fundação tem sua sede em Wise, na Virgínia. O Napoleon Hill World Learning Center, a ela associado, fica na Purdue University Calumet, em Hammond, no estado de Indiana. Com o passar dos anos, a Fundação se associou a várias instituições de ensino superior, como a Johnson Wales College (antes em Rhode Island), a Universidade de Salem, na Virgínia Ocidental, a Universidade do Pacífico, a Universidade do Texas e a Universidade do Norte de Iowa. A professora universitária Judith Williamson dirige o Hill World Learning Center. Dois reitores universitários, o falecido Dr. Bill L. Atchley e o falecido Dr. Horace Fleming (Universidade do Sul do Mississippi), cumpriram com distinção mandatos na diretoria da Fundação Napoleon Hill.

Eis uma "nota de rodapé da nota de rodapé" em que, à maneira tênue dos "seis graus de separação", pode-se ir da educação superior à Fundação Napoleon Hill e a um dos principais nomes do setor de rádio. Bill Lee Atchley nasceu em 1932, em Cape Girardeau, no Missouri, cinco anos antes da publicação de *Pense e enriqueça*. Era filho de Cecil Atchley, operário de fábrica de cimento, e de sua esposa, uma lavadeira. Atchley ("Billy" na juventude) empregou desde tenra idade os princípios de sucesso da filosofia Pense e Enriqueça; conseguiu superar a pobreza de seu nascimento, jogar beisebol profissional no New York Giants, obter um doutorado em engenharia e se tornar reitor da Universidade de Clemson, na Carolina do Sul (período em que trabalhou na Fundação Hill). Mais tarde, também foi nomeado reitor da Universidade do Pacífico, em Stockton, na Califórnia, e depois da Universidade Estadual do Sudeste do Missouri. Acontece que a mulher de Bill Atchley (ele morreu em 2000, ela em 2014) era Pat Limbaugh, também de Cape Girardeau. Seu primo de Cape Girardeau era nada mais, nada menos que Rush Limbaugh III, que apresentava o programa que muitos consideram o mais bem-sucedido e lucrativo da história do rádio. Limbaugh, creditado por ter praticamente reinventado os programas de entrevistas do rádio americano a partir de 1988, é um dos melhores exemplos de que usar um Objetivo Principal Definido para guiar decisões e ações pode levar a um sucesso extraordinário na vida. Sem dúvida ele provou a previsão de Hill de que "há muito espaço no rádio para quem puder produzir ou reconhecer IDEIAS". (Ver a nota de fim de texto 6 nas páginas 347 a 348.)

9 Mais tarde, Randolph escreveria este endosso da obra de Napoleon Hill: "Conheci Napoleon Hill em 1922, quando estudava na Salem College, em minha cidade natal. O Sr. Hill veio ao campus como paraninfo naquele ano. Enquanto o ouvia, escutei

algo além das palavras que dizia, senti a substância – a sabedoria – e o espírito de um homem e sua filosofia. O Sr. Hill disse: 'O instrumento mais poderoso que temos em nossas mãos é o poder da mente.' Napoleon Hill compilou essa filosofia do êxito americano para o bem de todo o povo. Recomendo-lhes enfaticamente essa filosofia para o serviço e o êxito na área que escolherem."

CAPÍTULO 1
Desejo: O ponto de partida de todas as conquistas

1. De 8 a 10 de outubro de 1871, logo após um longo período de seca e alimentado por prédios e calçadas de madeira, o Grande Incêndio de Chicago destruiu 8 quilômetros quadrados, inclusive o bairro comercial. Duzentas e cinquenta pessoas perderam a vida, 90 mil ficaram sem teto e o dano às propriedades foi estimado em 200 milhões de dólares. Enquanto escrevia sobre o Grande Incêndio de Chicago, sem dúvida Hill devia ter em mente outra catástrofe, uma catástrofe pessoal que também envolveu um incêndio na mesma cidade. Em 1923, depois de perder o controle da *Napoleon Hill's Magazine* fundada por ele, Hill voltou a Chicago para buscar seus pertences lá guardados e descobriu que o prédio onde estavam fora destruído pelo fogo. A perda foi arrasadora. Foram-se fotografias autografadas, muitas cartas importantíssimas, inclusive algumas de presidentes dos Estados Unidos, e, pior que tudo, questionários preenchidos por centenas dos indivíduos mais importantes e bem-sucedidos do país que tinham concordado em participar da pesquisa de Hill. Sempre um pensador positivo, Hill continuou trabalhando, decidido a terminar seu projeto, e, catorze anos depois, *Pense e enriqueça* foi publicado.

2. Na juventude, Marshall Field (1835-1906) deixou a fazenda da família em Conway, Massachusetts, para se tornar vendedor de produtos secos. Ele se mudou para Chicago em 1856 e foi sócio, primeiro minoritário, depois majoritário, da empresa conhecida como Field, Palmer & Leiter. Quando Palmer e Leiter se aposentaram, Field se tornou presidente da Marshall Field and Co., próspera empresa atacadista e varejista de produtos secos. Mais tarde, ele dedicou boa parte da vida à filantropia, principalmente em apoio à Universidade de Chicago.

3. Mais de 1 bilhão de dólares de hoje. Na verdade, aqui Hill fala de forma conservadora, pois Carnegie, em seus últimos anos, doou mais de três vezes e meia essa quantia (novamente, em dólares de hoje) a causas humanitárias.

4. Na versão original de *Pense e enriqueça*, o exemplo de Edison é seguido pelo seguinte: "Whelan sonhou com uma cadeia de charutarias, transformou seu sonho em ação e hoje as United Cigar Stores ocupam as melhores esquinas dos Estados Unidos." Ao contrário da filosofia de Napoleon Hill e dos princípios de sucesso que desenvolveu, em geral as charutarias de esquina não resistiram à prova do tempo.

George Whelan era um financista americano que, em 1912, depois que o American Tobacco Trust foi dividido, pôs sua United Cigar Stores sob uma *holding* – a Tobacco Products Corporation – e começou a adquirir pequenas empresas de produtos de tabaco. Em 1919, ele comprou a filial americana da Philip Morris Company, de Londres (fundada em 1847), e formou uma nova empresa americana, a Philip Morris & Company, Inc. Os esquemas inescrupulosos de Whelan o levaram ao colapso financeiro em 1929, mas a nova empresa sobreviveu com outra administração. E, com seu principal produto, os cigarros Marlboro, continuaria a se diversificar até se tornar, no século XXI, a maior produtora e comercializadora mundial de bens de consumo embalados, com subsidiárias como a Kraft Foods e a Miller Brewing Company.

5 Guglielmo Marconi (1874-1937) inventou o primeiro aparelho usado na telegrafia sem fio e ganhou o Prêmio Nobel de Física de 1909 pela iniciativa. Seu trabalho libertou a comunicação a distância das restrições dos fios e de outros meios físicos de transmissão, lançando as bases para o setor de rádio e televisão.

Ao discutir a obra de Marconi aqui e ao explicar alguns outros conceitos adiante, Napoleon Hill usa a palavra "éter" em vez de "espectro eletromagnético", tanto na edição original de *Pense e enriqueça* quanto em várias subsequentes. Desse modo, simplesmente refletia os conceitos científicos populares e, portanto, o vocabulário científico da época. No fim do século XIX e início do XX, muitos cientistas acreditavam que uma substância invisível, que chamavam de "éter", permeava o universo, inclusive o espaço "vazio". Por esse meio, viajavam a luz e outras formas de radiação como vibrações num prato de gelatina. Os experimentos de Michelson-Morley e a obra de Albert Einstein, que resultou na Teoria Especial da Relatividade, forçaram a comunidade científica a abandonar o conceito de éter.

Com o passar dos anos, o universo, com sua série incrível de forças e fenômenos eletromagnéticos, nucleares e gravitacionais, mostrou-se ainda mais misterioso do que Hill ou qualquer cientista da virada do século desconfiaria. O esforço de Hill para descrever em termos claros e compreensíveis fenômenos energéticos – das ondas do rádio às ondas cerebrais – dá à terminologia da versão original de *Pense e enriqueça* um "sabor" mais metafísico e metafórico do que provavelmente teria se ele escrevesse hoje. As poucas mudanças de terminologia feitas nesta edição revista de *Pense e enriqueça* – por exemplo, o uso de "espectro eletromagnético" em vez de "éter" – visam simplesmente a remover "impedimentos" estilísticos ao entendimento do leitor de hoje. O teor e a substância das ideias de Hill permanecem inalterados.

6 A citação é do clássico best-seller motivacional *O homem é aquilo que ele pensa*, de James Allen, ensaísta americano de origem britânica (1864-1912). Sem dúvida, Napoleon Hill conhecia o corpo da obra de Allen, que incluía outros títulos populares como *Os oito pilares da prosperidade*, *Da pobreza ao poder* e *Por que eu deveria pensar como um homem?*. Allen ensinava que o segredo do poder pessoal está dentro da mente. A frase inicial de seu clássico é "Como um homem pensa em seu coração, assim ele é" – em

outras palavras, somos o que pensamos e nosso caráter é a soma de todos os nossos pensamentos. Hill usa repetidamente variações desse princípio em *Pense e enriqueça*.

7   O presidente "sonhador" era Franklin D. Roosevelt. A Tennessee Valley Authority, ou TVA, é um órgão federal criado em 1933 no governo Roosevelt para controlar inundações, melhorar a navegação, aumentar o padrão de vida das fazendas próximas e gerar energia elétrica no rio Tennessee e em seus afluentes. O projeto era visionário no conceito e gigantesco na realização. A bacia hidrográfica do rio Tennessee cobre partes de sete estados do Sul dos Estados Unidos. A TVA incluía 51 barragens, sendo nove grandes, comportas de navegação interligadas, instalações portuárias se estendendo pelo curso do rio, 12 usinas elétricas a carvão e, mais tarde, duas usinas nucleares. A capacidade de geração combinada era de mais de 30 milhões de quilowatts. A TVA foi uma típica agência de planejamento e gestão de recursos naturais. No início do New Deal, de acordo com seu biógrafo oficial, Hill, como fizera com Woodrow Wilson, foi assessor voluntário de relações públicas de Roosevelt. Desenvolveu planos para influenciar a opinião pública, deu ideias para as conversas ao pé da lareira de Roosevelt e há algum rumor de que pode ter sido o responsável pela famosa frase do presidente em seu discurso de posse, "A única coisa que temos a temer é o próprio medo". O senador Jennings Randolph foi responsável pelo convite de Roosevelt a Hill para visitar a Casa Branca.

8   O. Henry era o pseudônimo de William Sydney Porter (1862-1910), mestre da ironia, das conclusões surpreendentes e de romantizar o lugar-comum. Ele desviou dinheiro do banco onde trabalhava, mas recebeu uma pena leve de prisão, cumprindo três anos e três meses numa penitenciária de Ohio e saindo por bom comportamento. (O interessante é que trabalhar com presos era, originalmente, uma das metas da Fundação Napoleon Hill, patrocinando cursos em penitenciárias para ensinar aos presos os princípios do sucesso na vida. Estudos mostraram que a reincidência dos presos que terminam os estudos se reduz de forma significativa.)

9   "Inteligência Infinita" é a expressão que Hill usa para descrever "Deus", "Poder Divino" ou o "Ser Supremo" que age no universo e cuja influência é sentida em todas as partes dele. Seu conceito de Deus ou Inteligência Infinita é multifacetado e tem rica textura. Para Hill, Deus é mais do que uma força divinamente espiritual, pessoal e moral. É uma fonte de inteligência, comunicação direta e troca de informações entre a própria Inteligência Suprema e o indivíduo e até entre indivíduos. É claro que Hill escreve primariamente do ponto de vista judaico-cristão, mas sua visão da Inteligência Infinita é não sectária e muito abrangente. Ao ler o livro, observe que Hill vê a Inteligência Infinita na vida de Jesus, Gandhi e Maomé, assim como na vida de todos os indivíduos cujos estados mentais estão "sintonizados" com seu poder. Hill nunca fala da Inteligência Infinita como um pregador nem de como se deve reagir a ela, mas, para entender completamente e utilizar a filosofia Pense e Enriqueça, é necessário entender o papel que a Inteligência Infinita (Deus) tem nela.

[10] "Vagabundo" aqui significa "itinerante", "andarilho" ou "viajante".
[11] Dois dias depois do 12º aniversário de Dickens (1812-1870), seu pai foi preso por dívidas numa prisão de Londres. A mãe botou o filho para trabalhar numa fábrica de graxa para sapatos. Ao longo de quase seis meses, Dickens trabalhou doze horas diárias num armazém sujo, cheio de ratos, para ganhar apenas de 6 a 7 xelins por semana. Era o mesmo tipo de experiência miserável que muitas das pessoas bem-sucedidas que Hill estudou tiveram no início da vida. Dickens não esqueceu e aproveitou a vivência diversas vezes em seus romances, mas nunca contou a história a ninguém além da esposa e o caso só foi divulgado depois de sua morte. A "tragédia" que Dickens sofreu envolveu uma relação amorosa fracassada com uma tal Maria Beadwell, filha de um banqueiro inglês. Em 1830, aos 18 anos, Dickens era um taquígrafo mal remunerado nos tribunais e se apaixonou louca e desesperadamente por Maria, que tinha 19. Os pais dela consideraram Dickens indigno como pretendente e acabaram mandando Maria para uma escola em Paris. Dickens a amou durante um período de quatro anos, mas a paixão não era correspondida e Maria o tratava com uma indiferença quase cruel. Os críticos e biógrafos especularam que a paixão intensa e a inspiração que sentiu, seguidas pelo amargo sofrimento e a decepção, afiaram sua sensibilidade artística e depois o tornaram imensamente solidário com os oprimidos e desafortunados. Acredita-se que Maria Beadwell foi a inspiração da personagem Dora, em *David Copperfield*.
[12] Originalmente, Hill acrescentou o seguinte: "Que Emerson afirme o pensamento nessas palavras: 'Cada provérbio, cada livro, cada item que pertença a ti para auxílio e consolo certamente chegará em casa através de passagens abertas ou sinuosas. Cada amigo que não tua vontade fantástica, mas a alma grandiosa e terna em ti anseie vai te envolver em seu abraço.'"
[13] O manuscrito original continuava: "Por exemplo, os professores na escola observavam que ele não tinha orelhas e, por causa disso, lhe davam atenção especial e o tratavam com gentileza extraordinária. Eles sempre agiam assim. A mãe cuidou disso conversando com as professoras e combinando que elas dessem à criança a atenção extra necessária. Também lhe passei a ideia de que, quando tivesse idade suficiente para vender jornais (o irmão mais velho já se tornara vendedor de jornais), ele teria uma grande vantagem sobre o irmão, pela razão de que as pessoas lhe pagariam mais pela mercadoria, porque veriam que ele era um menino esperto e industrioso, apesar de não ter orelhas."
[14] Originalmente, Hill escreveu: "Ele [Blair] não foi a uma escola para surdos." É claro que hoje a percepção e as atitudes em relação a pessoas com deficiência de audição ou outras são extremamente diferentes do que eram na época em que Hill escreveu. Toda a abordagem de Hill da deficiência do filho talvez fosse muito diferente se a enfrentasse hoje, embora não possamos saber com certeza, dada a atitude sempre positiva de Hill para superar obstáculos e enfrentar desafios. Apesar da deficiência de Blair Hill, ele se tornou um indivíduo extremamente bem-sucedido.

¹⁵ O primeiro aparelho auditivo elétrico, o Acousticon, foi patenteado em 1901. Era um objeto pesado, com um receptor semelhante ao do telefone seguro junto à orelha e um grande estojo para pilhas mais ou menos do tamanho de um rádio portátil grande ou uma lancheira volumosa. O primeiro aparelho auditivo projetado para uso no corpo da pessoa foi o Amplivox, lançado em Londres em 1935, que pesava mais de 1 quilo. Não se sabe qual deles é o mencionado por Hill.

¹⁶ Ernestine Schumann-Heink (1861-1936) foi a contralto mais famosa de sua geração, conhecida pela voz forte e volumosa. Nascida em Lieben, na Alemanha, foi selecionada aos 15 anos para cantar a parte de contralto da *Nona Sinfonia* de Beethoven em Graz. Depois de uma carreira de sucesso na Europa, ela estreou nos Estados Unidos em 1899, no Metropolitan Opera, como a Ortrud de *Lohengrin*, de Wagner. E foi a estrela da casa até 1932. A cantora morreu em Hollywood em 1936, na época em que Hill estava escrevendo *Pense e enriqueça*.

CAPÍTULO 2
Fé: Visualização e crença na obtenção do desejo

¹ "Vibração do pensamento" é como Hill escolheu descrever o processo complexo e pouco conhecido pelo qual os impulsos eletroquímicos do cérebro criam e transmitem "pensamentos" e "emoções". "Vibração" deve ser entendida no sentido descritivo e metafórico além do "físico" aqui e em outros textos de Hill. De qualquer modo, o importante não é a imperfeição das palavras que Hill usa na tentativa de descrever o processo – toda linguagem é imperfeita –, mas a *noção* de como os pensamentos, reforçados pelo poder da fé, podem afetar a mente inconsciente e criar dentro dela novas capacidades e poderes de comunicação. Seria um erro tentar entender termos como "vibração do pensamento" em sentido estritamente literal. O segredo é ler e reler essas declarações no contexto, "seguindo o fluxo" das ideias de Hill. Assim, logo se produzirá dentro de você o sentido completo do que Hill quer transmitir.

² O Dr. Norman Vincent Peale (1898-1993) e outros popularizariam esse "poder do pensamento positivo", como fizeram Hill e seu último colaborador, amigo e patrono W. Clement Stone no livro *Sucesso através da atitude mental positiva* (1960). Sempre que ouvir qualquer tipo de gravação motivacional, ler um texto motivacional ou ouvir um palestrante motivacional exaltar as virtudes do pensamento e da atitude mental positivos, você estará diante de um eco de Napoleon Hill.

³ Nem aqui nem em ponto nenhum deste livro Hill se dedica ao "ataque à religião". Ao contrário, ele tem uma crença forte em Deus ou Inteligência Infinita, mas pouco respeito por dogmáticos e sectários, aqueles que estão convencidos de que só eles entendem as intenções e propósitos divinos e a "verdade" religiosa. Para Hill, nada – nenhum dogma, credo ou ensinamento – deveria atrapalhar a comunicação

direta entre o indivíduo e a Inteligência Infinita nem ser necessário para ela. Não é a religião que incomoda Hill. São os *religiosos*.

4   São abundantes os exemplos de pessoas que aplicam as ideias e princípios de Hill para obter grande sucesso na vida. Um exemplo fascinante de alguém que seguiu os conselhos de Hill e escreveu, nos termos mais claros, seu objetivo principal definido na vida foi encontrado alguns anos atrás numa parede do Planet Hollywood Restaurant, localizado junto ao retorno da autoestrada 17 em Myrtle Beach, na Carolina do Sul. (Os restaurantes Planet Hollywood são famosos pela coleção de recordações do cinema e de celebridades.) Na parede, havia uma anotação manuscrita com o título em vermelho: "Meu Objetivo Principal Definido". Também em vermelho, embaixo, estava a palavra "secreto", e o grosso da anotação, com tinta azul, dizia o seguinte:

> *Meu Objetivo Principal Definido*
> *Eu, Bruce Lee, serei o primeiro superastro oriental mais bem pago dos Estados Unidos. Em troca, terei o desempenho mais empolgante e oferecerei a melhor qualidade de que um ator é capaz. A partir de 1970, atingirei fama mundial e daí até o fim de 1980 terei em minha posse 10 milhões de dólares. Viverei do jeito que gosto e obterei harmonia interior e felicidade.*
>
> Bruce Lee
> Jan. 1969
> (secreto)

É claro que Lee atingiu suas metas e se tornou o astro de filmes de artes marciais mais famoso e rico de sua época. Seu sucesso na tela gerou uma produção mundial de CDs, DVDs, fitas de áudio e de vídeo de autoajuda. Infelizmente, ele morreu em 1973, com 33 anos, devido à reação cerebral adversa a um medicamento – na mesma época em que seu filme mais famoso, *Operação Dragão*, foi lançado. A revista *Time* escreveu sobre Bruce Lee: "Sem nada além das mãos, dos pés e de muita atitude, ele transformou o cara baixinho num cara tenaz." Claramente, ele dava muito crédito pelo sucesso à crença na filosofia Pense e Enriqueça.

5   Algumas fontes atribuem esse poema a W. D. Wintle. Outras dão o autor como "anônimo".
6   Mohandas K. Gandhi ("Mahatma" é um título de respeito indiano que significa "grande alma") nasceu em 1869 e foi assassinado por um extremista indiano em 1948. Considerado "pai de seu país", ele comandou o movimento nacionalista indiano pela independência do domínio britânico. Sua filosofia de desobediência civil não violenta foi muito influente, principalmente no movimento pelos direitos civis dos negros nos Estados Unidos. Albert Einstein disse sobre ele: "A influência moral que Gandhi exerceu sobre as pessoas pensantes pode ser muito mais durável do que parece provável em nossa época atual, com seu exagero da força bruta. Somos afortunados e agradecidos pelo fato de o destino nos ter concedido um ser contemporâneo tão luminoso,

um farol para as próximas gerações." Para Hill, Gandhi era o símbolo moderno do poder de uma ideia – e da mente humana – para mudar o mundo.

7 Em toda essa discussão, Hill prevê extraordinariamente a administração participativa moderna, as equipes de gestão da força de trabalho, os programas de produtividade e a participação nos lucros – quase todo o escopo das modernas teoria e prática da administração.

8 Obviamente, Napoleon Hill não era supersticioso e não tinha nenhum problema em usar o número 13. É possível que ele o tenha escolhido de propósito para chamar a atenção, embora seja mais provável que fosse simplesmente o número dos princípios mais básicos do "sucesso" a que chegou depois de purificar seus anos de pesquisa e análise até o nível mais elementar. Quase se pode ouvi-lo dizendo enfaticamente: "Bom, se 13 é o número dos princípios que existem, então que sejam 13!" Embora às vezes exiba características místicas, em primeiro lugar Hill é um racionalista. Ele afirma enfaticamente no Capítulo 13: "Não acredito em milagres nem os defendo, pelo simples motivo de que tenho conhecimento suficiente em relação à Natureza para entender que *a Natureza nunca se desvia das suas leis estabelecidas*. Algumas dessas leis são tão incompreensíveis que produzem aparentes milagres."

9 O banqueiro de investimentos J. P. Morgan (1837-1913) é o personagem mais poderoso da história do setor financeiro norte-americano. Ele reconfigurou a paisagem da indústria dos Estados Unidos: reorganizou o setor ferroviário e foi a força motriz por trás da criação da General Electric, da International Harvester e, como veremos, da primeira empresa de 1 bilhão de dólares, a U. S. Steel.

10 O governo federal abriu um processo na tentativa de decompor a U. S. Steel, mas a Suprema Corte americana decidiu em 1920 que a empresa não era um monopólio que restringisse o comércio em violação das leis antitruste. Em 2001, a U. S. Steel comemorou o centenário de sua fundação. Na época, era a maior produtora integrada de aço dos Estados Unidos, com sede em Pittsburgh, na Pensilvânia.

11 Conta-se que Morgan também disse a Carnegie quando o acordo foi firmado: "Sr. Carnegie, quero congratulá-lo por ser o homem mais rico do mundo."

12 Cerca de 11 bilhões de dólares de hoje (corrigidos pelo Índice de Preços ao Consumidor).

CAPÍTULO 3
Autossugestão: Como influenciar a mente subconsciente

1 Coué (1857-1926) foi um farmacêutico e psicólogo francês que desenvolveu um sistema de psicoterapia, o "coueísmo", em que o uso da autossugestão efetuaria mudanças positivas na saúde e no bem-estar geral do paciente. O sistema se caracterizava pela repetição da fórmula de Coué, da qual uma versão conhecida é: "Todo

dia, e de todas as maneiras, estou me tornando cada vez melhor." O poder da autossugestão, reforçado por fé e desejo fortes, tem consequências imensas para a saúde mental e física humana. O comentarista e produtor de TV Bill Moyers examinou a extraordinária conexão mente-corpo e seu papel na cura num livro e numa série da TV PBS que ficaram muito populares: *A cura e a mente* (1993).

2 Hill entendeu o imenso poder da visualização muito antes que essa prática se tornasse corriqueira nos esportes e nos cursos motivacionais. Jack Nicklaus, geralmente considerado o maior golfista da história do esporte, disse muitas vezes que só dá uma tacada depois de ter uma imagem ideal, em sua cabeça, da bola voando depois de atingida com perfeição pelo taco e caindo exatamente onde ele quer que caia. A técnica da visualização parece ter funcionado. Nicklaus ganhou mais campeonatos importantes – 18 – do que qualquer outro jogador na história do golfe.

3 O valor de escrever e consultar repetidamente as "instruções para a ação" foi compreendido pelo editor vários anos atrás. Estávamos num pequeno grupo, jantando no Commerce Club, em Greenville, na Carolina do Sul. Integravam o grupo um empresário chamado Leighton Cubbage, que fizera imensa fortuna no setor de telecomunicações; Bill Lee, assessor administrativo nacional que foi o principal arquiteto do sucesso da Builder Marts of America, maior conglomerado não cooperativo de compras de madeira e material de construção nos Estados Unidos; eu (naquela época, editor-chefe da *Think and Grow Rich Newsletter*); Boo Cheney, presidente da editora Imagine, Inc.; e Mike Ritt, então o diretor executivo da Fundação Napoleon Hill, que, mais tarde, se tornou biógrafo oficial de Napoleon Hill. Durante o jantar, Mike foi crivado de perguntas sobre Napoleon Hill e, em certo momento, me espantei ao ver Leighton Cubbage enfiar a mão no bolso do paletó e puxar cartõezinhos com citações de *Pense e enriqueça*. Ele disse que nunca saía de casa sem eles e que, em grande medida, baseara sua vida e criara suas empresas nas ideias e técnicas que aprendeu estudando o livro. Bill Lee disse mais ou menos o mesmo.

CAPÍTULO 4
Conhecimento Especializado: Experiências ou observações pessoais

1 Hoje, os programas de estudo e trabalho, a escolha de uma área de especialização, os orientadores vocacionais e o planejamento de carreira são básicos na vida universitária americana.

2 Hill ficaria contentíssimo e talvez espantado com o setor de CDs, DVDs, MP3, podcasts, áudios e vídeos de autoajuda, cujos produtos permitem a quem busca uma carreira adquirir conhecimento e desenvolver novas habilidades, tanto em casa quanto "em trânsito".

3 A versão original do livro tem o seguinte nesse ponto:

As escolas por correspondência são instituições empresariais organizadíssimas. Suas taxas são tão baixas que elas são forçadas a insistir no pagamento à vista. O efeito de ter que pagar, quer o aluno tenha nota boa ou ruim, leva o indivíduo a continuar o curso quando poderia largá-lo. As escolas por correspondência não insistiram suficientemente nessa questão, pois a verdade é que seus departamentos de cobrança constituem o melhor tipo de treinamento em decisão, prontidão, ação e no hábito de terminar o que se começa.

4   Originalmente, Hill pensava em oferecer esse serviço aos muitos milhares de pessoas desempregadas durante a Grande Depressão, mas seus comentários são igualmente válidos para quem está sem trabalho hoje em períodos de corte de pessoal das empresas e outras instabilidades econômicas. As prósperas pequenas empresas de artes gráficas e programação visual que hoje produzem cartões de visita, folhetos, logotipos e papel timbrado para autônomos de todo o país atestam a validade duradoura da ideia de Hill.

5   Daniel D. Halpin nasceu em 14 de junho de 1906 e cresceu em New Haven, no estado de Connecticut. Aparentemente, foi o primeiro aluno de New Haven a estudar na Notre Dame e, ao sair do trem, ficou acordado a noite toda na esperança de ver índios (e não viu).

Na universidade, ele arranjou vários empregos para ajudar a cobrir as mensalidades e as despesas pessoais. Seus pais não tinham condições de pagar a faculdade, mas um tio, dono da Dunster Books em Cambridge, no estado de Massachusetts, lhe deu certo número de livros encadernados em couro sobre os clássicos e ele ficou conhecido por ter uma das melhores bibliotecas pessoais do campus.

Halpin era fascinado pelas histórias sobre o famoso Knute Rockne e o time de futebol americano de Notre Dame, e isso levou à escolha dessa universidade para sua formação superior. Ele foi subindo no sistema de gestão de atletas até ser nomeado gerente-geral no fim do ano letivo de 1930. Foi o último gerente de Rockne e também serviu como seu secretário e no cargo que hoje seria chamado de empresário. Aproximou-se da família Rockne e a auxiliava com frequência em seus contatos com a universidade.

A liderança de Halpin foi aplicada além dos esportes. Dentro de um ano ou dois, ele percebeu que o campus precisava de um serviço de lavanderia e o criou. Também criou um logotipo para a empresa, e todas as peças do equipamento tinham pintado com estêncil: "La UND ry" ("laundry" é lavanderia em inglês). A empresa era tão lucrativa que a universidade a comprou e a administra até hoje.

Depois do acidente trágico de avião de Rockne em março de 1931, Halpin foi encarregado pelo reitor de voar até o Kansas e escoltar os restos mortais do atleta de volta à Notre Dame. Quando se formou, em junho de 1931, ele foi contratado pela MGM como "especialista em Rockne" para o filme *Criador de campeões*.

Foi com essa experiência que ele voltou à Costa Leste ao lado de sua recém desposada mulher, Margaret Hyland Halpin, e alugou um apartamento na Riverside

Drive, 425, em Manhattan, no ápice da Grande Depressão. Seu primeiro emprego foi vender aparelhos auditivos na Rua 42, em Nova York. Como conta Napoleon Hill em *Pense e enriqueça*, Halpin era um vendedor tão hábil que vendeu mais do que a principal marca, a Dictograph, que anunciava muito no rádio. A Dictograph o contratou e fez dele gerente de vendas e, depois, vice-presidente. Seu primeiro filho nasceu em 1932, e na época a família estava em boa situação financeira.

Dan Halpin Jr., o filho de Halpin, diz: "Quanto a Napoleon Hill, ele [Halpin pai] o mencionava frequentemente e, pelo que me lembro, papai foi padrinho do casamento do filho do Sr. Hill [Blair Hill]. Se não me falha a memória, o jovem Sr. Hill nasceu sem orelhas e meu pai foi providencial para lhe fornecer um aparelho auditivo que lhe deu alguma capacidade de ouvir. [Ver o relato nas páginas 53 a 60.] Depois disso, eles ficaram amigos e assim permaneceram, até onde sei. Lembro que ele sempre falava muito bem de Napoleon Hill e tinha muito orgulho de sua inclusão em *Pense e enriqueça*. Papai mencionou que achava *Pense e enriqueça* um dos primeiros de uma longa linhagem de ótimos livros motivacionais para o homem de negócios."

Os Halpin ficaram em Manhattan até 1940. A mudança seguinte foi para Nova Jersey, na cidade de Haddonfield. Halpin foi contratado como vice-presidente e gerente-geral de vendas da Radio Corporation of America, em Camden, Nova Jersey. Sua nova função era divulgar e vender um novo sistema de entretenimento chamado televisão. Halpin passou os 12 anos seguintes na RCA. Em 1952, a família se mudou para Montclair, Nova Jersey, onde ele se tornou vice-presidente e gerente-geral da DuMont Television. Halpin terminou a carreira como executivo de contas da agência de publicidade Young & Rubicam Advertising, com dedicação especial à conta de televisores da General Electric.

Embora sua carreira tivesse muitas primeiras vezes, ele se orgulhava devidamente de ter sido o primeiro executivo de vendas a convencer uma grande cadeia de hotéis a instalar uma televisão em cada quarto, no início da década de 1950. Halpin foi o gênio criativo que convenceu os donos de televisores que a vida seria melhor se possuíssem dois aparelhos – o segundo seria a "TV da sogrinha". Em consequência, a RCA vendeu milhões de aparelhos. Ele também ficou conhecido no setor como a força principal por trás da estratégia de vendas para o lançamento e a comercialização do televisor em cores e foi realmente um pioneiro dos primeiros dias do setor televisivo.

Halpin morreu dormindo aos 63 anos, em 21 de agosto de 1970, cerca de seis semanas antes que Napoleon Hill falecesse em Greenville, na Carolina do Sul, onde se aposentara.

6 Knute Rockne foi um dos treinadores de futebol americano mais inovadores e carismáticos dos Estados Unidos e tinha todas as características que Napoleon Hill achava necessárias para obter real sucesso na vida. Rockne nasceu em 4 de março de 1888 em Voss, na Noruega, e morreu em 31 de março de 1931 em Bazaar, no Kansas, quando o avião no qual ia de Kansas City a Los Angeles caiu numa fazenda. Tinha 43

anos. De 1918 a 1931, ele foi o treinador principal dos Fighting Irish da Notre Dame e nesse período o time venceu 105 jogos e seis campeonatos nacionais. Em 13 anos, ele só perdeu 12 jogos e teve cinco empates. Seu percentual de 88,1% de vitórias ainda é o melhor da Notre Dame e está no alto da lista do futebol americano, tanto universitário quanto profissional. Rockne é mais conhecido pelos "Quatro Cavaleiros" da defesa de 1924 e pelo discurso inspirador "*Win One for the Gipper*" ("Vençam uma pelo Gipper", alusão ao jogador George Gipp, que tinha morrido recentemente). Em 1999, ele foi citado como o décimo da lista de dez maiores treinadores de todos os tempos em todos os esportes pela ESPN SportsCentury.

7 Originalmente, nesse ponto Hill acrescentou:

> *Com a mudança das condições trazidas pelo colapso econômico mundial, veio também a necessidade de formas mais novas e melhores de comercializar* SERVIÇOS PESSOAIS. *É difícil determinar por que ninguém descobriu ainda essa necessidade estupenda, em vista do fato de que mais dinheiro troca de mãos em troca de serviços pessoais do que por todas as outras razões. A quantia paga mensalmente a pessoas que trabalham por salário é tão grande que chega às centenas de milhões, e a distribuição anual chega aos bilhões.*

8 Se escrevesse hoje, Hill poderia ter escolhido como exemplos desses empreendedores mais recentes Sam Walton, do Walmart, Ray Kroc, do McDonald's, Steve Jobs, da Apple Computers, ou Bill Gates, da Microsoft. Também nesse ponto do manuscrito original, Hill incluiu outra discussão prolongada sobre a mulher que preparou o plano de marketing de serviços pessoais do filho. Ele escreveu:

> *Os que virem a* OPORTUNIDADE *escondida nessa sugestão encontrarão um auxílio valioso no capítulo sobre Planejamento Organizado. Aliás, um vendedor eficiente de serviços pessoais encontrará demanda crescente dos serviços que presta onde quer que haja homens e mulheres que buscam mercados melhores para seus serviços. Com a aplicação do Princípio da Mente Mestra, algumas pessoas com talento adequado poderiam formar uma aliança e ter um negócio lucrativo bem depressa. Um deles precisaria ser bom escritor, com talento para anunciar e vender; outro, hábil na tipografia e no desenho de letras; outro ainda deveria ser um negociante de primeira classe que divulgasse o serviço ao mundo. A pessoa que tivesse todas essas habilidades poderia realizar o negócio sozinha até que este crescesse mais do que ela.*
>
> *Atualmente, a mulher que preparou o "Plano pessoal de venda de serviços" para o filho recebe pedidos de todas as partes do país para que coopere na preparação de planos semelhantes para outros que desejam comercializar seus serviços pessoais por mais dinheiro. Ela tem uma equipe de datilógrafos, desenhistas e redatores especializados com capacidade de dramatizar o histórico do caso com tanta eficácia*

que os serviços pessoais de alguém podem ser vendidos por muito mais dinheiro do que o salário predominante para serviços semelhantes. Ela confia tanto em sua capacidade que aceita, como grande parte de seus honorários, um percentual do aumento de receita que ajudar os clientes a obter.

Não se deve supor que seu plano consista meramente da arte astuta de vender, com a qual ela ajuda homens e mulheres a pedir e receber mais dinheiro pelos mesmos serviços que antes vendiam por menos. Ela cuida dos interesses do comprador tanto quanto dos do vendedor de serviços pessoais e assim prepara seus planos de modo que o contratante receba todo o valor do que paga a mais. O método pelo qual consegue esse resultado espantoso é um segredo profissional que ela não revela a ninguém, com exceção de seus clientes.

Se você tiver IMAGINAÇÃO *e buscar um mercado mais lucrativo para seus serviços, essa sugestão pode ser o estímulo que procurava. A* IDEIA *é capaz de gerar renda muito maior do que a do médico, advogado ou engenheiro "médio" cuja formação exigiu vários anos na faculdade. A ideia é vendável aos que buscam novos cargos, em praticamente todos os cargos que exijam capacidade gerencial ou executiva, e aos que desejem reorganizar a renda em seu cargo atual.*

CAPÍTULO 5
Imaginação: A oficina da mente

[1] Numa entrevista na *Parade Magazine*, o cantor e compositor Lionel Ritchie deu uma descrição excelente de como funciona a Imaginação Criativa. Quando lhe perguntaram "De onde vêm suas melodias?", ele respondeu: "Gostaria de saber... São como estações de rádio tocando em minha cabeça. Estou no chuveiro cantando junto com essa música maravilhosa e então paro um momento e percebo: 'Ei, isso não está no rádio.' O assustador é que não estou cantando uma música, estou cantando *junto* com a música que toca em minha cabeça." Quando lhe perguntaram se era verdade que ele considera Deus como seu parceiro, Ritchie respondeu: "Claro. Acredito que, na vida, quando temos sorte suficiente, o universo nos dá uma coisa que mais ninguém pode fazer, só nós."

[2] Nesse momento da versão original de *Pense e enriqueça*, Hill se entrega ao que é, praticamente, um anúncio comercial do famoso refrigerante, inclusive com louvores a seus atributos de "estimular a mente". (A cafeína do refrigerante tinha um efeito estimulante que os consumidores da época sentiam, mas não entendiam inteiramente. Até 1892, a bebida continha cocaína.) Eis o que Hill escreveu: "Agora que você sabe que o conteúdo da Caldeira Mágica é um refrigerante mundialmente famoso, é conveniente que o autor confesse que a cidade natal da bebida [Atlanta] lhe forneceu uma esposa e que a bebida em si lhe fornece estímulo de pensamento

sem embriaguez e, portanto, serve para dar o estímulo à mente de que um escritor precisa para fazer seu melhor trabalho."

3 Asa Candler (1851-1929) foi um dos vendedores e gênios do marketing mais imaginativos que o mundo já viu. Em 1891, ele largou sua drogaria em Atlanta, na Geórgia, pegou um remédio estimulante contra dor de cabeça que vendia pouco e cujos direitos comprara e o tornou conhecido no mundo inteiro como "*The Real Thing*" (slogan traduzido no Brasil como "Isso é que é"). Trabalhava 14 horas por dia, só dormia cinco horas e era um porta-voz e vendedor infatigável de seu produto. Gostava de dizer "Uma venda de Coca-Cola perdida hoje não é uma venda que se possa fazer amanhã" e, se um dos clientes quisesse um único galão do xarope, ele mesmo o preparava só para realizar a venda. Candler distribuía Cocas gratuitas em elevadores. Deu a lojas plaquinhas gratuitas de "Empurre" e "Puxe" com o logotipo da bebida para serem instaladas nas portas. Durante vários anos, seu orçamento de publicidade foi maior do que as vendas, e, em 1909, a Coca-Cola se tornou o produto de consumo mais bem divulgado dos Estados Unidos, com anúncios em 230 mil metros quadrados de paredes de prédios em todo o país.

Candler era o protótipo do empreendedor Pense e Enriqueça. Ele "estabelecia e escrevia metas para tudo. Estabelecia metas de vendas mensais – tanto sequencialmente quanto ano a ano. Nunca começava uma reunião de negócios sem antes escrever como queria que ela se resolvesse. Metodista devoto, Candler também escrevia suas metas espirituais – como seus destaques na oração e nas leituras bíblicas. [...] Quando fazia um plano, Candler o seguia. 'Ele não achava que pudesse falhar. Isso ele se recusava a aceitar', disse [sua trineta Elizabeth Candler] Graham. [...] Não tinha instrução formal, mas estava sempre atrás de maneiras de expandir a mente. Quando adolescente, trabalhou numa farmácia e lia livros de medicina e estudava latim e grego à noite. No total, foi a determinação de Candler, e não sua formação ou inteligência, que construiu sua empresa e fez dele um sucesso." (Michael Tarsala, "Coca-Cola's Asa Candler", *Investor's Business Daily*, 1º de fevereiro de 1999, p. A-8.) Candler, como muitos empresários de sucesso que acumulam grandes fortunas, passou os 10 últimos anos de vida dedicado à filantropia, fazendo doações a hospitais, orfanatos e instituições educacionais. Doou 8 milhões de dólares – mais de 80 milhões de dólares de hoje – à Universidade Emory, em Atlanta.

4 Armour (1832-1901) foi o processador de carnes que desenvolveu os Stockyards, o grande matadouro de Chicago. Foi pioneiro no envio de porcos a Chicago para abate, enlatamento e exportação da carne. Mais tarde, seu filho J. Ogden Armour (1863-1927) fez da Armour and Company a maior e mais bem-sucedida empresa de processamento de carnes do mundo. O Armour Institute of Technology, que P. D. Armour financiaria com quase 2 milhões de dólares, foi inaugurado em dezembro de 1892, com Frank W. Gunsaulus como primeiro presidente. Mais tarde, a Sra. P. D. Armour e o filho J. Ogden doariam à escola mais 1 milhão de dólares.

Posteriormente, o Armour Institute se fundiu com o Lewis Institute e se tornou o Illinois Institute of Technology. Gunsaulus morreu em 1921, com 65 anos.

5 Toda essa anedota demonstra vários tópicos e princípios muito importantes de Hill – o poder e o "alcance" da mente subconsciente para cumprir as tarefas, a fusão do desejo ardente com a fé intensa para criar um estado de espírito semelhante à oração, a capacidade da mente subconsciente, "vibrando" ou operando na intensidade máxima, de sair e se conectar com a mente de outro ser humano num espírito de harmonia. A história do Dr. Gunsaulus é a personificação das ideias de Napoleon Hill.

6 Na versão original do livro, nesse ponto Hill faz um discurso sobre o futuro do rádio e sugere a seus leitores que esse seria um campo frutífero para investir. Suas previsões sobre a publicidade baseada no marketing e no modo como a demanda do novo meio de comunicação afetaria o setor publicitário foram exatíssimas. No entanto, o que ele chama de "cantores e artistas do papo-furado" do rádio ainda estão entre nós hoje e a programação pública séria nunca conseguiu deslocar do centro do palco o entretenimento leve. Eis o que Hill tinha a dizer:

> *O próximo rebanho de milionários nascerá do negócio do rádio, que é novo e não está sobrecarregado de homens de imaginação astuta. O dinheiro irá para aqueles que descobrirem ou criarem programas de rádio novos e mais meritórios e tiverem imaginação para reconhecer o mérito e dar aos ouvintes a oportunidade de ganhar com ele.*
>
> *O patrocinador! Essa vítima infeliz que hoje paga o custo de todo "entretenimento" do rádio logo se tornará consciente da ideia e exigirá algo em troca de seu dinheiro. O homem que vencer o patrocinador na corrida e oferecer programas que prestem serviços úteis será o que se tornará rico nesse novo setor.*
>
> *Os cantores e artistas do papo-furado, que hoje poluem o ar com sarcasmo e risinhos tolos, serão deitados fora como serragem e terão seus espaços ocupados por artistas de verdade que interpretem programas cuidadosamente planejados e projetados para servir à mente dos homens, além de oferecer entretenimento.*
>
> *Aqui está um vasto campo de oportunidades que grita seu protesto pela maneira como está sendo massacrado devido à falta de imaginação e implora resgate a qualquer preço. Acima de tudo, a coisa de que o rádio precisa são novas* IDEIAS!
>
> *Se esse novo campo de oportunidade o fascina, talvez você lucre com a sugestão de que os programas bem-sucedidos do rádio do futuro darão mais atenção a criar público "comprador" e menos atenção ao público "ouvinte". Dito com mais clareza, o construtor de programas de rádio que tiver sucesso no futuro tem de encontrar modos práticos de converter "ouvintes" em "compradores". Além disso, o produtor bem-sucedido de programas de rádio do futuro precisa ajustar seus números para que possa mostrar claramente seu efeito sobre o público.*
>
> *Os patrocinadores estão ficando meio cansados de comprar tagarelice de vendas com base em declarações tiradas do nada. Eles querem e, no futuro, exigirão pro-*

vas indiscutíveis de que, no programa "Qualquercoisa", além de dar a milhões de pessoas a risada mais tola do mundo, o tolo risonho consegue vender mercadorias!

Outra coisa que também deve ser compreendida pelos que pensam em entrar nesse novo campo de oportunidade [é que] a publicidade no rádio será gerenciada por um grupo inteiramente novo de especialistas, separado e distinto dos antigos homens das agências de publicidade em jornais e revistas. No jogo da publicidade, os antigos não sabem ler os modernos roteiros de rádio porque foram formados para VER ideias. A nova técnica do rádio exige homens capazes de interpretar ideias de um manuscrito em termos de SOM! Aprender isso custou ao autor um ano de trabalho intenso e muitos milhares de dólares.

O rádio, neste momento, é onde o cinema estava quando Mary Pickford e seus cachos apareceram pela primeira vez na tela. Há muito espaço no rádio para quem puder produzir ou reconhecer IDEIAS.

Se o comentário anterior sobre as oportunidades do rádio não pôs para trabalhar sua fábrica de ideias, é melhor esquecer. Sua oportunidade está em alguma outra área. Se o comentário o interessou no mínimo grau, então vá atrás dele e talvez você encontre aquela IDEIA de que precisa para engordar sua carreira.

Nunca desanime por não ter experiência com o rádio. Andrew Carnegie sabia pouquíssimo sobre a produção de aço – tenho as palavras do próprio Carnegie sobre isso –, mas fez uso prático de dois princípios descritos neste livro e fez o setor siderúrgico lhe render uma fortuna.

CAPÍTULO 6

Planejamento Organizado: A cristalização do desejo em ação

[1] Depois da derrota esmagadora em Waterloo, Napoleão foi para o exílio solitário na ilha de Santa Helena, no sul do Atlântico, onde morreu em 1821. O *Kaiser* Guilherme abdicou do trono em 1918, depois que a Alemanha foi derrotada na Primeira Guerra Mundial, e foi para o exílio na Holanda, onde viveu discretamente até sua morte em 1942. No início de 1917, Nicolau III, último czar da Rússia, foi forçado a abdicar do trono. Mais tarde, foi executado com a família. Afonso XIII, da Espanha, foi deposto em 1931 após uma década de agitação política. Morreu no exílio 10 anos depois.

[2] Hill estava décadas à frente de seu tempo. Ele exaltou o valor da arte de delegar muito antes que se tornasse moda na administração.

[3] É tentador acreditar que *Pense e enriqueça* pode ter exercido alguma influência, direta ou indireta, sobre o treinador Paul "Bear" Bryant (1913-1983), que comandou o time da Universidade do Alabama na conquista de seis títulos nacionais de futebol americano e terminou a carreira com 323 vitórias, somente 85 derrotas e 17 empates. Uma de suas frases características – "Quando vencemos, o crédito é

do time; quando perdemos, a culpa foi minha" – é praticamente uma paráfrase do número 6 daqui e do número 10 dos 11 Principais Fatores da Liderança já listados. Bryant tinha 24 anos quando *Pense e enriqueça* foi publicado pela primeira vez.

4. Sem dúvida, os jornais de hoje são menos "órgãos de propaganda" para os anunciantes do que eram, mas os jornais que publicam escândalos e imagens obscenas ainda prosperam. "Acabará" pode acontecer daqui a muito tempo.

5. Quase meio século "à frente da matilha", Hill recomendava que as pessoas dominassem a arte do networking.

6. Muita gente poderá dizer que *Pense e enriqueça* é materialista demais na ênfase nas habilidades para construir riqueza e muito autocentrado ao enfatizar a autossuficiência, a realização pessoal e em avançar no mundo. Essas pessoas não entendem que, no fundo, a filosofia do sucesso de Hill é "espiritual" e altruísta. A Regra de Ouro tem um significado imenso para Hill. Em 1921, ele começou a publicar, em Chicago, a *Napoleon Hill's Magazine*, com o subtítulo "Uma revista mensal nacional de filosofia administrativa", vendida por um quarto de dólar o exemplar. Essa era sua política editorial. Observe a natureza positiva, não discriminatória, inclusiva e "inspiradora" de suas observações ("homens e mulheres juntos... independentemente de raça ou credo... prestar serviço que ajude a melhorar a vida difícil da humanidade") – tudo ainda mais notável porque ele escrevia décadas antes do início dos movimentos das mulheres e pelos direitos civis dos negros.

> *Esta revista é fruto de uma ideia que encontrou abrigo na mente de seu editor mais de 20 anos atrás; ou seja, a crença de que a* REGRA DE OURO *deveria se tornar a estrela-guia de todas as relações humanas, principalmente nos negócios, na indústria e no comércio.*
>
> *O único objetivo de publicar esta revista é reunir homens e mulheres num espírito de cooperação mais íntima, seja qual for a raça ou o credo, e fazer com que percebam o prêmio que aguarda todos os que põem os princípios acima do dólar e a humanidade acima do indivíduo; inspirar os que ainda não "chegaram" e ajudá-los a perceber que o fim do arco-íris só pode ser encontrado pela via que passa pelo campo do serviço útil; ensinar a homens e mulheres a inutilidade e a loucura do ódio, da inveja e da intolerância; fazer os homens perceberem que o sucesso não está tanto assim em possuir propriedades, mas em prestar serviços que ajudem a amenizar as provações da humanidade e fazer algum depósito a crédito para a posteridade; encontrar a porta secreta do coração de seus leitores e plantar pensamentos salutares onde antes eram destrutivos.*
>
> *Esta não se pretende uma revista predominantemente literária. Seu negócio é passar a mensagem... e o editor está disposto a sacrificar a arte literária em nome de atingir o coração dos homens por uma rota mais vigorosa e direta. Nos textos pessoais do editor, o pronome "eu" é usado com liberalidade porque ele escreve principalmente*

sobre o que sentiu e vivenciou em sua caminhada pelo "Vale das Sombras" nesses últimos 20 anos, o que é mais uma explicação do que um pedido de desculpas.

Esta revista não está, de modo algum, ligada a nenhuma outra revista que use o nome "Regra de Ouro", distinção que se deve ter em mente com clareza.

No pé da página na qual aparece essa política há a seguinte afirmativa: "Nenhuma riqueza ou posição pode durar para sempre se não se baseia na verdade e na justiça." Em outro ponto, o "CREDO DOS EDITORES" afirma: "Seus editores se comprometem, sem reservas, com a tarefa de ajudar os outros a verem a necessidade de pôr os princípios acima do dólar e a humanidade acima do indivíduo egoísta cujo único objetivo na vida é ganhar sem dar." É contra o pano de fundo desses sentimentos que Hill se ocupava em realizar sua pesquisa para *Pense e enriqueça*, que publicaria 16 anos depois. Como anotação marginal, é interessante que Stuart Austin Wier seja citado como "editor associado" da *Napoleon Hill's Magazine*. Veja mais informações sobre Wier na página 317. (A última frase da citação acima, começando com "Esta revista não está, de modo algum...", se refere à revista *Hill's Golden Rule*, que ele fundou em 1919, mas cujo comando perdeu em outubro de 1920, quando a empresa que a publicava assumiu o controle total numa disputa acirrada.)

[7] Originalmente, Hill acrescentou:

> *A depressão serviu de vigoroso protesto de um público ferido cujos direitos tinham sido pisoteados em todas as direções por aqueles que clamavam por vantagens e lucros individuais. Quando os destroços da depressão tiverem sido removidos e o equilíbrio dos negócios for restaurado, tanto empregadores quanto empregados reconhecerão que* NÃO TÊM MAIS O PRIVILÉGIO DE CONDUZIR AS NEGOCIAÇÕES ÀS CUSTAS DAQUELES A QUEM SERVEM.

[8] A excelência no serviço ao cliente voltaria aos refletores a partir da década de 1980. No manuscrito original, Hill usou as ferrovias e os bondes como exemplo do efeito negativo do mau serviço:

> *Quase todas as ferrovias dos Estados Unidos estão em dificuldades financeiras. Quem não se lembra do dia em que, caso indagasse na bilheteria a hora de partida de um trem, o cidadão seria encaminhado com grosseria ao quadro de avisos em vez de receber educadamente a informação?*
>
> *Com o tempo, as empresas de bondes também passaram por uma mudança. Houve uma época, não muito tempo atrás, em que os motorneiros dos bondes se orgulhavam de discutir com os passageiros. Muitos trilhos de bonde foram removidos e os passageiros viajam de ônibus, cujo motorista é "a última palavra em polidez". No país inteiro, os trilhos dos bondes enferrujam com o abandono ou foram*

encurtados. Onde os bondes ainda operam, agora os passageiros podem viajar sem discussões e é possível até chamar o bonde no meio do quarteirão que o motorneiro, PRESTATIVO, fará uma parada para o embarque.

COMO OS TEMPOS MUDARAM! Essa é apenas a questão que estou tentando enfatizar: OS TEMPOS MUDARAM! Além disso, a mudança se reflete não só nas bilheterias de ferrovias e nos bondes, mas também em outros setores da vida. Agora, a política de "o público que se dane" está fora de moda. Ela foi suplantada pela política de "estamos aqui ao seu dispor".

9   Nesse ponto, o manuscrito original incluía o seguinte:

> Os banqueiros aprenderam algumas coisas durante essa rápida mudança ocorrida nos últimos anos. A falta de educação por parte de um agente ou funcionário de banco hoje é tão rara quanto era evidente uns 12 anos atrás. No passado, alguns banqueiros (não todos, é claro) criavam um clima de austeridade que dava arrepios a todo candidato que sequer pensasse em procurar o banco para pedir um empréstimo.
>
> Os milhares de falências de bancos durante a depressão tiveram o efeito de remover as portas de mogno atrás das quais os banqueiros antes faziam suas barricadas. Agora, eles se sentam em mesas abertas, onde podem ser vistos e abordados à vontade por qualquer depositante ou por quem desejar vê-los, e todo o clima do banco é de cortesia e compreensão.
>
> Em outras épocas era comum que os clientes ficassem de pé no armazém da esquina esperando que os funcionários acabassem de jogar conversa fora com amigos e o proprietário terminasse de fazer seu depósito bancário antes de serem atendidos. As cadeias de lojas, gerenciadas por HOMENS CORTESES que, para servir, fazem de tudo, menos polir os calçados do cliente, EMPURRAM OS VENDEDORES DE OUTROS TEMPOS PARA O FUNDO DO PALCO. O TEMPO AVANÇA!

10   Originalmente, Hill escreveu aqui:

> Podemos recordar a época em que o leitor do medidor de gás batia à porta com força capaz de quebrar a madeira. Quando a porta se abria, ele entrava empurrando, sem ser convidado, com um muxoxo no rosto que dizia, claramente, "Por que diabos você me fez esperar?". Tudo isso sofreu uma mudança. Agora, o homem do medidor se comporta como um cavalheiro que tem "o máximo prazer em atender, senhor". Antes que as empresas de gás soubessem que seus funcionários desdenhosos acumulavam um passivo que nunca seria compensado, o vendedor bem-educado de queimadores a óleo chegou e criou um negócio próspero.

11   O manuscrito original incluía essa curiosa declaração sobre tributos e políticos:

(Eis um fato que os políticos não mencionaram quando gritaram aos eleitores que expulsassem seus adversários de seus cargos porque as pessoas estavam morrendo de tanto pagar tributos.)

[12] Não é claro por que Hill se sentiu obrigado a acrescentar aqui uma observação entre parênteses (itálico dele):

(E isso não é propaganda política nem econômica.)

[13] Originalmente, Hill acrescentou "Na Alemanha, na Rússia, na Itália e na maioria dos outros países europeus e orientais, as pessoas não podem viajar com tanta liberdade e a custo tão baixo", o que não é bem o caso hoje.

[14] Certa vez, Andrew Carnegie disse: "Será um grande erro para a comunidade fuzilar os milionários, pois eles são as abelhas que mais fazem mel e mais contribuem para a colmeia, mesmo depois de terem se empapuçado."

[15] Originalmente, Hill acrescentou o seguinte comentário irônico: "A ideia que têm de seus direitos à liberdade foi demonstrada em Nova York, onde a diretoria dos Correios registrou protestos violentos de um grupo de 'beneficiários de abono' que reclamavam porque os carteiros os acordaram às 7h30 da manhã para entregar os cheques do abono do governo. Eles EXIGIRAM que o horário de entrega fosse marcado para as 10h."

[16] Hill citou três exemplos – Alemanha e Itália, na época governados por ditadores fascistas, e Rússia, que estava sob a ditadura do proletariado comunista.

[17] Esses números e os seguintes são de dados de 2001 do *Statistical Abstract of the United States*. A comparação com os comentários originais de Hill é interessante:

> *Se riqueza for o que busca, não subestime as possibilidades de um país cujos cidadãos são tão ricos que só as mulheres gastam mais de 200 milhões de dólares por ano em batom, ruge e cosméticos. Pense duas vezes, você que busca riqueza, antes de tentar destruir o Sistema Capitalista de um país cujos cidadãos gastam mais de 50 milhões de dólares por ano em* CARTÕES DE FELICITAÇÕES *para exprimir seu gosto pela* LIBERDADE.
>
> *Se for dinheiro que busca, avalie com bastante cuidado um país que gasta centenas de milhões de dólares por ano em cigarros, dos quais o grosso da receita vai para apenas quatro empresas principais dedicadas a suprir esse construtor nacional de "indiferença" e "nervos tranquilos".*
>
> *Por favor, pense bastante num país cujo povo gastou por ano mais de 15 milhões de dólares pelo privilégio de ver filmes e considere mais alguns milhões em bebidas, narcóticos e outros refrigerantes e espumantes.*
>
> *Não tenha demasiada pressa em sair de um país cujo povo, de boa vontade e*

até ansioso, entrega milhões de dólares anuais ao futebol americano, ao beisebol e às lutas de boxe.

E, por favor, FIQUE ao lado de um país cujos habitantes abrem mão de mais de 1 milhão de dólares por ano em troca de chiclete e outro milhão em troca de lâminas de barbear.

[18] A referência é ao pisoteamento das liberdades individuais sob Hitler, Mussolini e Stalin.
[19] Seria fascinante ouvir os comentários de Napoleon Hill sobre a situação da dívida nacional que os Estados Unidos enfrentam hoje.
[20] A referência é à execução da hipoteca de propriedades residenciais e comerciais resultante dos processos de falência. A Grande Depressão foi arrasadora para famílias e empresas. Por exemplo, de 1929 a 1932, a renda per capita média (líquida) das fazendas familiares dos Estados Unidos despencou de 2.297 dólares para 74 dólares – uma queda inacreditável de quase 97%.

CAPÍTULO 7
Decisão: O controle da procrastinação

[1] Napoleon Hill gostava de dar "alfinetadas" ocasionais em escroques e políticos corruptos, como demonstra a observação entre parênteses que largou nesse ponto do livro original: *"(Vigaristas e políticos desonestos prostituíram a honra pela qual homens como Adams morreram.)"*

CAPÍTULO 8
Persistência: O esforço sustentado necessário para induzir a fé

[1] A convicção de que "atitude é tudo" caracteriza praticamente todas as páginas que Napoleon Hill escreveu durante sua longa carreira. Marilyn vos Savant, que tem um dos QIs mais altos do mundo, concorda. Ela escreve em "Ask Marilyn" (sua coluna muito lida): "Embora eu tenha certeza absoluta de que a capacidade intelectual normal é muito maior do que a necessária para quase todos os serviços, também tenho certeza absoluta de que quase todos nós atingimos nossos limites de motivação, trabalho duro e perseverança muito antes de chegarmos ao limite da inteligência. Em outras palavras, nossa atitude nos detém mais do que nossa aptidão."
[2] Fannie Hurst (1889-1968) foi romancista, dramaturga e roteirista. Com 20 e poucos anos, tinha se tornado escritora estabelecida e escrevia para e sobre mulheres trabalhadoras. Várias obras suas viraram filmes, como *A esquina do pecado* e *Imitação da vida*, este último duas vezes, em 1933 e 1959.

³ Kate Smith (1909-1986) era chamada de "Primeira-dama do Rádio". O *Kate Smith Show* foi ao ar de 1931 a 1947 na CBS Radio e ela apresentou *The Kate Smith Hour* na televisão de 1950 a 1954. Ela começou a carreira cantando em várias peças de *vaudeville*. Com 8 anos, divertiu soldados em Washington durante a Primeira Guerra Mundial. Tinha duas canções principais: "When the Moon Comes Over the Mountain", que era seu tema musical, e "God Bless America", o sucesso de Irving Berlin composto exclusivamente para ela, que o gravou em 1938. Embora não tivesse estudo formal de canto, sua voz cheia e volumosa de soprano se tornou uma das mais reconhecidas no setor de entretenimento e ela gravou mais de 3 mil músicas em sua longa carreira.

⁴ W. C. Fields (nascido William Claude Dukenfield em 1880) fugiu de casa com 11 anos e, em três anos, se tornou famoso como malabarista em peças de *vaudeville*. De 1915 a 1921, apresentou-se como malabarista cômico nas Ziegfield Follies. Fez a transição para o palco em 1923, no espetáculo *Poppy*, e em 1931 estava em Hollywood, escrevendo, dirigindo e estrelando os próprios filmes. Um dos maiores comediantes dos Estados Unidos e mestre do ritmo e da demora na resposta, ele é lembrado por filmes como *O guarda* (1940), *Minha dengosa* (1940) e *Never Give a Sucker an Even Break* (1941). Morreu em 1946.

⁵ Marie Dressler (1869-1934) foi uma das personalidades mais populares do cinema de Hollywood no início da década de 1930. Ela se especializou em representar mulheres velhas, fortes, autossuficientes e engraçadas. Sua estreia no cinema foi em *O casamento de Carlitos*, de 1914, um filme de Mack Sennett de que também participaram Charlie Chaplin e Mabel Norman. Dressler ganhou um Oscar de melhor atriz por seu trabalho no filme *O lírio do lodo*, de 1931, em que contracenou com Wallace Beery.

⁶ Eddie Cantor (nascido Edward Israel Iskowitz em 1892), com seus olhos saltados, fez de tudo. Astro de *vaudeville* e revistas, de teatro clássico, rádio e televisão, ele foi criado pela avó no Lower East Side de Nova York, depois de ficar órfão aos 2 anos de idade. Rapazinho, cantou e atuou como palhaço em troca de moedas nas esquinas, além de subir aos palcos de *vaudeville* para dançar e cantar caracterizado com o rosto pintado de preto (*blackface*). Mais tarde, fez turnês com várias companhias de teatro, participou de revistas da Broadway, foi um sucesso no rádio com *The Chase and Sanborn Hour*, programa transmitido de 1931 a 1949, e apresentou na televisão a meia hora do *The Eddie Cantor Variety Theater*, programa que, a partir de 1955, foi vendido para várias emissoras. Morreu em 1964.

⁷ "Sabe, é uma coisa engraçada. Quanto mais trabalho, mais sorte parece que tenho." Essa citação atribuída ao golfista Arnold Palmer (e, com variações, a muitos outros atletas profissionais e personalidades) resume o que Hill quer dizer quando fala das oportunidades que fabricamos e que resultam da persistência vinda da clareza de propósito forte e bem definida.

⁸ O caso entre Wallis Warfield Simpson, duas vezes divorciada, e Eduardo, duque de Windsor, que abriu mão do trono para se casar com ela, continua a ser *a* história

de amor do século XX. Em 1931, Eduardo (1894-1972), o príncipe de Gales, conheceu a Sra. Simpson (1896-1986), súdita britânica, mas, na época, cidadã americana. Com o tempo, ele se apaixonou perdidamente. Quando ela se divorciou do segundo marido – o rico magnata da Marinha mercante Ernest Simpson – em outubro de 1936, Eduardo era o rei Eduardo VIII da Inglaterra havia parcos nove meses. A intenção anunciada de se casar com Wallis Simpson ofendeu tanto os tradicionalistas britânicos quanto a hierarquia da Igreja Anglicana e provocou uma crise no governo. Em 10 de dezembro de 1936, Eduardo abdicou do trono num discurso transmitido à nação pelo rádio com as seguintes palavras: "Considerei impossível carregar o pesado fardo da responsabilidade e cumprir meus deveres como rei como desejaria fazer sem a ajuda e o apoio da mulher que amo." O novo rei, Jorge VI, criou o título de duque de Windsor para o irmão mais velho e, em 3 de junho de 1937, Eduardo e Wallis se casaram na França. Numa afronta a Wallis que Eduardo nunca perdoou, o rei Jorge se recusou a lhe conceder o título de duquesa de Windsor. De 1937 a 1939 e depois de 1945, quando a Segunda Guerra Mundial terminou, o duque e a "duquesa" residiram principalmente na França, vivendo na alta sociedade, e com o passar dos anos se tornaram tema de incontáveis reportagens e livros. As memórias dela, *The Heart Has Its Reasons* (O coração tem suas razões), foram publicadas em 1959. Depois da morte do duque em 1972, Wallis manteve em sua penteadeira uma mensagem de Eduardo emoldurada em ouro. Dizia:

My Friend, with thee to live alone
Me thinks were better than to own
A crown, a scepter, and a throne.

Minha amiga, viver a sós contigo
Foi melhor, creio, do que possuir
Uma coroa, um cetro e um trono.

9   O caso entre o duque de Windsor e Wallis Simpson foi um escândalo internacional amplamente conhecido e gerou fofocas em seis continentes. Hoje, parece quase inocente e imaculado comparado às traquinagens dos jovens membros da família real britânica no início da década de 1990.

10 O manuscrito original incluía o seguinte parágrafo elevado:

E, quando encontrou um espírito irmão gritando pelo mesmo privilégio sagrado de expressão, ele o reconheceu e, sem medo nem desculpas, abriu seu coração e o convidou a entrar. Nenhum criador de escândalos do mundo conseguirá destruir a beleza desse drama internacional pelo qual duas pessoas encontraram o amor e tiveram a coragem de enfrentar críticas declaradas e renunciar a TUDO *para lhe dar expressão sagrada.*

[11] Originalmente, Hill inseriu aqui essa observação:

> Certamente não Ele, que disse: "Aquele que dentre vós estiver sem pecado seja o primeiro a atirar a pedra."

[12] Hill ficou eloquente nesse ponto:

> Se no último século a Europa tivesse sido abençoada com mais governantes com o coração humano e as características sinceras do ex-rei Eduardo, esse desafortunado hemisfério que agora ferve de ganância, ódio, luxúria, conivência política e ameaças de guerra teria UMA HISTÓRIA MELHOR E DIFERENTE A CONTAR. Uma história na qual o Amor, e não o Ódio, dominaria.
> Nas palavras de Stuart Austin Wier, erguemos nossa taça e fazemos um brinde ao ex-rei Eduardo e a Wallis Simpson: "Abençoado seja o homem que descobriu que nossos pensamentos mudos são os mais doces.
> "Abençoado seja o homem que, das profundezas mais negras, consegue ver a figura luminosa do AMOR e, ao ver, canta; e, cantando, diz: 'Bem mais doces do que as mentiras ditas são os pensamentos que tenho sobre ti.'"
> Nessas palavras pagaríamos tributo a duas pessoas que, mais do que todas nos tempos modernos, foram vítimas de críticas e alvo de agressões porque encontraram o maior tesouro da Vida e o reivindicaram.

[13] A versão original de *Pense e enriqueça* contém a seguinte e curiosa nota de rodapé, que vem no fim da história sobre o duque de Windsor e sua noiva: "A Sra. Simpson leu e aprovou esta análise." Presume-se que Hill tenha lhe apresentado essa parte do manuscrito e pedido comentários e sugestões.

CAPÍTULO 9
O Poder da Mente Mestra: A força motriz

[1] W. Clement Stone, que trabalhou intimamente com Napoleon Hill durante uma década, teve o seguinte a dizer sobre o princípio: "Durante nossa associação de 10 anos, aprendi o número que faltava em minha combinação de realizações mundiais bem-sucedidas: o Princípio da Mente Mestra, duas ou mais pessoas trabalhando juntas em completa harmonia rumo a um objetivo ou objetivos mútuos [...] A filosofia de Napoleon Hill nos ensina o que nunca nos ensinaram, ou seja, a reconhecer, relacionar, assimilar e aplicar princípios pelos quais se pode atingir qualquer objetivo, seja qual for, que não viole a Lei Universal – a Lei de Deus e os direitos do próximo" ("Editorial Reviews", Amazon.com, 12 de novembro de 2003). Stone,

que morreu com 100 anos em 2001, fundou a Combined Insurance Co. Em 1982, a empresa se fundiu à Ryan Insurance e, em 1987, tomou o nome de Aon Corp. Stone, um dos indivíduos mais ricos dos Estados Unidos, também foi, durante alguns anos, o presidente e a força motriz por trás da Fundação Napoleon Hill.

2   Na versão original do livro, Hill usa o termo (e conceito) hoje obsoleto de "éter" em vez de "Força Unificadora". Os físicos e matemáticos de hoje, quase meio século depois da morte de Einstein, ainda se esforçam para desenvolver a "teoria unificada" que Einstein buscava e que explicaria o que "amarra" o universo – da força gravitacional que estrutura as galáxias e o espaço em si às forças minúsculas encontradas nos menores cantinhos do mundo subatômico. Hill, é claro, tinha pouca compreensão dessas questões, mas confiava que *algo*, alguma força misteriosa que conecta todas as coisas, estivesse em ação no universo. Como lidava com conceitos que seriam, e ainda são, dificílimos de compreender e explicar, ele foi forçado a recorrer a analogias como a apresentada aqui.

3   Harvey S. Firestone (1868-1938) fundou a Firestone Tire and Rubber Company em 1900 com um investimento de 10 mil dólares que fez dele dono de metade da empresa. A princípio, a empresa vendia pneus de borracha para carretas. Em 1904, começou a fazer pneus para um novo meio de transporte que surgia: o automóvel. Firestone desenvolveu várias técnicas para a fabricação de pneumáticos, que foram usados no Modelo T da Ford Motor Company. John Burroughs (1837-1921) era um naturalista de fama nacional. Depois do sucesso no início da carreira como tesoureiro e auditor bancário nacional, ele dedicou o resto de seus anos a escrever e a cultivar frutíferas. Autor de livros como *Signs and Seasons* (Sinais e estações), *Camping and Tramping with Roosevelt* (Acampando e passeando com Roosevelt) e *The Breath of Life* (O sopro da vida), Burroughs era um personagem que lembrava Thoreau e fez acampamentos famosos com pessoas como Theodore Roosevelt e o colega naturalista John Muir. Luther Burbank foi o pai do melhoramento vegetal científico moderno.

4   Pesquisas mostram constantemente que manter uma atitude positiva – sobre si e sobre a vida – afeta mais do que a situação financeira. Ela pode nos ajudar a viver mais. Num estudo com 1.500 meninos na Califórnia, iniciado em 1921, os pesquisadores constataram que os "pessimistas" do grupo tiveram probabilidade 25% maior de morrer antes dos 65 anos do que os que pensavam positivamente. Pesquisadores do Brain Imaging and Behavior Laboratory da Universidade de Wisconsin constataram que participantes otimistas com pensamento positivo tinham nível mais alto de "células assassinas" e declínio menor da reação do sistema imunológico em situações estressantes. "A autoestima tem a ver com valorizar-se, com respeitar-se, com um tipo de confiança e com a disposição de falar a própria verdade", diz Emmett E. Miller, autor de *Deep Healing: The Essence of Mind/Body Medicine* (Cura profunda: a essência da medicina mente/corpo), num artigo publicado na *USA Weekend*. "Ela é um tônico para o sistema imunológico, para todos os órgãos do corpo."

CAPÍTULO 10
O Mistério da Transmutação do Sexo

1. A análise de Hill tende ao metafísico, mas tem um aspecto eminentemente prático. "Domada" e "redirecionada" não se referem apenas às forças subconscientes e subliminares que podem ser dominadas. Elas também advertem o leitor: "Mantenha o sexo na proporção adequada em sua vida. Aprecie-o, dê-lhe expressão. Mas use-o, controle-o, não permita que ele o controle."

2. Qualquer um que já castrou um animal de estimação entende o efeito descrito. Embora generalize o efeito para incluir seres humanos que podem ter passado por procedimentos cirúrgicos semelhantes, é claro que Hill escrevia muito antes do surgimento da terapia de reposição hormonal, que pode contrabalançar esses efeitos.

3. Esse tipo de momento meditativo que aproveita a Imaginação Criativa para entrar em contato com "uma fonte de inteligência superior" (ou Inteligência Infinita) recebe uma explicação excelente e mais completa num editorial publicado na página 17 do *Christian Science Monitor* de 5 de agosto de 1994 com uma linguagem que lembra Napoleon Hill:

   > *Quer esteja solitário, quer apenas sozinho com seus pensamentos, você aproveita ao máximo seu tempo quando permite que Deus dirija seu pensar. Podemos recorrer a Deus para obter direção, inspiração, ideias. Como Deus é a Mente divina que nos dá a inteligência, ela vem de Deus por reflexo. Podemos "ouvir" as ideias da Mente, sentir a presença de Deus e ter segurança de Sua orientação [...]*
   >
   > *O tempo dedicado ao pensamento em oração, além de prático para resolver problemas e conquistar serenidade, é essencial para o trabalho criativo. A inspiração chega com bela precisão quando sabemos que vem da Mente de Deus e escutamos Sua direção. As ideias, quer venham devagar, quer em dilúvio, precisam ser ponderadas sabiamente. Precisam ser alimentadas pelo sentimento de proximidade com Deus. Então percebemos quais ideias são certas para nosso uso atual.*
   >
   > *O tempo de pensar pode ser valioso, principalmente quando é aplicado em escutar Deus.*

4. Um processo semelhante é descrito pelo locutor de TV David Brinkley no livro de 1988 *Washington Goes to War* (Washington vai à guerra). Brinkley conta a história de um tal Beardsley Ruml, tesoureiro da R. H. Macy & Company, que teve a ideia do imposto retido na fonte – "pague enquanto ganha" –, que foi uma inovação radical no ano de 1940: "O hábito de Ruml, quando percebia um problema, era trancar-se num cômodo, longe das distrações – sem jornais, revistas, rádio nem gente –, recostar-se algumas horas numa poltrona profundamente estofada e deixar a mente flutuar com liberdade num estado que ele chamava de 'atenção dispersa'. Foi durante uma sessão dessas que

nasceu a ideia do imposto 'retido na fonte'." Ruml pode ou não ter lido *Pense e enriqueça* e o que diz sobre o Dr. Elmer Gates, mas utilizava a mesma técnica aqui defendida.

5 Napoleon Hill conhecia intimamente o trabalho de Elbert Green Hubbard (1856-1915), responsável pela publicação dos livretos populares da série Little Journey, que apresentavam ensaios biográficos sobre pessoas famosas e bem-sucedidas – semelhante, embora bem menos extenso, ao trabalho que o próprio Hill realizou. Em 1899, Hubbard publicou o popularíssimo ensaio "Mensagem a Garcia" em sua revista de vanguarda *The Philistine*. Isso pode ter causado um efeito profundo em Hill, por reforçar, como fez com tanto vigor, a importância da perseverança diante da adversidade. O ensaio aproveitava um incidente da Guerra Hispano-Americana. Hubbard morreu em 1915 quando o navio *Lusitania*, no qual viajava, foi afundado por um submarino alemão ao largo do litoral irlandês.

6 Elbert H. Gary (1846-1927), advogado e primeiro prefeito de Wheaton, no Illinois, conquistou fama duradoura por ajudar a organizar a U. S. Steel Corp. Ele acabou se tornando o primeiro presidente do conselho e presidente executivo da empresa.

7 John H. Patterson (1844-1922) foi um empresário inovador que popularizou a caixa registradora "moderna", do tipo que "tilinta" e abre a gaveta quando uma venda é registrada. Ele entrou no setor de caixas registradoras indiretamente. Convencido de que os funcionários de sua loja furtavam, comprou algumas dessas novas caixas. Ao perceber seu potencial, comprou a empresa que as fabricava, rebatizou-a de National Cash Register Company (mais tarde NCR) e tomou conta do setor de varejo. Credita-se a Patterson a ideia de territórios exclusivos para seus vendedores e a fundação da primeira escola de treinamento em vendas; ele foi pioneiro no uso de anúncios por mala direta e de comissões grandes para os representantes de vendas. Promoveu programas de bem-estar dos funcionários e melhores condições de trabalho numa época em que isso era considerado praticamente antiético pela comunidade empresarial em geral.

8 Enrico Caruso (1873-1921) foi o tenor operístico mais famoso do mundo no início do século XX. Nascido em Nápoles, na Itália, o 18º de 20 filhos, Caruso só começou a estudar canto formalmente aos 18 anos. Estreou nos Estados Unidos em 23 de novembro de 1903, no *Rigoletto*, na noite de inauguração do Metropolitan Opera de Nova York. Ele abriria todas as temporadas da casa nos dezessete anos seguintes. Caruso foi o primeiro grande músico ou cantor a gravar seu trabalho em discos para gramofone.

9 Nesse ponto, o manuscrito original de Hill contém estas linhas fascinantes:

> *Um dos líderes empresariais mais capazes dos Estados Unidos admitiu francamente que sua atraente secretária era responsável por quase todos os planos que criava. A presença dela o elevava às alturas da imaginação criativa de um modo que ele não conseguiria com outro estímulo, reconheceu o empresário.*
>
> *Um dos homens mais bem-sucedidos dos Estados Unidos deve a maior parte de seu sucesso à influência de uma moça encantadora que lhe serviu de inspiração*

durante mais de 12 anos. Todo mundo conhece o homem a quem se faz referência, mas nem todos conhecem a VERDADEIRA FONTE *de suas realizações.*

Não se sabe a quem Hill se referia nesses parágrafos. Os sentimentos expressos podem parecer ingênuos para o leitor de hoje, mas transmitem vivamente a tese de Hill de que o impulso sexual tem enorme influência sobre o comportamento e a motivação humanos no mundo dos negócios, questão que a pesquisa comportamental mais desapaixonada corroborou.

10 Apelidado de "The Hoosier Poet" ("o poeta de Indiana"), Riley (1849-1916) ficou famoso por seus poemas e pelas anedotas que contava no circuito de palestras sobre a vida em cidades pequenas, o mundo rural e, principalmente, seu estado natal de Indiana. Mímico talentoso, regalava as plateias com histórias rústicas e imitações do sotaque de seu estado. Apesar dos ataques graves e nunca superados de medo do palco, Riley se tornou um dos palestrantes mais populares do país. Ele também criou o personagem Little Orphan Annie (Aninha, a pequena órfã) em *The Orphant Annie Book* (O livro da órfã Anne) [sic] (1908) e publicou livros de poesia como *The Old Swimmin' Hole* (O velho lago) e *'Leven More Poems* (Onze novos poemas); este último vendeu meio milhão de exemplares. Antes de começar a carreira de escritor, ele trabalhou como pintor itinerante de cartazes, ator, vendedor de Bíblias, músico e repórter de jornal. Sobre escrever sob algum tipo de "influência" especial, o próprio Riley concordava: "Minha obra se fez sozinha. Sou só a casca de salgueiro pela qual sai o assovio."

11 O álcool e os narcóticos parecem ter um papel catalítico na vida de muita gente criativa. E também costumam provocar seu fim. O ator Philip Seymour Hoffman, o ator e cantor Cory Monteith, Whitney Houston, Amy Winehouse, Michael Jackson, Heath Ledger, o comediante Chris Farley, a atriz Judy Garland, a lenda do rock Jim Morrison, da banda The Doors, o poeta Dylan Thomas, o romancista Ernest Hemingway, o dramaturgo Tennessee Williams, o guitarrista de rock Jimi Hendrix, o escritor Truman Capote, o cronista da Geração Beat Jack Kerouac, o comediante John Belushi, o ator River Phoenix – é infindável a lista de artistas extraordinários cuja dependência química acabou lhes custando a vida.

12 James J. Hill (1838-1916) era um financista e magnata das ferrovias. Foi presidente e depois presidente do conselho diretor da Great Northern Railway. Mais tarde, assumiu o controle do First and Second National Banks de St. Paul, em Minnesota. Ele escreveu *Highways of progress* (Estradas do progresso), livro popular publicado em 1910.

13 O sal de cozinha é o exemplo mais comum. Isolados, o sódio e o cloro são substâncias extremamente tóxicas, mas todo dia se polvilha cloreto de sódio na comida em cozinhas e mesas do mundo inteiro.

14 Essa afirmativa apresenta, em resumo, a gênese da filosofia da atitude mental positiva que Napoleon Hill e, mais tarde, seu patrono W. Clement Stone dedicariam a vida a disseminar.

[15] O poder do amor é muito mais do que um clichê romântico, de acordo com Emmett E. Miller, autor de *Deep Healing: The Essence of Mind/Body Medicine*. "As provas se amontoam em vários aspectos: ter um relacionamento protege de doenças. Quando estamos felizes, alegres, sentindo amor e nos sentindo amados e contentes por estarmos vivos, nós e nossa vida somos valorizados e essa mensagem é transmitida até as células imunes". ("How we feel changes how we... feel" – Como sentimos as mudanças, como... sentimos, Patty Rhule, *USA Weekend*, 24-26 de setembro de 1999.)

CAPÍTULO 11
A Mente Subconsciente: O elo conector

[1] Ella Wheeler Wilcox nasceu em 1850 numa família pobre de agricultores do Wisconsin. Parecia destinada à carreira literária desde a infância e terminou seu primeiro "romance" com 10 anos. Depois do ensino secundário, foi para a Universidade de Wisconsin, mas largou a faculdade e voltou para casa, fonte de suas aspirações e sua inspiração literária. Com 18 anos, sua escrita profissional gerava dinheiro suficiente para dobrar a renda da família. A princípio, seus *Poems of Passion* (Poemas da paixão), de 1883, foram rejeitados como imorais pelas editoras, mas uma empresa de Chicago acabou aceitando a obra, que se tornou *best-seller*. Seus trabalhos são repletos de imagens de paixão sexual, geralmente simbolizada pela figura de um tigre. Ela se tornou líder da chamada "Escola Erótica" e observou, certa vez, que "o coração, não a arte" é que faz boa poesia. Também foi ensaísta e editorialista, com textos publicados em veículos como *The New York Journal* e a revista *Cosmopolitan*. Sem dúvida, Napoleon Hill se sentia atraído pela obra de Wilcox, com sua crença firme no poder do amor romântico e no papel importante do impulso sexual nas realizações humanas. Ella Wilcox morreu em 1919.

[2] Herbert Benson, do Instituto Médico de Corpo/Mente da Universidade Harvard, sugere a seguinte técnica para superar os efeitos *físicos* das emoções negativas (de "How we feel changes how we... feel" – Como sentimos as mudanças, como... sentimos, Patty Rhule, *USA Weekend*, 24-26 de setembro de 1999):

1. *Escolha uma palavra, som, oração ou frase que se encaixe em seu sistema de crenças; por exemplo, "paz" ou "o Senhor é meu pastor".*
2. *Sente-se confortavelmente, feche os olhos, relaxe os músculos.*
3. *Respire devagar. Em cada expiração, concentre-se em sua palavra. Faça dez a vinte minutos, uma ou duas vezes por dia; antes do café da manhã ou antes do jantar é melhor.*
4. *Quando terminar, fique sentado mais um instante e tenha pensamentos agradáveis.*

[3] Nesse tipo de discussão, que ocorre em alguns pontos importantes de *Pense e enriqueça*, Hill se baseia no conceito, hoje desatualizado e descartado, de "éter", um meio invi-

sível pelo qual a energia eletromagnética seria transmitida pelo universo. No entanto, é interessante notar que, em termos filosóficos e fundamentais, a descrição de Hill das características do "espaço" e da "energia" chega muito perto da teoria científica mais recente – a chamada "teoria das cordas", que sugere que espaço, energia e matéria são manifestações de "cordas" absurdamente minúsculas, unidimensionais e vibratórias, calculadas como tendo um milionésimo de bilionésimo de bilionésimo de bilionésimo de centímetro (10^{-33} cm). Quando escreve sobre "essa energia viva, pulsante e vibratória que permeia cada átomo de matéria e preenche cada nicho de espaço", Hill poderia estar descrevendo o tipo de realidade suprema vislumbrada pela teoria das cordas. Em vez de ser um vácuo silencioso, no nível ultramicroscópico uma região minúscula do espaço é um "lugar" turvo, movimentado e violentamente flutuante cujo ambiente é um frenesi tão grande que, de acordo com a teoria das cordas, é descrito como "espuma quântica". O excelente livro *O universo elegante* (1999), do físico e matemático Brian Greene, dá a melhor explicação até hoje da teoria das cordas e é algo que Napoleon Hill certamente leria se a obra estivesse disponível no seu tempo.

CAPÍTULO 12
O Cérebro: Uma Estação Emissora e Receptora de Pensamento

[1] O fenômeno talvez seja bem ilustrado pelo exemplo de um time de basquete num campeonato profissional cujos jogadores parecem capazes de prever cada movimento, reação e intenção uns dos outros, não importando a velocidade do ritmo ou a complicação das circunstâncias, durante as partes mais disputadas do jogo. O mesmo acontece quando integrantes de um grupo extraordinário de jazz improvisam no nível mais criativo, ou com membros de uma equipe científica nos "momentos eureca" de descoberta mútua e ideias simultâneas.

[2] Hoje, essa técnica seria descrita como brainstorming, embora o conceito de brainstorming de Hill entre os membros de um Grupo de Mentes Mestras assuma um nível significativamente mais alto de processamento e resultado mental do que apenas "sair jogando ideias".

CAPÍTULO 13
O Sexto Sentido: A porta para o Templo da Sabedoria

[1] Além dos 13 passos para a riqueza, mais tarde Hill desenvolveria, com W. Clement Stone, os 17 princípios do sucesso, ensinados em aulas e num curso popular por correspondência chamado PMA Science of Success. Os 17 princípios do sucesso são (eles foram apresentados e ordenados de forma variada em obras diferentes):

1. Atitude mental positiva
2. Objetivo definido
3. Esforçar-se um pouco mais
4. Pensamento exato
5. Autodisciplina
6. O Princípio da Mente Mestra
7. Fé aplicada
8. Uma personalidade agradável
9. Iniciativa pessoal
10. Entusiasmo
11. Atenção (ou concentração) controlada
12. Trabalho em equipe
13. Aprender com as derrotas e a adversidade
14. Visão criativa (Imaginação)
15. Orçar tempo e dinheiro
16. Manter boa saúde física e mental
17. A Lei da Força do Hábito Cósmica (o uso da lei universal)

O livro de Hill e Stone *Sucesso através de uma atitude mental positiva* (escrito em 1960 e revisto em 1977) traz uma boa explicação dos 17 princípios do sucesso, assim como *Your right to be rich* (Seu direito de ser rico), um guia de estudo interativo publicado em 1961.

[2] Hill nasceu em 26 de outubro de 1883 numa cabana de troncos com dois cômodos nas montanhas de Wise County, no estado da Virgínia. Era uma região marcada pelo analfabetismo, pela pobreza opressiva e pela superstição. Seu povo levava uma vida penosa, lutando para arrancar alimento de um solo árido em terreno acidentado. A maioria dos que nasciam ali passava a vida inteira sem jamais sair das montanhas. Hill foi um dos poucos que escaparam, viajaram pelo país e moraram em algumas de suas grandes cidades.

[3] Esse é um momento místico na história de *Pense e enriqueça*. Como sempre, quando mergulha em temas metafísicos, Hill procura as palavras adequadas para descrever o que, no fim das contas, não pode ser descrito. É interessante notar que Thomas Edison certa vez respondeu a uma pergunta sobre suas crenças religiosas durante uma entrevista discutindo "as forças da vida" em termos parecidíssimos com os que Hill usa aqui. A entrevista publicada foi bastante controvertida e não se sabe até que ponto Edison queria que suas observações fossem entendidas literalmente. Presume-se que Hill tenha lido a entrevista ou ouvido Edison descrever as mesmas ideias durante uma de suas entrevistas com o inventor. (Veja as discussões do incidente em Robert Conot, *A Streak of Luck*, Seaviews Books, Nova York, 1979, página 427, ou em Wyn Wachhorst, *Thomas Alva Edison: An American Myth*, MIT Press, Cambridge, Massachusetts, 1981, páginas 137-138.)

⁴ Na versão original do livro, esse capítulo termina com o seguinte parágrafo:

> *O Fantasma do Medo da Pobreza, que ocupou a mente de milhões de pessoas em 1929, era tão real que causou a pior depressão econômica que este país já conheceu. Além disso, esse fantasma específico ainda deixa alguns de nós apavorados.*

EPÍLOGO
Como Derrotar os Seis Fantasmas do Medo

¹ Napoleon Hill dedicou a vida a disseminar a filosofia Pense e Enriqueça e a ensinar os outros a lhe dar uso prático. W. Clement Stone, colaborador e patrão de Hill, teve um papel fundamental nisso. "De 1952 a 1962, empreguei Napoleon Hill e atuei como seu gerente-geral", disse Stone. "Estávamos dedicados a disseminar a filosofia dele. Ele já publicara *A lei do triunfo*, *Pense e enriqueça* e muitas outras obras. Algumas das numerosas realizações de nosso Grupo de Mentes Mestras foram ajudar a financiar a revista *Success Unlimited*, escrever *Success through a Positive Mental Attitude* (Sucesso com uma atitude mental positiva), desenvolver o curso PMA Science of Achievement (AMP – Atitude Mental Positiva – A ciência da realização) e, mais importante, lançar as bases que garantiram a realização do Objetivo Principal Definido de Hill na vida. O Objetivo Principal Definido de Hill era disseminar a filosofia do êxito [...] no mundo inteiro e para as gerações futuras. Juntos, influenciamos incontáveis milhões de pessoas em todos os continentes." (Fonte: site Motivational Speakers Hall of Fame, joshhinds.com/motspeakers.htm.)

² A epidemia internacional citada foi a mortal gripe espanhola, que atacou no outono de 1918. Na época em que a epidemia terminou, em julho de 1919, mais de 500 mil pessoas haviam morrido e 20 milhões foram infectadas. A gripe e sua virulenta companheira, a pneumonia, mataram em casa metade do número de soldados americanos mortos em combate na Primeira Guerra Mundial. No ponto máximo da epidemia, escolas e igrejas foram fechadas e muita gente só saía de casa usando uma máscara de algodão. Um cavalheiro idoso, ao recordar a epidemia de gripe na Universidade de Clemson, na Carolina do Sul, contou que a Trustee House, no campus, foi usada como enfermaria temporária. "Eles traziam os corpos como se fossem lenha!", exclamou.

³ Nesse ponto do manuscrito original, Hill contou o seguinte caso:

> *Os médicos, como todos sabem, são menos sujeitos ao ataque das doenças do que os leigos comuns, pela razão de que os médicos* NÃO TEMEM A DOENÇA. *Sabe-se que os médicos, sem medo nem hesitação, entram diariamente em contato físico com centenas de pessoas que sofrem de doenças contagiosas como varíola sem serem*

infectados. Sua imunidade contra a doença consistia, em grande medida, para não dizer somente, de sua absoluta falta de medo.

Embora a pesquisa médica tradicional indique outras explicações, é notável que os pesquisadores e médicos tenham passado cada vez mais a enfatizar a influência da atitude positiva sobre a saúde, a cura e o bem-estar geral. O exemplo específico que Hill usa aqui pode não se sustentar. O princípio geral, sim.

4   Pegler era um colunista sarcástico cujas invectivas e tiradas contra os programas públicos eram publicadas por mais de 170 jornais. Em 1941, ele ganhou um Prêmio Pulitzer pelos textos de sua cruzada contra a corrupção sindical, mas os textos posteriores se concentraram cada vez menos em revelar delitos e cada vez mais em exprimir desprezo – principalmente pelos administradores do New Deal, pelos líderes sindicais e pela família de Franklin D. Roosevelt. Em *The Columnists* (Os colunistas, Howell, Soskin Publishers, 1944), Charles Fisher escreveu o seguinte sobre Pegler: "*Depois de ler os jornais na cama, ele toma o café da manhã e vai cedo para o escritório, de onde sai linguagem chula, o som de papel arrancado da máquina de escrever e picado em pedacinhos e quantidade considerável de fumaça de cigarro. Ele passa talvez seis horas por dia trabalhando numa coluna, e dizem que já passou quarenta e cinco minutos caçando uma palavra.*" Pegler morreu com 74 anos em 24 de junho de 1969. (*The New York World-Telegram* foi criado em 1931 pela fusão do *World* com *The Evening Telegram*. A cadeia de jornais Scripps-Howard, dona da United Press International, comprou *The Sun* em 1950 e o fundiu para formar *The New York World-Telegram-Sun*. O jornal saiu de circulação em 1966.)

5   Nesse ponto do texto, Hill incluiu originalmente as seguintes observações indignadas sobre o modo como alguns patrões tratam as pessoas deixadas à própria sorte durante a Grande Depressão:

> *Alguns empregadores se aproveitam, da forma mais chocante, de pessoas em má situação. As agências penduram cartõezinhos coloridos oferecendo salários miseráveis a homens fracassados – 2 dólares por semana, 15 dólares por semana. Dezoito dólares por semana é uma joia rara, e quem tiver 25 dólares por semana a oferecer não pendura o anúncio na frente de uma agência num cartãozinho colorido. Tenho um anúncio de "Procura-se" cortado de um jornal local que pede um escriturário, um copista de qualidade e aplicado, para receber pedidos telefônicos numa loja de sanduíches das 11 da manhã às duas da tarde por 8 dólares por mês – não são 8 dólares por semana, mas por mês. O anúncio também diz: "Declarar a religião." Dá para imaginar a audácia desumana de quem exige um copista de qualidade e aplicado por 11 centavos a hora e indaga a religião da vítima? Mas é isso o que se oferece a pessoas destituídas.*

6   Nesse ponto do manuscrito original, Hill fez a seguinte análise:

Os carecas, por exemplo, são carecas pela única razão de seu medo de críticas. As cabeças ficam calvas por causa da faixa apertada dos chapéus que corta a circulação na raiz do cabelo. Os homens usam chapéus não porque realmente precisem, mas principalmente porque "todo mundo usa". O indivíduo entra na fila e faz o mesmo para que outros indivíduos não o CRITIQUEM. *As mulheres raramente ficam carecas ou com cabelo ralo porque usam na cabeça chapéus frouxos cujo único propósito é adornar.*

Mas não se suponha que as mulheres estejam livres do medo da crítica. Se qualquer mulher se declarar superior ao homem referindo-se a esse medo, peça-lhe que ande pela rua usando um chapéu da época de 1890.

Hill não era infalível – pela simples razão de que os cientistas médicos de seu tempo pouco sabiam da relação entre genética e o padrão da calvície masculina.

[7] A *Collier's* (que saiu de circulação em 1957) teve uma longa história e chegou a ser a revista de maior vendagem nos Estados Unidos. Foi fundada em abril de 1888 por Peter Fenelon Collier com o nome de *Once a Week* e era vendida com a quinzenal *Collier's Library*, que publicava novelas curtas e contos populares por uma "pechincha" – 7 centavos por 16 páginas. A primeira edição trazia textos de Ella Wheeler Wilcox, James Whitcomb Riley e H. Rider Haggard, autor de *As minas do rei Salomão*, *Ela, a feiticeira* e outras histórias de aventuras. Winston Churchill, Agatha Christie, Pearl Buck e Neville Shute são apenas alguns dos muitos escritores cujas obras adornaram as páginas da revista no decorrer dos anos. Aos poucos, a *Collier's* evoluiu para um semanário jornalístico. Sua cruzada contra medicamentos patenteados e prejudiciais – por exemplo, um remédio chamado "liquozone", anunciado como cura para tudo, de câncer a caspa – deu muito ímpeto à aprovação da Lei de Medicamentos e Alimentos dos Estados Unidos. A má administração e os prejuízos constantes resultaram na venda da revista à editora Cowles, que a enterrou e transferiu seus assinantes para a revista *Look* em 1957.

[8] Hill acreditava com firmeza na "mente sobre a matéria" na questão dos problemas de saúde, e desde então a pesquisa médica demonstrou de forma conclusiva que o estado de espírito realmente tem um papel importante na boa saúde. No entanto, não se sabe se ele realmente acreditava na seguinte anedota que usa no original de *Pense e enriqueça* ou se simplesmente a aproveitou para defender uma questão importante:

Na epidemia de "gripe" que começou durante a guerra mundial, o prefeito de Nova York tomou providências drásticas para impedir os danos que as pessoas causavam a si mesmas com o medo inerente da má saúde. Ele convocou os jornalistas e lhes disse: "Cavalheiros, sinto que é necessário lhes pedir que não publiquem mais manchetes assustadoras relativas à epidemia de gripe. A menos que cooperem comigo, teremos uma situação que não conseguiremos controlar." Os jornais pararam de publicar reportagens sobre a gripe e, em um mês, a epidemia foi contida.

9. Hill usou a expressão "especialista em terapia sugestiva".
10. Desde então, a pesquisa sobre o sistema imunológico demonstrou conclusivamente o efeito negativo do estresse sobre a imunidade do organismo.
11. Asilo (em inglês, *poorhouse*, casa dos pobres) é um conceito alheio às gerações mais recentes dos Estados Unidos. Antes do surgimento dos programas estaduais e federais de bem-estar social, era comum os cidadãos empobrecidos, que não tinham dinheiro nem propriedades, irem para os asilos do condado, onde seu trabalho os ajudava a "pagar" pelo quarto e pela alimentação. A não ser pela prisão ou pelo confinamento num asilo de loucos, a vida do pobre na *poorhouse* era praticamente o ponto mais baixo a que se podia chegar na sociedade americana.
12. Hill trabalhou vários anos como jornalista. Foi nesse papel que entrevistou Andrew Carnegie e enveredou pelo caminho de pesquisar e escrever *Pense e enriqueça*.
13. Hill acreditava piamente na realidade da percepção extrassensorial: "A telepatia é uma realidade. *Os pensamentos passam de uma mente a outra, voluntariamente, quer esse fato seja reconhecido, quer não pela pessoa que transmite os pensamentos ou pela pessoa que os capta.*"
14. "Autointoxicação" era um termo popular na época de Hill para descrever "envenenamento" por substâncias tóxicas formadas dentro do próprio corpo, como, por exemplo, no processo digestivo. A "limpeza interna" adequada é realizada com a ingestão diária adequada de água e fibras e também pode incluir enemas ou tratamentos do cólon.
15. Mais tarde, Hill refinaria essa ideia numa de suas declarações que talvez seja a mais famosa, o conceito fundamental da filosofia Pense e Enriqueça: "O que puder conceber e acreditar, a mente conseguirá atingir." (Uma versão anterior dizia: "O que puder conceber e acreditar, a mente do homem poderá atingir." Talvez a expressão mais antiga da ideia se encontre no segundo parágrafo do Capítulo 5: "Já foi dito que qualquer coisa que o ser humano consiga imaginar pode ser criada.") Às vezes, suas obras em colaboração com W. Clement Stone acrescentavam a expressão "... com AMP" (atitude mental positiva) depois de "atingir", como no livro *Atitude mental positiva*. Em muitos textos posteriores, Hill e Stone também acrescentaram outra frase restritiva: "... desde que não viole as leis de Deus nem os direitos dos outros". Qualquer que seja a variação, a fórmula CONCEBER-ACREDITAR-CONSEGUIR se tornou uma das "afirmativas" motivacionais mais notáveis e mais usadas da história.
16. Creso, famoso pela imensa riqueza, morreu em 546 a.C. e foi o último rei da Lídia. Ele venceu os gregos da Jônia, mas depois caiu diante dos persas. Creso foi o personagem central de um conto de Heródoto, no qual encontra o renomado legislador ateniense Sólon. Este último critica Creso severamente, enfatizando que a boa fortuna, não a riqueza em si, é a base da verdadeira felicidade.

CONHEÇA ALGUNS DESTAQUES DE NOSSO CATÁLOGO

- Augusto Cury: Você é insubstituível (2,8 milhões de livros vendidos), Nunca desista de seus sonhos (2,7 milhões de livros vendidos) e O médico da emoção
- Dale Carnegie: Como fazer amigos e influenciar pessoas (16 milhões de livros vendidos) e Como evitar preocupações e começar a viver
- Brené Brown: A coragem de ser imperfeito – Como aceitar a própria vulnerabilidade e vencer a vergonha (900 mil livros vendidos)
- T. Harv Eker: Os segredos da mente milionária (3 milhões de livros vendidos)
- Gustavo Cerbasi: Casais inteligentes enriquecem juntos (1,2 milhão de livros vendidos) e Como organizar sua vida financeira
- Greg McKeown: Essencialismo – A disciplinada busca por menos (700 mil livros vendidos) e Sem esforço – Torne mais fácil o que é mais importante
- Haemin Sunim: As coisas que você só vê quando desacelera (700 mil livros vendidos) e Amor pelas coisas imperfeitas
- Ana Claudia Quintana Arantes: A morte é um dia que vale a pena viver (650 mil livros vendidos) e Pra vida toda valer a pena viver
- Ichiro Kishimi e Fumitake Koga: A coragem de não agradar – Como se libertar da opinião dos outros (350 mil livros vendidos)
- Simon Sinek: Comece pelo porquê (350 mil livros vendidos) e O jogo infinito
- Robert B. Cialdini: As armas da persuasão (500 mil livros vendidos)
- Eckhart Tolle: O poder do agora (1,2 milhão de livros vendidos)
- Edith Eva Eger: A bailarina de Auschwitz (600 mil livros vendidos)
- Cristina Núñez Pereira e Rafael R. Valcárcel: Emocionário – Um guia lúdico para lidar com as emoções (800 mil livros vendidos)
- Nizan Guanaes e Arthur Guerra: Você aguenta ser feliz? – Como cuidar da saúde mental e física para ter qualidade de vida
- Suhas Kshirsagar: Mude seus horários, mude sua vida – Como usar o relógio biológico para perder peso, reduzir o estresse e ter mais saúde e energia

sextante.com.br